Paradijs

FSC
Mixed Sources
Productgroep uit goed beheerde bossen en andere gecontroleerde bronnen
Cert no. SW-COC-002296
www.fsc.org
© 1996 Forest Stewardship Council

Liza Marklund

PARADIJS

Uit het Zweeds vertaald
door Ina Sassen

DE GEUS

Achtste druk

Oorspronkelijke titel *Paradiset*, verschenen bij Piratförlaget

Omslagontwerp Mijke Wondergem
Omslagillustratie © Franco Zecchin/Picturetank
Druk Norhaven A/S
ISBN 978 90 445 1419 3
NUR 332

Paradijs

Proloog

Mijn tijd is om, dacht ze. Zo voelt het om dood te gaan.

Haar hoofd sloeg tegen het asfalt, af en toe raakte ze even buiten bewustzijn. Samen met de geluidsindrukken verdween ook de angst. Alles wat bleef was stilte.

Haar gedachten waren rustig en helder. Buik en onderlijf tegen de grond gedrukt, ijs en gruis tegen haar en wang.

Wat kan het toch raar lopen. Wat kan een mens toch eigenlijk weinig voorzien. Wie had dit kunnen vermoeden, dat het nou net hier zou gebeuren? Een onbekende kust, in het hoge noorden.

Toen zag ze de jongen weer voor zich, zijn uitgestrekte armen, ze voelde de angst, hoorde de schoten, werd overmand door haar tranen en haar eigen onvolmaaktheid.

Vergeef me, fluisterde ze. Vergeef me mijn lafheid, mijn armzalige tekortkomingen.

Plotseling voelde ze de wind weer, een windvlaag die aan de grote tas rukte, het deed pijn. De geluiden kwamen terug, haar voet deed zeer. Ze werd zich bewust van de kou en het vocht die door haar spijkerbroek heen gedrongen waren. Ze was alleen maar gevallen, niet geraakt. Op dat moment liet het denkvermogen haar weer in de steek, ze had nog slechts één gedachte.

Moet hier weg.

Met moeite kwam ze overeind, ze stond nu op handen en voeten, de wind sloeg haar weer tegen de grond, ze richtte zich op. De ligging van de gebouwen maakte de windvlagen onberekenbaar, ze kwamen vanaf zee en zwiepten als onbarmhartige stokslagen door de straat.

Ik moet hier weg. Nu.

Ze wist dat de man zich ergens achter haar bevond. Hij versperde haar de weg naar de stad, ze zat in de val.

Ik kan hier niet in het licht van de schijnwerper blijven staan. Ik moet weg. *Weg!*

Een nieuwe windvlaag ontnam haar de adem. Ze hapte naar

lucht, draaide haar rug naar de wind, meer schijnwerpers, geel, ze gaven de troosteloosheid een gouden glans, waar moest ze naartoe?

Ze pakte haar tas en rende met de wind in de rug naar een gebouw waarvan de lange zijde naar de zee was gericht. Ernaast lag een langgerekte kade met daarop een grote hoeveelheid rommel die weggewaaid was, een deel ervan lag beneden op de grond, wat was het in vredesnaam allemaal? Een trap? Een schoorsteen! Meubels. Een gynaecologenstoel. Een T-Ford. Een instrumentenpaneel van een gevechtsvliegtuig.

Ze hees zichzelf op de kade, trok haar tas naar zich toe, laveerde tussen badkuipen en zonnebanken door en maakte zich klein achter een oud bureau.

Hij zal me vinden, dacht ze. Het is slechts een kwestie van tijd. Hij zal nooit opgeven.

Ze zat in foetushouding, wiebelend, hijgend, nat van het zweet en de asfaltbrij. Besefte dat ze in de val gelopen was. Er was geen ontsnapping meer mogelijk. Het enige wat hij hoefde te doen was naar haar toe komen, de revolver tegen haar achterhoofd drukken en de trekker overhalen.

Voorzichtig gluurde ze onder een ladeblok door. Zag niets, alleen ijs en opslagloodsen, badend in geel schijnwerpergoud.

Ik moet wachten, dacht ze. Ik moet erachter zien te komen waar hij is. Daarna moet ik proberen ertussenuit te knijpen.

Na een paar minuten begonnen haar knieholten pijn te doen. Dij en onderbeen werden stijf, haar enkels brandden, vooral haar linker enkel. Ze moest die verstuikt hebben toen ze viel. Bloed van de wond in haar voorhoofd druppelde op de kade.

Op dat moment zag ze hem. Hij stond aan de rand van de kade, drie meter bij haar vandaan, zijn harde profiel stak donker af tegen het goud. De wind nam zijn fluistering mee.

'Aida.'

Ze kroop ineen en kneep haar ogen stijf dicht, maakte zich klein, een dier, onzichtbaar.

'Aida, ik weet dat je hier bent.'

Ze ademde met open mond, geluidloos, afwachtend. De wind blies zijn kant op, maakte zijn stappen onhoorbaar. Toen ze weer opkeek, liep hij aan de andere kant van de brede weg, langs de omheining, het wapen discreet in de aanslag onder zijn jas. Haar ademhaling versnelde, kwam in ongelijkmatige stoten, maakte haar duizelig. Toen hij de hoek om glipte en in de blauwe loods verdween, ging ze staan, sprong op het asfalt en begon te rennen. Haar voeten dreunden, verraderlijke wind, de tas sloeg tegen haar rug, haren in de ogen.

Ze hoorde het schot niet eens, had alleen een vermoeden van de kogel die fluitend langs haar hoofd vloog. Begon te zigzaggen, abrupte, onlogische bochten. Opnieuw een gefluit, opnieuw een andere richting.

Plotseling hield de aarde op, de bulderende Oostzee begon. Golven als zeilen, scherp als glas. Ze aarzelde maar heel even.

De man liep naar de zijde waar de vrouw gesprongen was en tuurde over de zee. Hij kneep zijn ogen half dicht, het wapen in de aanslag, probeerde tussen de golven haar hoofd te ontwaren. Zinloos.

Het zou haar nooit lukken. Te koud, te harde wind. Te laat.

Te laat voor Aida uit Bijeljina. Ze werd te groot. Ze was te eenzaam.

Hij bleef een poosje staan. Liet de kou in hem bijten. Hij stond pal in de wind, stukjes ijs werden in zijn gezicht geblazen.

Het geluid van de startmotor van de Scania achter hem werd weggejaagd, van hem af, de andere kant op, bereikte hem nooit. De trailer gleed weg in het gouden schijnsel, geluidloos, spoorloos.

DEEL EEN

Oktober

Ik ben geen slecht mens.

Ik ben het resultaat van mijn voorwaarden en omstandigheden. Alle mensen worden in hetzelfde leven geboren, het enige wat hen onderscheidt zijn de uitgangspunten: genetisch, cultureel, sociaal.

Ik heb gedood, dat is een feit, maar eigenlijk is het oninteressant. De vraag is of de mens die niet meer leeft, het überhaupt wel verdiende te leven. Ik ken mijn standpunt, maar het hoeft niet overeen te stemmen met dat van anderen.

Het is mogelijk dat men mij als gewelddadig ziet, maar dat hoeft niets met slechtheid te maken te hebben. Geweld is macht, precies zoals geld of invloed. Degene die ervoor kiest het geweld als zijn of haar gereedschap te gebruiken, kan dat doen zonder slecht te zijn. De prijs moet echter altijd betaald worden.

Het in bezit nemen van het geweld is niet gratis, je moet je ziel achterlaten als onderpand. Daarmee varieert de inzet; voor mij was het geen grote opoffering.

Het ontstane vacuüm wordt daarna gevuld met de voorwaarden waaraan voldaan moet worden om het geweld ook werkelijk te kunnen gebruiken, slechtheid is er een van, wanhoop een andere, wraak een derde, woede een vierde, bij hen die ziek zijn is het een kwestie van lust.

En ik ben geen slecht mens.

Ik ben het resultaat van mijn voorwaarden en omstandigheden.

Zondag 28 oktober

De bewaker van Securitas was op zijn hoede. Na de nachtelijke orkaan was de verwoesting alomtegenwoordig. Hij zag omgewaaide bomen, stukken metaal van opslagloodsen en daken, overal lagen opslaggoederen.

Toen hij de Vrijhaven bereikte, ging hij boven op de rem staan. Op het brede open terrein dat naar de zee liep, lagen het interieur van een vliegtuigcockpit, medische apparatuur, onderdelen van een badkamer. Het duurde een paar seconden voordat hij besefte waarnaar hij zat te kijken: wrakstukken van de rekwisietenvoorraad van TV-Zweden.

De dode mensen zag hij pas toen hij de auto had afgezet en zijn veiligheidsriem had losgemaakt. Vreemd genoeg voelde hij noch angst noch ontzetting, alleen maar oprechte verbazing. De in het zwart geklede lijken lagen uitgestrekt voor de kapotte trap van een tv-serie die stopgezet was. Voordat hij zelfs maar uit de auto gestapt was, wist hij dat de mannen vermoord waren. Daar was geen bovenmatige intelligentie voor nodig. Delen van hun schedel waren verdwenen, uit de openingen was iets kleverigs gelopen dat nu op het bevroren asfalt lag.

Zonder aan zijn eigen veiligheid te denken, stapte de bewaker uit zijn auto en liep naar de mannen toe. De afstand was niet groter dan een paar meter. Zijn reactie kon het best worden vergeleken met verwondering. De lijken zagen er bijzonder vreemd uit, alsof ze de jongere broertjes van Marty Feldman waren. Hun ogen puilden uit de kassen, hun tong hing uit hun mond, beiden hadden ze een klein plekje boven op hun hoofd en beiden misten ze een oor en, zoals gezegd, grote delen van achterhoofd en nek.

De levende man bestudeerde de twee doden gedurende een tijdspanne die hij achteraf niet kon preciseren, maar waaraan een eind kwam toen een plotselinge windvlaag die tussen de graanreservoirs van Lantmännen door zwiepte, hem tegen de grond sloeg. Hij brak zijn val met zijn armen en belandde met zijn rechterhand precies in de substantie die uit een van de hoofden was gelopen. De koude, stroperige smurrie tussen de vingers van de bewaker resulteerde in een plotseling opkomende, hevige misselijkheid. Hij gaf over op de bumper van zijn auto en veegde daarna het kleverige spul dat zijn vingers bedekte koortsachtig af aan de pluchen bekleding van de bestuurdersstoel.

De provinciale meldkamer van de politie van Kungsholmen in Stockholm ontving de alarmmelding uit de Vrijhaven om 05.31 uur. Het nieuws bereikte de krant de *Kvällspressen* drie minuten later. Het was Leif die met het nieuwtje kwam.

'Auto 1120 is op weg naar het Värtan-gebied, en ook twee ambulances.'

Op dat tijdstip van de ochtend, negenenveertig minuten na de deadline en zesentwintig minuten voordat de persen gingen draaien, bevond de redactie zich zoals gebruikelijk in een toestand van geconcentreerde en creatieve chaos. Alle opmaakredacteuren beukten met rode ogen op hun toetsenbord om de laatste koppen toe te voegen, de laatste foto-onderschriften te herschrijven, de korte, pakkende teksten voor de voorpagina bij te schaven en de laatste typefouten te corrigeren. Nachtchef Jansson was bezig met het controleren van de drukproeven en stuurde de pagina's via de nieuwe, elektronische snelweg naar de drukkerij.

De medewerkster die in deze situatie de eer had de tips van het publiek in ontvangst te nemen, was Annika Bengtzon, de tekstredacteur van de nachtredactie.

'Hetgeen betekent?' zei ze terwijl ze koortsachtig aantekeningen maakte op een Post-it-plakkertje.

'Ten minste twee moorden', zei Leif nog snel voordat hij het gesprek afbrak om ook bij de volgende krant de eerste te kunnen zijn met het nieuws. De tweede die belde met een tip kreeg geen öre.

Annika ging staan en liet tegelijkertijd de hoorn los.

'Twee lijken in het Värtan-gebied, kan moord zijn, niet bevestigd', zei ze tegen Janssons achterhoofd. 'Wil je het in de landelijke editie hebben?'

'Njet', zei het achterhoofd.

'Zal ik het onderbrengen bij Carl en Bertil?' vroeg ze.

'Yep', antwoordde het achterhoofd.

Ze liep naar het hok van de verslaggevers, het gele papiertje dat aan haar wijsvinger geplakt zat, zag eruit als een vlaggetje.

'Jansson wil dat je dit checkt', zei ze met haar vinger op de verslaggever gericht.

Met een lichte uitdrukking van walging op zijn gezicht trok Carl Wennergren het plakkertje los.

'Voor het geval jullie eropuit moeten,' zei Annika, 'Bertil Strand is binnen. Hij is beneden in het fotolab.'

Ze draaide zich op haar hielen om en liep weg zonder van Carl een antwoord te hebben gekregen. Hun relatie liep niet over van hartelijkheid. Ze ging moeizaam op haar stoel zitten, ze was tamelijk afgepeigerd. Het was een zeer drukke nacht geweest met heel veel reddingen op de doellijn. Een orkaan was over Skåne getrokken en had zich vervolgens in noordelijke richting verplaatst. De *Kvällspressen* had veel tijd en moeite gestoken in het verslaan van het noodweer en was daarin zeer succesvol geweest. Men was erin geslaagd om zowel verslaggevers als fotografen op het laatste vliegtuig naar Sturup te krijgen. Zij zouden de redactie in Malmö versterken. Ook de journalisten in Växjö en Göteborg waren de hele nacht in touw geweest, zij hadden versterking gekregen van een meute tekst- en fotoredacteuren met een freelance contract. Al het materiaal was vervolgens op de bureaus van de nachtredactie terechtgekomen, en het was de taak van Annika geweest het om te vormen tot artikelen en er een samenhangend geheel van te maken. Dat hield in dat ze alles moest herschrijven. Toch werd haar naam nergens in de krant genoemd, behalve onder het kadertje met feiten over orkanen dat ze van tevoren had samengesteld. Ze was tekstredacteur en daarmee een van de vele anonieme en onzichtbare journalisten.

'Godverdomme!' riep Jansson plotseling. 'De foto op de één heeft geen geel. Jezus christus...'

Hij stormde naar de fotoredactie en schreeuwde de naam van fotoredacteur Pelle Oscarsson. Annika glimlachte flauwtjes, de zegeningen van de moderne tijd. Volgens de toekomstprofeten zou de digitale techniek ervoor zorgen dat alles alleen nog maar sneller, veiliger en eenvoudiger zou gaan. Maar in werkelijkheid woonde er op de ISDN-lijn die naar de drukkerij liep, een klein duiveltje dat met ongelijkmatige tussenpozen een van de kleurenbestanden opat, meestal het gele. Als de fout niet ontdekt werd, resulteerde dat in de publicatie van zeer vreemd uitziende kleurenfoto's. Jansson beweerde dat het kleurenmonstertje dezelfde rotzak was als het wezen dat in zijn wasmachine huisde en voortdurend zijn sok opat.

'ISDN', snoof de nachtchef toen hij terugliep naar zijn werkplek, nadat een catastrofe was afgewend en de foto opnieuw verstuurd was. 'Ik Stuur Dus Niets.'

Annika ruimde haar bureau op.

'Maar het is toch nog goed gekomen, of niet soms?' zei ze.

Jansson liet zich in zijn stoel zakken en klemde een Blend tussen zijn tanden, hij stak de sigaret niet aan.

'Jij hebt verrekte goed werk afgeleverd vannacht', zei hij en hij knikte haar waarderend toe. 'Ik heb de originele teksten gezien. Knap gedaan, hoor.'

'Ik denk dat ze wel goed genoeg zijn', zei Annika gegeneerd.

'Wat waren dat voor lijken in de haven?'

Annika haalde haar schouders op.

'Weet niet. Zal ik het checken?'

Jansson ging staan en liep naar het rookhok.

'Doe dat maar', zei hij.

Ze begon met de SOS-alarmcentrale.

'We hebben twee ambulances gestuurd', bevestigde de manager.

'Geen rijtuigen?' vroeg Annika.

'Daar is wel over gepraat, maar degene die belde was een bewaker. Wij hebben ambulances gestuurd.'

Annika maakte aantekeningen. Lijkwagens werden slechts gestuurd als onomstotelijk vaststond dat de slachtoffers dood waren. Volgens het reglement mochten politieagenten alleen maar rijtuigen bestellen als het hoofd van het slachtoffer van de romp gescheiden was.

De provinciale meldkamer van de politie was moeilijk te bereiken. Het duurde een paar minuten voordat er opgenomen werd. Vervolgens duurde het nog eens vijf minuten voordat de dienstdoende rechercheur zich kon vrijmaken. Toen hij eindelijk aan de telefoon was gekomen, sprak hij klare en bondige taal.

'We hebben twee doden', zei hij. 'Twee mannen. Doodgeschoten. We kunnen niet zeggen of het om moord of om zelfmoord gaat. Bel later maar weer.'

'Ze werden gevonden in de Vrijhaven', zei Annika vlug. 'Zegt jullie dat iets?'

De rechercheur aarzelde.
'In dit stadium kan ik mij aan geen enkele speculatie wagen', zei hij. 'Maar je kunt zelf toch ook nadenken.'
Toen ze de hoorn neerlegde wist ze dat de krant de komende dagen door de dubbele moord zou worden gedomineerd. Om de een of andere reden waren twee moorden niet twee keer zo belangrijk als een enkelvoudige moord, dit was oneindig veel belangrijker.
Ze zuchtte en overwoog een bekertje koffie te halen. Ze had dorst en voelde zich lusteloos, koffie zou lekker zijn. Maar de consumptie van cafeïne op dit uur van de dag zou er ook voor zorgen dat ze tot ver in de ochtend met wijd opengesperde ogen naar het plafond zou liggen staren terwijl de vermoeidheid in haar lichaam bonkte.
Ach, wat kan het mij ook verdommen, dacht ze en ze liep naar de automaat.
De koffie was heet en viel goed. Ze ging op haar plek op de nachtredactie zitten, legde haar voeten op het bureau.
Jeetje, een dubbele moord in de Vrijhaven, dat is me toch wat.
Ze blies in haar bekertje.
Dat de slachtoffers doodgeschoten waren, wees erop dat dit niet ging om een conflict tussen bezopen broeders in het ongeluk. Zuiplappen vermoordden elkaar met messen, flessen, vuisten of trappen of ze duwden elkaar van balkons. Als ze al de beschikking hadden over wapens, zouden ze ze verkocht hebben om er drank van te kunnen kopen.
Ze sloeg de koffie achterover, smeet het plastic bekertje weg, ging naar de wc en nam een paar slokken water.
Twee mannen, dat wees toch werkelijk niet op moord of zelfmoord, niet in de Vrijhaven tijdens een orkaan. Als motief kon jaloezie waarschijnlijk wel uitgesloten worden. En dat betekende dat de in journalistiek opzicht interessantere motieven beschikbaar kwamen voor speculatie. Afrekeningen in het criminele circuit, wat alles kon inhouden van motorbendes tot alle mogelijke maffiagroeperingen en financiële syndicaten. Politieke motieven. Internationale verwikkelingen.
Annika liep terug naar haar werkplek. Van een ding was ze overtuigd. Zij zou niet de kans krijgen zich met deze moord te bemoeien. Anderen zouden deze kwestie voor de *Kvällspressen* mogen verslaan. Ze pakte haar jas, sjaal, handschoenen en muts.

In het weekend was er geen specifieke ochtendredactie, hetgeen inhield dat Jansson net zolang zou blijven tot alle regio-edities ter perse waren gegaan. Annika was om zes uur vrij.

'Ik ga ervantussen', zei ze toen ze langs de nachtchef liep. Hij zag er hondsmoe uit, had graag gezien dat ze gebleven was.

'Wil je niet op de krant wachten?' vroeg hij.

Een kwartier nadat de persen waren gaan draaien, werden de eerste stapeltjes per koerier gebracht. Annika schudde het hoofd, belde een taxi, stond op, trok haar jas en wanten aan en deed haar sjaal om.

'Kun je vanavond eerder komen?' riep Jansson haar na. 'De rotzooi van de orkaanellende opvegen?'

Annika pakte haar tas en haalde haar schouders op.

'Ach, ik heb toch geen leven.'

Thomas Samuelsson raakte voorzichtig de buik van zijn vrouw aan. De oude stevigheid was verdwenen, haar buikje voelde zacht en warm onder zijn handen. Sinds Eleonor vestigingsdirecteur van de bank was geworden, had ze geen tijd meer om zo hard te trainen als vroeger.

Hij liet zijn hand langzaam naar beneden cirkelen, over haar navel, vond haar lies, liet zijn wijsvinger langzaam de plooi volgen en tussen haar dijen glijden, voelde het haar, vond het vocht.

'Niet doen', mompelde ze en ze draaide zich van hem weg.

Hij zuchtte, slikte, rolde zich op zijn rug, door de opwinding bonkte zijn lichaam als een hamer. Hij vlocht zijn vingers ineen, legde zijn handen onder zijn hoofd, richtte zijn blik op het plafond. Hoorde hoe haar ademhaling weer langzamer en rustiger werd. Ze had nooit zin tegenwoordig.

Geërgerd smeet hij het dek van zich af en liep naakt naar de keuken, zijn lid hing slap als een uitgedroogde tulp. Hij dronk water uit een vies glas, pakte een nieuw filter, deed er koffie in, goot water in de koffiezetter, zette het apparaat aan en ging plassen. De haardos die hij in de badkamerspiegel zag stond rechtovereind, gaf hem een onverantwoordelijk uiterlijk dat beter bij zijn leeftijd paste dan zijn normale kapsel. Hij zuchtte, haalde zijn handen door zijn haren.

Het is te vroeg voor een midlifecrisis, dacht hij. Veel en veel te vroeg.

Hij liep weer naar de keuken en ging voor het raam staan, keek uit over de zee die zwart was en wild. De storm van de afgelopen nacht verried zich nog in de schuimkoppen op de golven, de zonnewijzer van de buren lag op halfzeven naast hun terrasdeur.

Wat is de zin van dit alles? dacht hij. Waar doen we het voor?

Hij werd overspoeld door een grote en donkere melancholie en besefte dat die aan zelfmedelijden grensde. Het tochtte bij het raam, waardeloze revolutiebouw, hij huiverde, zuchtte en liep weg om zijn ochtendjas te halen. Een kerstcadeau van vorig jaar van zijn echtgenote, groen, blauw, wijnrood, duur, van NK. Met bijpassende pantoffels, hij had ze nooit gedragen.

Het koffiezetapparaat pruttelde. Hij pakte een mok met het logo van de bank en zette de radio aan, *Echo* zou zo beginnen. Het nieuws werd gefilterd door tegenzin en koffie en drong niet echt tot hem door. Orkaan die over Zuid-Zweden geraasd had en enorme schade had aangericht. Huishoudens zonder stroom. De verzekeringsmaatschappijen doen beloften. Twee mannen dood. Veiligheidszone in Zuid-Libanon. Kosovo.

Hij deed de radio uit, liep naar de hal, deed zijn laarzen aan en haalde de krant uit de brievenbus. De wind trok aan alles wat van papier was, zocht zijn weg onder zijn badstoffen ochtendjas, voelde koel tegen zijn dijen. Hij bleef staan, deed zijn ogen dicht, ademde in. Er zat vorst in de lucht, de zee zou dichtvriezen.

Hij keek naar de lagergelegen villa, het mooie huis dat haar ouders hadden laten bouwen, onder architectuur. In de keuken, op de bovenverdieping, brandde licht, boven de tafel een designlamp, de naam van de ontwerper was hij vergeten. Het schijnsel was groenachtig en koud, een boos oog dat over de zee waakte. Het Mexi-steen leek grijs in de ochtendschemering. Zijn moeder was altijd van mening geweest dat het de mooiste villa van Vaxholm was. Toen ze erin trokken, had zij aangeboden gordijnen voor alle ramen te naaien. Eleonor had beleefd doch beslist gezegd dat dat niet hoefde.

Hij ging naar binnen. Bladerde de katernen door zonder zich te kunnen concentreren, zoals gewoonlijk bleef hij hangen bij de advertenties voor onroerend goed. Vijfkamerwoning in Vasastan, tegelkachel in ieder vertrek. Tweekamerappartement in Gamla Stan, zolderverdieping m. zichtbare balken, uitzicht in drie richtingen.

Houten zomerhuis bij Malmköping, m. elektriciteit en 's zomers stromend water. Herfstaanbieding!

In zijn binnenste kon hij de stem van zijn vrouw horen.

Dagdromer! Als jij half zoveel tijd besteedde aan de aandelenmarkt als aan de huizenadvertenties, was je nu miljonair geweest.

Zij was dat al.

Hij schaamde zich ogenblikkelijk. Ze bedoelde er niets kwaads mee. Haar liefde was rotsvast. Hijzelf was het probleem, hij kon het niet meer opbrengen. Het was mogelijk dat ze gelijk had, dat hij niet wist hoe hij met haar succes moest omgaan. Misschien moesten ze toch maar eens naar die therapeut.

Hij vouwde de katernen weer in hun oorspronkelijke vorm – Eleonor wilde geen gekreukte artikelen lezen – en legde de krant op het wandtafeltje dat ze gebruikten voor post en tijdschriften. Daarna ging hij de slaapkamer weer binnen, gleed uit zijn ochtendjas en kroop tussen de lakens. Toen ze zijn koude lichaam voelde, draaide ze zich om in haar slaap. Hij trok haar tegen zich aan, blies in haar zachte nek.

'Ik hou van jou', fluisterde hij.

'En ik van jou', mompelde ze.

Carl Wennergren en Bertil Strand arriveerden iets te laat in de Vrijhaven. Toen ze de Saab, de dienstwagen van de fotograaf, er parkeerden zagen ze de ambulances komen aanrijden en onder de afzettingen door glijden. De verslaggever kon een bescheiden vloek van ontevredenheid niet onderdrukken. Bertil Strand was altijd zo ongelofelijk voorzichtig in het verkeer, hij reed vijftig, of zelfs dertig, al was er geen sterveling op straat. De fotograaf was zich bewust van de onuitgesproken kritiek en raakte geïrriteerd.

'Je klinkt als een oud wijf', zei hij tegen de verslaggever.

De mannen liepen op een sukkeldrafje naar het plastic van de politie, de ruimte tussen beiden symboliseerde de gevoelsmatige afstand die tussen hen bestond. Maar op het moment dat ze de blauwe zwaailampen en de bewegingen van de politiemensen in het vizier kregen, zakte de achterdocht weg. De actualiteit nam de overhand.

De smerissen waren snel vandaag, stonden door het noodweer waarschijnlijk nog stijf van de adrenaline. Er was een groot gebied afgezet, helemaal vanaf de afrastering links tot aan het kantoorgebouw rechts in de verte. Bertil Strand liet zijn blik over het terrein gaan, wat een heftige locatie. Haast midden in de stad en toch helemaal *off*. Goed licht, helder en toch warm. Magische schaduwen.

Carl Wennergren knoopte zijn oliejas dicht, jezus wat was het koud.

Van de slachtoffers zagen ze niet veel. Rotzooi, politiemensen en ambulances belemmerden het uitzicht. De verslaggever stampte met zijn voeten, trok zijn schouders naast zijn oren, handen in de zakken, haatte de ochtenddienst. De fotograaf viste camerabody's en teleobjectieven op uit zijn rugzak en glipte weg langs de afzetting. Helemaal links kon hij een paar mooie plaatjes schieten, uniformen en profil, zwarte lijken, technici in burger met een pet op het hoofd.

'Klaar', riep hij naar de verslaggever.

De neus van Carl Wennergren was rood geworden, een druppeltje doorzichtig vocht hing aan het uiterste puntje.

'Wat een godvergeten plek om dood te gaan', zei hij toen de fotograaf terug was.

'Als we nog iets in de regio-editie willen hebben, moeten we er nu vandoor', zei Bertil Strand.

'Maar ik ben nog niet klaar', zei Carl Wennergren. 'Ik ben nog niet eens begonnen.'

'In de auto kun je bellen. Of vanaf de redactie. Schiet een beetje op en snuif wat couleur locale op om je verhaal mee te kruiden.'

De fotograaf liep naar zijn auto, zijn rugzak bewoog op en neer. De verslaggever volgde hem. De hele weg naar Marieberg zeiden ze niets.

Anders Schyman klikte geërgerd de TT-lijst weg, die lijst was verslavend. Je kon je computer zo instellen dat de bulletins werden gesorteerd op onderwerp – binnenland, buitenland, sport, feature – maar hij had ze liever in een en dezelfde directory. Hij wilde alles tegelijk zien.

Hij liep een rondje in zijn krappe kamer, zijn aquarium, rolde voorzichtig met zijn schouders. Ging op de stinkbank zitten en pakte de zondagskrant, de orkaanspecial. Hij knikte tevreden, zijn intenties waren opgepakt. De verschillende afdelingen hadden samengewerkt op de manier die hij voorgesteld had. Jansson had verteld dat Annika Bengtzon verantwoordelijk was geweest voor de puur praktische coördinatie, het was fantastisch gegaan.

Annika Bengtzon, dacht hij met een zucht.

De jonge tekstredacteur was op een toevallige en vervelende manier verweven geraakt met zijn positie bij de krant. Hij en Annika Bengtzon waren een paar weken na elkaar op de redactie komen werken en zijn eerste conflict met de rest van het management had met haar te maken gehad. Het ging om een tijdelijk maar tamelijk lang contract op de nieuwsredactie, hij was van mening geweest dat zij geknipt was voor die baan. Ze was weliswaar te jong, te onrijp, te opvliegend en te weinig geroutineerd, maar haar talent lag ver boven het gemiddelde, vond hij. Ze wist nog niet veel, maar was zich bewust van de ethische aspecten van het vak. Ze werd gedreven door een rechtspathos waaraan niet te tornen viel. Ze was snel en had een trefzekere pen. Bovendien vertoonde ze onmiskenbaar trekken van een pantserwagen, hetgeen ongelofelijk waardevol was voor een verslaggever van een avondkrant. Als ze niet om een hindernis heen kon, reed ze er dwars overheen, opgeven deed ze nooit.

De andere leden van het management, afgezien van nachtchef Jansson, deelden zijn mening niet. Zij wilden de aanstelling geven aan Carl Wennergren, zoon van een van de bestuursleden, een knappe en rijke vent met aanzienlijke hiaten in zijn moraal. Carl nam het niet zo nauw met de waarheid en de bescherming van zijn bronnen. Onbegrijpelijk genoeg werd dat door de rest van het management als acceptabel beschouwd, in ieder geval niet als controversieel.

Het management van de *Kvällspressen* bestond louter en alleen uit blanke, heteroseksuele mannen van middelbare leeftijd met een auto en een hoog inkomen, van het slag door en voor wie zowel de samenleving als de krant gemaakt waren. Anders Schyman had het vermoeden dat Carl Wennergren deze mannen aan henzelf herinnerde toen ze jong waren, of misschien eerder de illusie van hun eigen jeugd personifieerde.

Ten langen leste had hij voor Annika Bengtzon een tijdelijke vacature gevonden als tekstredacteur in de nachtploeg van Jansson, een vervanging wegens zwangerschapsverlof, en daarmee was ze akkoord gegaan. Hij had nog een gevecht met het management moeten voeren voordat ze instemden met zijn voorstel. Om zijn daadkracht te tonen, moest hij in de kwestie Annika Bengtzon wel voet bij stuk houden. Het zou op een verschrikkelijke manier aflopen.

Een paar dagen nadat de benoeming officieel was geworden, had het meisje haar vriend doodgeslagen. In de fabriek in Hälleforsnäs had ze hem een klap met een ijzeren buis gegeven waardoor hij in een in onbruik geraakte hoogoven was gekukeld. De allereerste geruchten al spraken van zelfverdediging, maar Anders Schyman herinnerde zich nog steeds hoe hij zich voelde toen het bericht hem bereikte. Hij had door de grond willen gaan, en hij wist ook nog wat hij op dat moment dacht: hoezo op het verkeerde paard gewed? 's Avonds had ze hem thuis opgebeld, zwijgzaam, in shock, ze had het gerucht bevestigd. Ze was verhoord en haar was medegedeeld dat ze werd verdacht van dood door schuld, maar ze was niet aangehouden. Totdat het politieonderzoek afgerond was, zou ze een paar weken in een zomerhuisje in de rimboe moeten verblijven. Ze vroeg of ze nog steeds een baan had bij de *Kvällspressen.*

Hij had er geen doekjes om gewonden, gezegd dat de aanstelling nog steeds van haar was, ondanks het feit dat er mensen bij de krant waren die dat jammer vonden, ze was niet de favoriet van de vakbond. Dood door schuld was een soort ongeluk. Als ze veroordeeld zou worden wegens het veroorzaken van een ongeluk waarbij iemand het leven verloor, dan was dat heel vervelend, maar het was geen grond voor ontslag. Als ze een langere gevangenisstraf zou krijgen, zou het natuurlijk moeilijk worden een verlenging van de aanstelling te krijgen, dat moest ze goed beseffen.

Toen hij dit allemaal gezegd had, was ze gaan huilen. Hij had gevochten tegen zijn instincten, had tegen haar willen brullen, had haar haar monumentale onhandigheid voor de voeten willen werpen, het feit dat ze hem had meegesleurd in de ellende.

'Ik krijg geen gevangenisstraf', had ze in de hoorn gefluisterd. 'Het was een kwestie van hij of ik. Hij had mij gedood als ik hem geen klap gegeven had. Dat weet de officier van justitie ook.'

Volgens de oorspronkelijke afspraak begon ze daarna in de nachtploeg, bleker en magerder dan ooit. Soms praatte ze met hem, met Jansson, Berit, Foto-Pelle en met nog een paar mensen, maar verder was ze erg op zichzelf. Volgens Jansson leverde ze ontzettend goed werk af 's nachts, ze herschreef, vulde aan, controleerde feiten, maakte foto-onderschriften en schreef de korte wervende teksten op de voorpagina die tot het lezen van de artikelen moesten uitnodigen, zonder dat ze ooit de aandacht trok. De geruchten doofden uit, sneller dan hij verwacht had. De krant hield zich iedere dag bezig met moorden en schandalen, mensen konden het maar gedurende een beperkte tijd opbrengen praatjes rond te strooien over een tragisch en ongelukkig sterfgeval.

De zaak van de verongelukte bandyspeler Sven Matsson uit Hälleforsnäs die vrouwen mishandelde, had geen hoge prioriteit bij de arrondissementsrechtbank in Eskilstuna. De aanklacht luidde doodslag subsidiair dood door schuld. Het vonnis was vorig jaar vlak voor midzomer uitgesproken. Annika Bengtzon werd vrijgesproken van de doodslag, maar werd veroordeeld wegens dood door schuld, de opgelegde straf was een ondertoezichtstelling. Een tijd lang had ze als onderdeel van deze ondertoezichtstelling de een of andere vorm van therapie moeten volgen, maar voorzover hij wist beschouwde het rechtswezen de hele kwestie al geruime tijd als afgehandeld.

De redactiechef liep terug naar zijn bureau en klikte de TT-bulletins weer open, nam de berichten die sinds de laatste keer waren binnengekomen vluchtig door. De zondagse sportuitslagen begonnen binnen te druppelen, opnieuw meldingen over de gevolgen van de orkaan, een aantal bulletins van zaterdag die herhaald werden. Hij zuchtte nog een keer, het ging maar door, hield nooit op, in geen enkel opzicht, nu moest er weer een reorganisatie komen.

Hoofdredacteur Torstensson wilde een nieuwe managementlaag invoeren, de besluitvorming centraliseren. Het voorbeeld was er al, bij de Concurrent en bij diverse andere landelijke media. Torstensson had besloten dat de tijd rijp was om het bij de *Kvällspressen* net zo te doen, zodat de krant een 'modern' bedrijf kon worden. Anders Schyman wist niet wat hij ervan denken moest. Alle tekenen van een naderende catastrofe waren aanwezig. De wankelende oplage. De slechte jaarcijfers. De steeds grimmiger kijkende bestuursleden. Een redactie die slagzij maakte bij zwaar weer en uitgerust was met een slecht roer en een haperende radar. De waarheid was dat de *Kvällspressen* niet wist waarnaar ze op weg was en waarom. Ondanks grote seminars en conferenties over de voorwaarden en verantwoordelijkheden van de media, was hij er niet in geslaagd zijn mensen een collectief bewustzijn bij te brengen, zodat ze zouden weten waar de grenzen liepen. Een uitgesproken publicistische schipbreuk hadden ze sinds zijn komst naar de krant niet meer geleden, maar het herstellen van in een eerder stadium aangerichte schade verliep langzaam.

Bovendien, en dat verontrustte hem toch wat meer dan hij wilde toegeven, had Torstensson zich details over een nieuwe baan laten ontglippen, een mooie opdracht in Brussel. Misschien had hij daarom zo'n haast met deze reorganisatie. Torstensson wilde iets tastbaars achterlaten, aangezien de goden wisten dat zijn publicistische bijdrage minimaal was.

Schyman kreunde, klikte de lijst weer aan, ongeduldig.

Er moest snel iets gebeuren.

Toen ze wakker werd, hing de duisternis al in de hoeken van de kamer. Terwijl zij in bed lag te zweten en wroeten had de korte dag het alweer opgegeven, dat laatste bekertje koffie had ze niet moeten nemen. Ze haalde een paar keer diep adem, dwong zichzelf ertoe stil te liggen, liet tot zich doordringen hoe ze zich voelde. Ze had nergens pijn. Haar hoofd voelde wat zwaar, maar dat kwam door het voortdurend wisselende dagritme. Ze keek naar het plafond, vlekkerig en grijs. De vorige huurder had plasticverf over de oude lijmverf geschilderd, de hele oppervlakte vertoonde barsten in verschillende kleurnuances, ze volgde ze met haar blik, kapot, onregelmatig. Herkende een vlinder in het patroon, een auto, een doodshoofd. Een eenzame toon begon te piepen in haar linkeroor, haar eenzaamheidstoon, de hoogte veranderde af en toe.

Ze zuchtte, moest plassen, hè, wat lastig. Ze stapte uit bed, het hout stroef, kreeg splinters in haar voeten. Trok haar ochtendjas aan, de stof was zijdeachtig en koud tegen haar huid, ze huiverde. Deed de voordeur open, luisterde in het trappenhuis. Achter de toon was het stil. Snel sloop ze een halve trap naar beneden naar het gemeenschappelijke toilet, ze had meteen koude voeten, bovendien werden haar voetzolen vies van het gruis, maar ze kon de moed niet opbrengen zich daar druk om te maken.

Zodra ze haar appartement weer binnenging, voelde ze de luchtstroom. Ondanks het feit dat er geen raam openstond, veegden de dunne gordijnen langs de wanden. Ze deed de deur achter zich dicht, de voile stierf, ze veegde haar voeten op de halmat en ging naar de woonkamer.

In de loop van de nacht was een van de bovenste ruitjes kapotgegaan, door de wind of door rondvliegende voorwerpen. Het buitenste raampje leek er in zijn geheel uitgevallen te zijn, in de binnenste sponning zaten nog grote scherven. Op de vloer onder het raam lag pleisterkalk en glas, ze keek naar de ravage, deed haar ogen dicht, streek over haar voorhoofd.

Wat raar, dacht ze, het lukte haar niet het woord glazenmaker te formuleren.

Het tochtte om haar benen, ze liep de woonkamer uit en ging naar de keuken. Liet zich daar op een stoel zakken en keek naar buiten, naar het appartement op de tweede verdieping van het gebouw aan de straatkant. Het werd door een bouwonderneming gebruikt voor representatiedoeleinden, in het raam van de badkamer zat matglas. De mensen die daar gedurende een nacht of twee nachten verbleven, dachten er nooit over na dat je ze op het toilet kon zien zitten. Zodra ze het licht aandeden, sprongen hun golvende contouren door het raam te voorschijn. Gedurende meer dan twee jaar had ze de klanten van de bouwonderneming de liefde zien bedrijven, zien poepen en tampons zien verwisselen. In het begin had ze zich er ongemakkelijk bij gevoeld, maar na een tijdje begon ze het grappig te vinden. Daarna kwam de ergernis. Als ze aan de warme maaltijd zat, wilde ze niet naar mensen kijken die stonden te pissen. Tegenwoordig liet het haar allemaal koud. Er kwamen niet meer zoveel gasten naar het appartement, het gebouw was erg in verval geraakt, niets om mee te pronken. Nu was het raam grijs en stom, leeg.

Er was 's nachts een hoop pleisterkalk van de gevel gevallen, de kalk lag vermengd met de kleverige sneeuwtroep op de binnenplaats. Op de begane grond waren twee ruitjes kapotgegaan. Ze ging staan, liep naar het raam, keek naar de zwarte gaten onder zich, ze zagen er net zo uit als het gat in haar eigen raam. De elektrische radiator verwarmde haar benen, ze bleef staan totdat het te heet werd. Hoewel dat wel zou moeten, had ze geen honger, ze dronk wat water rechtstreeks uit de kraan.

Ik heb het goed, dacht ze. Ik heb werkelijk alles wat ik wil.

Ze liep weer naar de woonkamer, rusteloos, ging op de bank zitten, haar voeten op de zitting, de armen om haar knieën, schommelde een beetje. Haalde diep adem, in, uit, in, uit, het was tamelijk koud. Het pand had geen centrale verwarming, de losse radiatoren die ze gekocht had, hadden er zelfs moeite mee het appartement warm te krijgen als de ruiten heel waren. De tocht kreeg vrij spel op het lege vloeroppervlak. De spullen die ze had kwamen van de kringloop en van Ikea, voorwerpen waarmee ze geen gemeenschappelijke geschiedenis had.

Ze keek de kamer rond, schommelde, schommelde, zag hoe de schaduwen elkaar achterna zaten. Het heldere licht waarvan ze in het begin zo veel gehouden had, was niet langer wit. De wanden die indertijd mat en toch glanzend waren en het licht altijd in één beweging zowel absorbeerden als reflecteerden, waren opgedroogd en tot zwijgen gebracht. De dag bereikte haar kamer niet meer. Alles bleef grijs, ondanks de wisseling van de seizoenen. De lucht was zwaar en dof als klei.

De bank kriebelde, de grove stof liet afdrukken achter in haar billen, ze krabde zich terwijl ze terugliep naar de slaapkamer en onder het bezwete beddengoed kroop. Ze trok het dek over haar hoofd, het beddengoed was vochtig, rook wat zuur. Ze kreeg het snel warm. De hardrocker op de begane grond zette zijn stereo aan, de bassen plantten zich voort door de stenen muren en deden haar bed schudden. De toon in haar oor kwam terug, irritant licht, ze dwong zichzelf te blijven liggen. Het duurde nog vele uren voordat haar dienst begon.

Ze draaide zich om naar de wand, staarde naar het behang. Het was overgeverfd met dunne, witte grondverf, het oude patroon kwam erdoorheen, medaillons. De buren aan de andere kant van het trappenhuis kwamen thuis, ze hoorde ze stampen en lachen. Ze legde het kussen over haar hoofd, het gelach werd dof, de toon luider.

Ik wil slapen, dacht ze. Laat me nog een poosje slapen, dan kan ik het misschien weer aan straks.

De man stak een sigaret op, nam een flinke trek en duwde de chaos in zijn brein weg. Hij wist niet welk gevoel het sterkst was: de woede vanwege het verraad, de angst voor de gevolgen ervan, de schaamte omdat hij bedonderd was of de haat tegenover de daders.

Hij zou zich wreken, hier zouden ze godverdomme voor boeten.

Hij rookte de sigaret in twee minuten op, het enige wat overbleef was een grote gloeiende, hangende keutel. Hij trapte de peuk uit op de vloer van de bar, wenkte de barkeeper voor nog een shotje. Nog één, meer niet, zijn hoofd moest helder zijn, hij moest mobiel blijven. Hij sloeg het drankje achterover, de holster schaafde in zijn oksel, dat voelde goed, yes, nu was hij levensgevaarlijk.

Een verklaring, dacht hij. Ik moet met een verdomd goede verklaring komen, ik moet uitleggen hoe dit zo mis kon gaan.

Hij was van plan nog een borrel te bestellen, maar halverwege de beweging bedacht hij zich.

'Koffie. Zwart.'

Hij kon het niet rijmen. Hij begreep in de verste verte niet wat er gebeurd was, en hij wist niet hoe hij dit tegenover zijn superieuren moest verklaren. Zij zouden totale schadeloosstelling van hem eisen. De lijken waren het probleem niet, hoewel dergelijke bijkomstigheden de zaak geen goed deden. Vermoorde mensen trokken de aandacht van de politie en als gevolg daarvan moest een tijd lang meer voorzichtigheid worden betracht. Het probleem was de vrachtwagen. Het was niet voldoende de goederen te lokaliseren en terug te brengen, na deze blunder zouden ze hem ertoe dwingen persoonlijk puin te ruimen en de sporen uit te wissen. Iemand had hem verlinkt. Hij moest de lading vinden, en hij moest degene vinden die de verdwijning op zijn geweten had.

Van welke kant hij het ook bekeek, het kon niet anders of die vrouw was erbij betrokken. Zij moest er iets mee te maken hebben, anders was ze daar niet geweest.

Hij dronk de koffie op dezelfde manier op als de borrel, in één teug. Brandde zijn keel.

'Je bent er geweest, hoer.'

De verlichting in de lift was even koud als altijd, ze zag eruit als een dode vis. Om aan het spiegelbeeld te ontsnappen deed Annika haar ogen dicht. Ze had de slaap niet meer kunnen vatten en was naar het Rålambshovspark gegaan, had er naar lucht en licht gezocht zonder ze te vinden. De grond was zacht van de regen en platgetreden door duizenden voeten, kliederig en bruin. Ze was naar de krant gegaan.

De redactie lag er zoals altijd op zondag verlaten bij. Ze liep naar haar werkplek, nieuwschef Ingvar Johansson zat vlak naast haar bureau te bellen, ze aarzelde even en besloot toen naar de misdaadredactie te gaan. Haar hoofd was leeg. Ze liet zich op de stoel van Berit Hamrin zakken en belde haar grootmoeder.

De oude vrouw was in haar woning in Hälleforsnäs om te wassen en boodschappen te doen.

'Hoe is het met je?' vroeg ze. 'Ben je niet weggeblazen?'

Annika schoot in de lach.

'Jazeker wel, moet je horen, een van mijn ruitjes is kapotgewaaid!'

'Je bent toch niet gewond geraakt?' vroeg de oude vrouw ongerust.

Annika lachte weer.

'Welnee, ik ben niet van suiker. Hoe is het bij jou daar? Staat het bos er nog?'

Haar grootmoeder slaakte een zucht.

'Min of meer, maar er is heel wat omgewaaid. We hebben vanmorgen een poosje zonder stroom gezeten, maar die is nu terug. Wanneer kom je?'

Annika's grootmoeder beschikte over een zomerhuis zonder elektriciteit en stromend water op het landgoed Harpsund. Ze was daar gedurende vele jaren huishoudster geweest. Het landgoed werd door de minister-president voor recreatie- en representatiedoeleinden gebruikt. Annika had er alle schoolvakanties die ze zich kon herinneren doorgebracht.

'Vanavond moet ik werken en dan nog een nacht, dus ergens in de loop van dinsdagmiddag kom ik naar je toe', zei Annika. 'Moet ik iets voor je halen?'

'Nee, dank je', zei haar grootmoeder. 'Neem jezelf maar mee, dat is alles wat ik nodig heb.'

'Ik verlang naar je', zei Annika.

Ze pakte een exemplaar van de *Kvällspressen* en bladerde de krant plichtmatig door. De zondageditie was van behoorlijke kwaliteit. De artikelen over de orkaan sloeg ze over, die kende ze. Het stuk van Carl Wennergren over de dubbele moord in de Vrijhaven daarentegen was niet iets om over naar huis te schrijven. De dode mannen waren in het hoofd geschoten stond er, en de politie sloot zelfmoord uit. Is het werkelijk? Daarna volgde een beschrijving van de Vrijhaven die zowaar iets poëtisch had, Carl had er blijkbaar rondgelopen en wat indrukken opgesnoven. 'Mooi sleets', was het er, en er heerste een 'continentale sfeer'.

'Dag spetter, *qué pasa*?'
Annika slikte.
'Hoi, Sjölander', zei ze.
De chef van de misdaadredactie ging op het bureau naast dat van haar zitten alsof hij thuis was.
'Hoe gaat het?'
Annika probeerde te glimlachen.
'Goed, dank je, een beetje moe misschien.'
De man gaf haar een lichte stomp tegen haar schouder en knipoogde.
'Zware nacht, zeker, hé?'
Ze ging staan, pakte haar krant en daarna haar tas, jas, sjaal en wanten.
'Loodzwaar', zei ze. 'Met zeven boys, kun je nagaan.'
Sjölander grinnikte.
'Jij weet hoe een mens op de been blijft.'
Ze hield de krant onder de neus van de chef misdaad.
'Ik heb gewerkt', zei ze. 'Wat gebeurt er in de Vrijhaven?'
Hij keek haar een paar seconden aan, veegde zijn haar van zijn voorhoofd.
'Op de lijken is niets gevonden,' zei hij, 'geen identiteitsbewijs, geen sleutels, geld, wapens, kauwgom of condooms.'
'Gefouilleerd', zei Annika.
Sjölander knikte.
'De politie heeft niets om op door te borduren, ze weten niet eens wie de slachtoffers zijn, hun vingerafdrukken bevinden zich niet in de Zweedse registers.'
'Dus ze hebben geen idee? Hun kleren dan?'
De chef misdaad liep naar zijn bureau en zette de computer aan.
'De jassen, de spijkerbroeken en de schoenen komen uit Italië, Frankrijk, de VS, maar de onderbroeken hadden een tekst in cyrillische letters.'
Annika keek op.
'Buitenlandse merkkleding,' zei ze, 'maar goedkoop, lokaal ondergoed. Voormalige Sovjet-Unie, voormalig Joegoslavië of Bulgarije.'
'Jij zit wel aardig in de misdaadonderwerpen, niet?' zei hij met een grijns.

Hij wist het, iedereen wist het. Ze haalde haar schouders op.

'Je weet hoe het gaat. Een vos verliest wel zijn haren, maar niet zijn streken.'

Ze draaide zich om en zette koers naar de nachtredactie. Achter zich hoorde ze zijn geproest. Waarom speel ik het spelletje toch mee? dacht ze.

Zette de computer aan die rechts van de werkplek van de nachtchef stond, vouwde haar benen dubbel en ging met haar kin op een knie op de bureaustoel zitten. Ze kon net zo goed even checken of er iets gebeurd was. Wachtte geduldig tot alle programma's opgestart waren. Toen het scherm klaar was logde ze in op TT, las, checkte, klikte.

'Zeg, Bengtzon! Wat voor toestelnummer heb jij?'

Ze keek achterom en zag Sjölander met een hoorn zwaaien, ze riep haar nummer en kreeg hem in haar oor.

'Ik heb hier een grietje dat over sociale voorzieningen praten wil, het gaat over zielige vrouwen', zei de chef misdaad. 'Ik heb daar nu geen tijd voor, hoor. Dit is toch in feite jouw pakkie-an, als het ware, hè? Kun jij haar nemen?'

Ze deed haar ogen dicht, haalde diep adem, slikte.

'Ik ben eigenlijk nog niet begonnen', zei ze. 'Ik wou even checken of...'

'Neem je haar of zal ik haar afpoeieren?'

Zucht.

'Oké, verbind maar door.'

Een stem, koel en rustig.

'Hallo? Ik wil iemand spreken, in vertrouwen.'

'Je bent altijd beschermd als je een krant belt', zei Annika terwijl ze haar blik over het TT-scherm liet gaan. 'Waar gaat het over?'

Klik, klik, derby onbeslist.

'Ik weet eigenlijk niet zeker of ik hier goed ben. Het gaat om een nieuwe activiteit, een nieuwe manier om mensen die met de dood bedreigd worden, te beschermen.'

Annika hield op met lezen.

'O ja?' zei ze. 'Hoe dan?'

De vrouw aarzelde.

'Ik heb informatie over een compleet unieke manier om bedreigde personen aan een nieuw leven te helpen. De werkwijze is bij bijna niemand bekend, maar ik heb de bevoegdheid gekregen om de informatie in de media te brengen. Ik zou dat willen doen onder rustige en gecontroleerde omstandigheden, en daarom vraag ik mij af of er bij jullie krant iemand is tot wie ik mij kan richten.'

Ze wilde het niet horen, wilde er niets mee te maken hebben. Staarde naar het scherm, nog steeds mensen zonder stroom, nieuwe raketaanvallen op Grozny. Liet haar hoofd in haar hand rusten.

'Kun je misschien een brief of een fax sturen?' vroeg ze.

De vrouw zei een hele tijd niets.

'Hallo?' zei Annika, op het punt om met een gevoel van opluchting de verbinding te verbreken.

'Ik wil degene met wie ik spreek graag ontmoeten, onder veilige omstandigheden', zei de vrouw.

Ze liet zich over haar bureau vallen.

'Dat zal niet gaan', zei ze. 'Er is hier nu niemand.'

'Ja, maar jij dan?'

Streek haar haren naar achteren, vond een excuus.

'Voordat we mensen op pad sturen, moeten we weten waar het over gaat', zei ze.

De vrouw aan de andere kant van de lijn viel weer stil, Annika zuchtte en probeerde het gesprek af te sluiten.

'Goed, als dit het was, dan...'

'Wist je dat er mensen zijn die ondergronds leven, hier, nu, in het Zweden van vandaag de dag?' vroeg de vrouw zacht. 'Vrouwen en kinderen die slecht behandeld worden, mishandeld worden?'

Nee, dacht Annika. Niet dit.

'Bedankt voor je telefoontje,' zei ze, 'maar dit is helaas niet iets waar we vanavond iemand op af kunnen sturen.'

De vrouw in de hoorn verhief haar stem.

'Was je van plan om neer te leggen? Wou je mij en mijn werk zomaar negeren? Weet je wel hoeveel mensen ik geholpen heb? Ben je niet ook maar een heel klein beetje geïnteresseerd in vrouwen die slecht behandeld worden? Jullie journalisten, jullie zitten maar op die redacties zonder er een idee van te hebben hoe het er in de maatschappij aan toegaat.'

Annika voelde zich duizelig worden, alsof haar keel werd dichtgeknepen.

'Jij weet niets over mij', zei ze.

'De media zijn overal hetzelfde. Ik dacht dat de *Kvällspressen* beter zou zijn dan die keurige kranten, maar jij bent ook al niet in mishandelde en kwetsbare vrouwen en kinderen geïnteresseerd.'

Het bloed steeg haar naar het hoofd.

'Jij wilt me toch niet vertellen dat je weet waar ik voor sta', zei Annika, veel te hard. 'Kom me nou niet aanzetten met dingen waar je geen idee van hebt.'

'Waarom wil je niet luisteren?'

De vrouw in de hoorn klonk nors.

Annika verborg haar gezicht achter haar handen, wachtte af.

'Dit gaat over personen die in een isolement leven,' zei de vrouw in de hoorn, 'die met de dood bedreigd worden, doodsbang zijn. Hoe goed ze zich ook verbergen, er is altijd wel een aanknopingspunt waardoor het mogelijk wordt ze op te sporen, via een ambtenaar bij de sociale dienst, een rechtbank, een bankrekening, een kinderdagverblijf...'

Annika gaf geen antwoord, luisterde zwijgend naar de stem.

'Zoals je misschien zult begrijpen, gaat het in de meeste gevallen uiteraard om vrouwen en kinderen,' ging de vrouw verder, 'zij zijn vanzelfsprekend de grote risicogroep in onze maatschappij. Maar er zijn ook bedreigde getuigen bij, mensen die zich van bepaalde sekten hebben losgemaakt, mensen op wie jacht wordt gemaakt door de maffia, journalisten die onthullende artikelen schrijven, maar natuurlijk betreft het vooral vrouwen en kinderen die met de dood worden bedreigd.'

Annika pakte aarzelend een pen, begon aantekeningen te maken.

'Achter deze nieuwe activiteit staat een groep mensen', zei de vrouw. 'Ik ben de directeur. Ben je er nog?'

Annika schraapte haar keel.

'In welk opzicht zijn jullie anders dan de bestaande vrouwenspreekuren?'

De vrouw zuchtte een beetje gelaten.

'In elk opzicht. De vrouwenspreekuren worden gerund met schaarse, algemene gelden. Zij hebben niet de middelen om voor elkaar te krijgen wat wij doen. Wij zijn een zuiver particulier initiatief, met compleet andere mogelijkheden.'

Annika's pen hield ermee op, ze gooide het ding in de papierbak en diepte een nieuwe op.

'Hoe dan?'

'Ik wil het liefst niet meer zeggen door de telefoon. Ben jij in de gelegenheid om me te ontmoeten?'

Annika zonk ineen, wilde niet, kon het niet.

'Bengtzon!'

Ingvar Johansson torende plotseling boven haar uit.

'Een ogenblikje', zei ze in de hoorn, die ze vervolgens tegen haar borst drukte. 'Wat?'

'Als je toch niks te doen hebt, kun je dit ook wel inschrijven.'

De nieuwschef stak haar een pak sportuitslagen uit de lagere klassen toe.

De vraag trof Annika als een vuistslag in haar maagstreek. Wel godverdomme! Ze gingen er hier ook maar klakkeloos van uit dat ze haar wel konden gebruiken voor iets wat bij de *Katrineholms-Kuriren* door een veertienjarige gedaan werd, uitslagen invullen in tabellen.

Ze draaide zich weg van Ingvar Johansson, deed de hoorn weer tegen haar oor en zei: 'We zouden een afspraak kunnen maken voor nu meteen.'

De vrouw klaarde op.

'Vanavond al? Wat goed!'

Annika klemde haar kiezen op elkaar, voelde de aanwezigheid van de nieuwschef in haar nek.

'Waar zullen we afspreken?' vroeg ze.

De vrouw noemde de naam van een hotel in een buitenwijk waar Annika nog nooit geweest was.

'Over een uur?'

Toen ze de hoorn had neergelegd was Ingvar Johansson verdwenen. Ze trok snel haar jas aan, hing haar tas over haar schouder, belde de portier, natuurlijk waren er geen dienstauto's binnen, bestelde een taxi. In haar vrije tijd mocht ze doen wat ze wilde.

Vul die klotetabellen zelf maar in, zak.

'Ben je klaar, schat?'

Zijn echtgenote stond in haar winterjas bovenaan de trap van het souterrain, ze was bezig haar nappa handschoenen aan te trekken.

Hij hoorde zijn eigen verbazing.

'Waarvoor?'

Ze trok aan het dunne leer, geërgerd.

'De ondernemersvereniging', zei ze. 'Je hebt beloofd dat je mee zou gaan.'

Thomas vouwde de avondkrant dicht en zette zijn voeten op de vloer, klinkers met vloerverwarming.

'Ja, natuurlijk', zei hij. 'Sorry. Ik was het vergeten.'

'Ik wacht buiten', zei ze en ze draaide zich op haar hielen om en verdween.

Hij zuchtte stilletjes. Gelukkig had hij al gedoucht en zich geschoren.

Terwijl hij de trap naar hun slaapkamer opliep, trok hij zijn spijkerbroek en T-shirt uit. Schoot een wit overhemd aan, een pak, deed een stropdas om zijn nek. Hoorde buiten de BMW starten, toeren maken, uitdagend.

'Ja, ja', zei hij.

In het hele huis brandden lampen, maar hij had echt geen zin om ze allemaal nog even uit te doen. Met zijn overjas over de arm en met losse veters liep hij naar buiten, hij gleed uit over een stuk ijs en ging bijna onderuit.

'Zand strooien is natuurlijk een optie', zei Eleonor.

Hij gaf geen antwoord, sloeg de deur aan de passagierskant dicht en zette zich schrap tegen het dashboard toen ze de Östra Ekuddsgatan opdraaide. Knoopte zijn stropdas in de auto, zijn schoenveters moest hij maar strikken als ze er waren.

Het was donker geworden. Waar was de dag gebleven? Hij ging al dood voordat hij geboren was. Was het überhaupt licht geweest vandaag?

Hij zuchtte.

'Hoe is het, makker?' vroeg ze, vriendelijk nu.

Hij staarde uit het raam, naar de zee.

''k Voel me een beetje lamlendig', zei hij.

'Misschien heb je dat virus dat Nisse ook had', zei ze.

Hij knikte, ongeïnteresseerd.

De ondernemersvereniging. Hij wist precies waarover ze het zouden hebben. Toeristen. Hoeveel er geweest waren, hoe ze er meer konden krijgen en hoe ze degenen die de weg naar hun gemeente al hadden gevonden, konden behouden. Ze zouden discussiëren over het probleem van de ondernemers die alleen tijdens de korte zomerperiode open waren en de vaste bedrijven van hun omzet beroofden. Het lekkere eten in het Waxholms Hotell. De voorbereidingen voor de kerstmarkt, koopavonden en koopzondagen. Iedereen zou er zijn. Iedereen zou vrolijk en betrokken zijn. Zo was het altijd, ongeacht op welke onzinnige actie ze zich stortten. De laatste tijd was er veel om kunst te doen geweest. Veel activiteiten met de kerk ook. Veel over het behoud van oude huizen en tuinen, en het liefst moest iemand anders betalen.

Hij zuchtte nog een keer.

'Wees nou even flink', zei zijn vrouw.

'Annika Bengtzon? Ik ben Rebecka Björkstig.'

De vrouw was jong, veel jonger dan Annika verwacht had. Klein, tenger, ze deed denken aan porselein. Ze gaven elkaar een hand.

'Mijn excuses voor deze ongebruikelijke ontmoetingsplaats', zei Rebecka. 'We kunnen niet voorzichtig genoeg zijn.'

Ze liepen door een verlaten gang en kwamen uit in een lobby annex bar. De verlichting was spaarzaam, de stemming deed denken aan die in staatshotels in de voormalige Sovjet-Unie. Ronde, bruine tafeltjes met fauteuils waarvan rugleuning en armsteunen één geheel vormden. In de tegenovergelegen hoek zaten een paar mannen te praten, de rest van de zaal was leeg.

Annika kreeg het surrealistische gevoel dat ze zich in een oude spionagethriller bevond en voelde een intense impuls te vluchten. Wat deed ze hier?

'Wat fijn dat we elkaar zo snel konden ontmoeten', zei Rebecka toen ze aan een van de tafeltjes ging zitten. Ze wierp voorzichtige blikken over haar schouder naar de mannen in de hoek.

Annika mompelde iets onverstaanbaars.

'Komt dit morgen in de krant?' vroeg de vrouw met een verwachtingsvolle glimlach.

Annika schudde het hoofd, lichte duizeligheid, bedompte lucht.

'Nee, zeker niet. Het is überhaupt niet gezegd dat er iets over in de krant komt. Alle beslissingen met betrekking tot publicatie worden genomen door de verantwoordelijke uitgever.'

Ze had haar ogen neergeslagen, keek naar de tafel, leugenachtig, ontwijkend.

De vrouw trok haar lichtgekleurde rok recht, streek haar naar achteren gekamde haar glad.

'Over wat voor onderwerpen schrijf jij zoal?' vroeg ze. Ze probeerde Annika's blik te vangen, haar stem klonk licht en enigszins mat.

Annika schraapte haar keel.

'Op dit moment houd ik mij bezig met het samenstellen en screenen van teksten', zei ze, geheel naar waarheid.

'Wat voor soort teksten?'

Ze streek over haar voorhoofd.

'Van alles en nog wat. Vannacht ging het over de orkaan, afgelopen week heb ik aan stukken gewerkt over een gehandicapte jongen, waarbij de gemeente weigert haar verantwoordelijkheid te nemen...'

'Mooi!' zei Rebecka Björkstig terwijl ze haar ene been over het andere sloeg. 'Dan past onze activiteit precies in jouw verantwoordelijkheidsgebied. Met name gemeenten zijn onze opdrachtgevers. Mag ik een kop koffie?'

Een ober met een vlekkerig schort had zich naast hen gematerialiseerd. Annika knikte kort toen hij vroeg of zij hetzelfde wilde, ze voelde zich niet lekker, wilde hier weg, wilde naar huis. Rebecka leunde achterover tegen de gebogen stoelleuning. Haar ogen waren licht en rond, mild, uitdrukkingsloos.

'Wij zijn een ideële stichting, maar we moeten natuurlijk betaald worden voor ons werk. Meestal staan de sociale diensten van gemeenten uit het hele land garant voor de onkosten die we maken. We verdienen hier geen öre aan.'

Hoewel haar stem nog steeds even mild klonk, kwamen de woorden hard aan.

Ze geilt op geld, dacht Annika en ze keek de vrouw aan. Ze doet dit om geld te verdienen aan bedreigde vrouwen en kinderen.

De vrouw glimlachte.

'Ik weet wat je denkt. Ik verzeker je dat je het mis hebt.'

Annika sloeg haar blik neer, friemelde aan een tandenstoker.

'Waarom belde je ons, waarom nou net vanavond?'

Rebecka zuchtte licht, veegde haar vingertoppen af aan een servet dat ze uit haar tas had gehaald.

'Als ik eerlijk ben was ik alleen maar van plan om wat informatie in te winnen', zei ze. 'Ik zat de krant te lezen, over de verwoestingen die de orkaan aangericht heeft, en zag het telefoonnummer in het colofon staan. We hebben het er al een tijdje over om met onze activiteiten in de openbaarheid te treden, mijn telefoontje was min of meer spontaan, zeg maar.'

Annika slikte.

'Ik heb nog nooit van jullie gehoord', zei ze.

De vrouw glimlachte weer, een glimlach die zo vluchtig was als een tochtvlaag die door een kamer trok.

'Tot dusverre beschikten we niet over de middelen om de toestroom te verwerken die zeker op gang zal komen als we openbaar worden, maar nu hebben we ze wel. Op dit moment hebben we het geld en de competentie om uit te breiden, en daarom is het voor ons belangrijk om niet te aarzelen. Er zijn zoveel mensen die onze hulp nodig hebben.'

Annika pakte haar blocnote en pen uit haar tas.

'Vertel me nu eens wat jullie precies doen.'

De vrouw wierp nogmaals een blik om zich heen, veegde haar mondhoeken af.

'Wij beginnen waar de bestaande instanties het laten afweten', zei ze enigszins ademloos. 'Onze enige taak is om mensen die echt bedreigd worden aan een nieuw leven te helpen. Drie jaar lang zijn we zoet geweest met het op poten zetten van het systeem. Nu zijn we zover dat we zeker weten dat het werkt.'

Annika wachtte tot ze zou verdergaan.

'Hoe dan?' vroeg ze toen.

De ober bracht hun bestelling. De koffie was grijs en bitter. Rebecka legde een van haar servetten tussen het kopje en het schoteltje, roerde met haar lepeltje door de vloeistof.

'Onze maatschappij is zo gecomputeriseerd dat niemand kan ontsnappen', zei ze zacht toen de ober weer weggezeild was. 'Waar deze mensen ook voor hulp aankloppen, altijd is er wel iemand die hun nieuwe adres kent, hun nieuwe telefoonnummer, hun nieuwe bankrekeningnummer, hun nieuwe huurcontract. Ook al worden alle gegevens geheimgehouden, ze zijn opgeslagen in ziekenhuisdossiers, bij de consultatiebureaus van de sociale diensten, bij rechtbanken, in belastingregisters, in het vennootschapsregister, overal.'

'Is dat niet op de een of andere manier te regelen?' vroeg Annika voorzichtig. 'Zijn er geen manieren om adressen uit registers te verwijderen, een nieuw persoonsnummer te krijgen en dergelijke?'

Er ontglipte de vrouw wederom een lichte zucht.

'Jawel, er zijn verschillende manieren. Het probleem is dat ze niet werken. Onze groep heeft een manier geconstrueerd om mensen compleet uit te wissen. Wist je dat er meer dan zestig openbare databanken zijn waar praktisch alle Zweden in staan?'

Annika gromde ontkennend, de koffie was werkelijk walgelijk.

'Het eerste halfjaar heb ik me alleen maar beziggehouden met het in kaart brengen van alle registers. Ik heb plannen en procedures uitgewerkt om ze te omzeilen. Er waren talloze vragen en ik moest soms diep graven om aan de antwoorden te komen. De activiteiten waarin onze inspanningen hebben geresulteerd, zijn volkomen uniek.'

De laatste woorden bleven in de lucht hangen. Annika slikte een mondvol van de grijze smurrie door, morste een beetje toen ze het kopje terugzette.

'Waarom zet je je hiervoor in?' vroeg ze.

De stilte werd zwaar.

'Ik ben zelf bedreigd geweest', zei de vrouw.

'Waarom dan?' vroeg Annika.

De vrouw schraapte haar keel, aarzelde, veegde haar polsen af aan het servet.

'Als je het niet erg vindt, wil ik daar liever niet op ingaan. Dat is zo'n verlammend gevoel. Ik heb hard gewerkt voor mijn nieuwe leven, en ik wil gebruikmaken van mijn ervaringen.'

Annika keek naar Rebecka Björkstig, zo koud en tegelijkertijd zo zacht.

'Vertel eens wat over jullie activiteiten', zei ze.

Rebecka nipte voorzichtig aan haar koffie.

'Ze zijn in de vorm gegoten van een ideële stichting waarvoor we de naam Het Paradijs hebben gekozen. Wat wij doen is eigenlijk niet zo bijzonder, we geven bedreigde mensen hun gewone leven terug. Maar voor iemand die vervolgd is geweest en weet wat terreur en angst betekenen, voor hem of haar is zo'n nieuw bestaan je reinste paradijs.'

Annika keek in haar blocnote, gegeneerd vanwege het banale cliché.

'En hoe bereiken jullie dat?'

De vrouw glimlachte wat, klonk zelfverzekerd en overtuigd.
'De Hof van Eden was een veilige plek', zei ze. 'Een plek die werd omheind door onzichtbare muren waar het kwaad niet langs kon. Zo functioneren wij ook. De cliënt komt bij ons, passeert ons en verdwijnt achter een ondoordringbare façade. Wordt eenvoudigweg uitgewist. Via welke weg iemand ook probeert onze cliënt op te sporen, altijd zal diegene stuiten op een hoge, zwijgende muur: op ons.'
Annika keek op.
'Maar zijn jullie niet bang?'
'We zijn ons bewust van de risico's, maar op haar beurt is stichting Het Paradijs onmogelijk op te sporen. We hebben meerdere kantoren die we om beurten gebruiken. Onze telefoons worden geschakeld via centrales in andere provincies. De vijf mensen die fulltime voor Het Paradijs werken, zijn allemaal uitgewist. De enige weg naar Het Paradijs is een beschermd telefoonnummer.'
Annika keek naar de kleine porseleinen vrouw die onbewust het servet tussen haar vingers draaide. De vrouw was zo ontzettend niet op haar plaats in deze omgeving, zo wit en rein in deze sjofele bar met zijn lichtschuwe inrichting.
'Hoe gaat dat uitwissen in zijn werk?'
Iemand deed schuin achter Rebecka Björkstig een hanglamp aan waardoor haar gezicht zich plotseling in het donker bevond, de lichte zwijgende ogen werden zwarte gaten.
'Ik geloof dat we het hierbij moeten laten', zei ze. 'Ik hoop dat je me verontschuldigt, maar ik zou even willen wachten met de rest van de informatie.'
Teleurstelling vermengde zich met opluchting en Annika slaakte een zucht van verlichting. Rebecka Björkstig haalde een kaartje uit haar tas.
'Je kunt met je verantwoordelijke uitgever praten en vragen of jullie over onze activiteiten willen schrijven. Daarna kun je mij bellen, dit is ons geheime telefoonnummer. Ik hoef je vast niet te vertellen dat je daar enorm voorzichtig mee moet zijn.'
Annika slikte, mompelde iets instemmends.
'Wanneer je toestemming hebt voor publicatie, kunnen we een nieuwe afspraak maken', zei Rebecka terwijl ze ging staan, klein en licht, maar in de schaduw.

Annika glimlachte schaapachtig, stond op. Ze gaven elkaar een hand.

'Het kan zijn dat ik van me laat horen', zei ze.

'Neem me niet kwalijk, maar ik heb een beetje haast', zei Rebecka. 'Ik verheug me op je telefoontje.'

En weg was ze.

De ober verscheen aan het tafeltje.

'Dat wordt vijfenvijftig kronen voor de koffie.'

Annika betaalde.

In de taxi terug naar de krant liet ze haar gedachten de vrije loop. De buitenwijken vlogen voorbij achter het laagje vuil op het raam, industrieterreinen met plaatstalen loodsen, troosteloze flatgebouwen, autosnelwegen met verkeerslichten.

Hoe zag ze er eigenlijk uit, Rebecka Björkstig? Annika besefte dat ze het al vergeten was, ze herinnerde zich alleen maar het ongrijpbare, het ontwijkende.

Bedreigde mensen, mishandelde vrouwen. Als er iets was waar ze niet over zou moeten schrijven, was het dat wel. Ze was voor altijd en eeuwig gediskwalificeerd.

Wat zei ze trouwens over de Hof van Eden? Annika zocht in haar geheugen, het ontglipte haar. Ze pakte haar aantekeningen, bladerde, probeerde te lezen in de gele, vlekkerige verlichting van de snelweg.

Dat die omheind was door een onzichtbare muur waar het kwaad niet langs kon.

Ze legde de blocnote weer weg en zag de flatgebouwen van Blåkulla voorbij flikkeren.

En de slang dan? dacht Annika. Waar kwam die dan vandaan?

Toen ze terugkwam, was Berit Hamrin op de redactie aan het werk. Annika liep naar haar toe en omhelsde haar.

'De dubbele moord?' zei ze vragend.

Berit glimlachte.

'Er gaat niets boven een leuke maffiaoorlog', zei ze.

Annika deed haar jas uit en liet hem in een hoopje op de vloer glijden.

'Heb je gegeten?'

Ze gingen naar de eetzaal voor het personeel, Zeven Ratten genaamd, en namen beiden het dagmenu.

'Met iets bezig?' vroeg Berit onder het smeren van een knäckebrödje.

Annika zuchtte.

'Vannacht zal het ook wel weer een beetje om de orkaan draaien', zei ze. 'Én ik ben op pad geweest, ik heb een vrouw ontmoet die me een bijzonder vreemd verhaal vertelde.'

Berit trok geïnteresseerd haar wenkbrauwen op en proefde tegelijkertijd van haar gegratineerde aardappelen.

'Vreemde verhalen kunnen erg leuk zijn', zei ze. 'Kun je me het zout aangeven?'

Annika reikte naar het tafeltje achter hen en pakte het peper- en-zoutstel.

'De vrouw beweerde dat er een stichting bestaat die Het Paradijs heet, en die stichting helpt vrouwen en kinderen die met de dood bedreigd zijn aan een nieuw leven.'

Berit knikte waarderend.

'Klinkt spannend. Is het waar?'

Annika aarzelde.

'Weet niet, ik heb niet alle informatie gekregen. De directrice maakte een enorm serieuze indruk. Blijkbaar hebben ze een soort constructie op poten gezet waarmee vervolgde mensen uitgewist kunnen worden.'

Ze pakte het zout bij Berit vandaan en strooide wat over haar eigen portie.

'Denk jij... dat het een probleem zou zijn als ik een dergelijk verhaal check?' vroeg ze voorzichtig.

Berit bleef een poosje kauwen.

'Nee, helemaal niet', zei ze toen. 'Je denkt aan Sven?'

Annika knikte, plotseling niet meer in staat te spreken.

Haar oudere collega zuchtte.

'Ik begrijp dat je zo denkt, maar tegelijkertijd kan die gebeurtenis jou niet voor eeuwig diskwalificeren van het normaal uitoefenen van journalistieke arbeid. Het was een ongeluk, dat heb je immers zwart op wit.'

Annika keek naar haar bord, sneed een blad sla in reepjes, er viel niets te zeggen.

'Meld het alleen wel bij het management', zei Berit. 'Het is gemakkelijker artikelen in de krant te krijgen als de heren aan de top denken dat het hun idee was.'

Annika glimlachte, kauwde op de sla. Ze aten zwijgend, de stilte voelde warm en zacht.

'Ben je in de Vrijhaven geweest?' vroeg Annika even later toen ze haar bord wegschoof en naar een tandenstoker reikte.

Berit ging staan.

'Koffie?'

'Zwart.'

Ze haalde voor hen beiden.

'Onbehaaglijke geschiedenis', zei ze terwijl ze Annika het kopje voorzette. 'Die mannen waren mogelijk Serviërs, de politie vermoedt dat ze van de Joegoslavische maffia waren. Ze zijn bang dat het een enorm bloedbad gaat worden.'

'Al sporen?'

Berit zuchtte.

'Moeilijk te vinden', zei ze. 'De technici zijn ter plekke geweest tot het donker werd, hebben ieder steenkorreltje omgedraaid op zoek naar sporen en kogels.'

Annika blies in haar koffie.

'Kunnen we onze fraaie collectie clichés uit de kast halen? Executie? Afrekening in de onderwereld? Politie vreest gangsteroorlog?'

Ze lachten wat.

'Vermoedelijk de hele rimram', zei Berit.

Toen ze haar aantekeningen over stichting Het Paradijs uitgeschreven had, zette Jansson haar aan het redigeren van teksten over de nasleep van de orkaan. Ze begon de lange nachtdiensten steeds duidelijker te voelen, ze moest zich in de ogen wrijven om de letters in het gelid te houden. Gelukkig was het grote document over de gehandicapte jongen klaar, het kon regelrecht naar de krant, vier pagina's over hoe de sociale dienst de gemeentewet overtrad en het kind de verzorging onthield waarop het recht had. Dit zou een rustige nacht worden, misschien wel iets te rustig.

Vlak voor middernacht ging de rest van de nachtploeg naar beneden om te eten. Annika bleef boven, zij zou op de telefoons en de flashes van TT letten, ze was opgelucht dat ze niet mee hoefde. Toen de bende verdwenen was aarzelde ze even. Ze kon twee dingen doen, wegglijden in een coma of een paar dingen checken. Ze ging op Janssons plek zitten, hij was permanent ingelogd op het internet, zocht met Yahoo naar Stichting Het Paradijs. De computer kauwde en dacht na, vond geen mallemoer. Probeerde ook alleen Het Paradijs, kreeg een paar hits, een reclamebureau, een pastor van de vrije gemeente in Vetlanda met een eigen homepage, een film met Leonardo di Caprio, niets wat verband hield met een organisatie die met de dood bedreigde vrouwen en kinderen ter zijde stond.

Ze liep terug naar haar plaats, keek in de TT-lijst, geen breaking news. Ze koos het verkorte nummer van het archief op de tweede verdieping, zij hadden een folder over stichtingen, een uitgave die door de Rijksdienst voor de Belastingen was uitgebracht onder de noemer belastingplicht. Ze bestelde het document, maar toen de portier het zuchtend had gebracht, kon ze het niet opbrengen de informatie te lezen. Ze liep een rondje, wreef in haar ogen, moe, stijf, ongeïnteresseerd. Ging weer aan haar bureau zitten, wenste dat haar serie diensten voorbij was, dat ze hier even niet meer naartoe hoefde. Was zich er tevens van bewust dat ze in dat geval de uren zou tellen voordat ze weer naar de redactie mocht zodat ze niet langer thuis hoefde te zijn. Ze kreeg een licht drukkend gevoel op de borst, de zinloosheid benauwde haar.

'Sjölander', riep ze. 'Heb je wat te doen voor mij? Een kadertje met feiten over de geschiedenis van de Joegoslavische maffia misschien?'

Hij zat te bellen maar stak zijn duim omhoog.

Annika deed haar ogen dicht, liep weer naar Janssons plek en logde in op het knipselarchief, zocht op 'Joego' en 'maffia'.

Naar de knipsels te oordelen waren criminele, Joegoslavische groeperingen sedert verscheidene decennia in heel Zweden gevestigd, zowel in de grote steden als op het platteland. Hun hoofdactiviteit was lange tijd het smokkelen en verkopen van drugs geweest, vaak met de restaurantbranche als dekmantel, maar de laatste jaren hadden de bezigheden een ander karakter gekregen. Toen de regering de accijns op tabak een paar jaar geleden in twee etappes drastisch verhoogde, gingen veel smokkelaars over van narcotica op sigaretten. Een slof sigaretten werd voor dertig tot vijftig kronen gekocht in Oost-Europa, waar Prince en Blend in licentie werden vervaardigd. Daarna werden ze rechtstreeks, of via Estland, naar Zweden getransporteerd.

Annika las de gevonden informatie zwijgend door en liep daarna naar Sjölander. Hij was klaar met bellen en zat met zijn wijsvingers zijn toetsenbord af te ranselen.

'Gaan we concluderen dat het om een moord door de Joegoslavische maffia gaat?' vroeg ze.

Sjölander slaakte een diepe zucht.

'Nja,' zei hij, 'dat wordt een schrijftechnische kwestie. Een gangstermoord is het in ieder geval, de een of andere vorm van afrekening door de maffia.'

'Misschien moeten we ons in dit stadium nog niet op één land vastpinnen', zei Annika. 'Er is natuurlijk een hele rits criminele groeperingen die hier jarenlang zaken gedaan hebben. Zal ik een mooi overzichtje maken van de verschillende syndicaten en hun favoriete misdrijven?'

Sjölander laadde zijn wijsvingers weer.

'Doe maar.'

Annika liep terug naar haar bureau en belde haar bron. Hij nam meteen op.

'Je bent nog laat aan het werk', stelde Annika vast.

'Ben je uit de ijskast ontsnapt?' vroeg de hoofdrechercheur.

'Njet', zei Annika. 'Ik eet nog steeds stront. Heb je tijd voor een paar korte vraagjes?'

De man kreunde.

'Ik heb hier twee jongens', zei hij, 'die ze door hun hersens geschoten hebben.'

'Ai', zei Annika. 'Dat lijkt me pijnlijk. Weet je zeker dat het Joegoslaven zijn?'

'Ga alsjeblieft fietsen', zei Q.

'Oké. Een paar algemene vragen over verschillende etnische syndicaten. Wat doen... de Zuid-Amerikanen?'

'Ik heb geen tijd.'

Annika deed zielig.

'Heel eventjes maar?' zeurde ze.

De rechercheur begon te lachen.

'Cocaïne', zei hij. 'Uit Colombia. De inbeslagnemingen zijn vorig jaar met meer dan honderd procent toegenomen.'

'De Balten?' vroeg Annika terwijl ze koortsachtig aantekeningen maakte.

'Enerzijds sigaretten. Anderzijds veel gestolen auto's. We denken dat Zweden op weg is een doorgangsland te worden voor de handel in gestolen voertuigen. Auto's die in Italië en Spanje gestolen worden, worden hier regelrecht, dwars door Europa, naartoe gebracht om daarna met veerboten naar de Baltische staten en Rusland te worden getransporteerd.'

'Oké, meer groeperingen, jij kent ze beter dan ik.'

'De Turken hebben zich met heroïne beziggehouden, maar de laatste jaren zijn hun activiteiten overgenomen door de Kosovo-Albanezen. De Russen doen aan het witwassen van zwart geld, tot dusverre hebben ze hier voor een half miljard in onroerend goed geïnvesteerd. De Joegoslaven zijn het grootst in de smokkel van sigaretten en drank. Verder gokhallen en beschermingsactiviteiten. Gebruiken soms de restaurantbranche als dekmantel. Genoeg zo?'

'Ga door', zei Annika.

'De motorbendes houden zich bezig met afpersing en doen klussen in opdracht. Dat zijn allemaal Zweden en Scandinaviërs. De pornomaffia wordt ook geleid door Zweden, ja, daar weet jij alles van...'

'Ha, ha, ha', zei Annika droog.

'Economische criminelen zijn bijna altijd Zweedse mannen. Werken vaak samen in uiteenlopende samenstellingen, plunderen vennootschappen, knoeien met de BTW, dat soort fraudes. Velen nemen handlangers in de arm. We hebben een paar Gambiase syndicaten gehad die actief waren als heroïnekoerier.'

'All right', zei Annika. 'Dat is genoeg voor een feitenkadertje.'

'Het is altijd weer leuk om een bijdrage te kunnen leveren', zei hij zuur en hij legde neer.

Annika glimlachte. Het was een schatje.

'Wat doe je?' vroeg Jansson met een plastic bekertje in de hand.

'Ik schep', zei Annika.

Schreef het kadertje met feiten uit, zette haar byline erbij en liet de tekst naar de bak zoeven.

'Ik maak een rondje', zei ze.

Jansson reageerde niet.

De zinloosheid trok de ceintuur over haar borst weer aan.

De vrouw hoestte, droog, hol. Haar hoofd barstte, in de wond een bonkende pijn. Aangezien ze wat rillerig was, schatte ze haar lichaamstemperatuur op net iets boven de achtendertig, ze vermoedde een bacteriële infectie in luchtpijp of longen. De eerste tablet, een breedspectrum-antibioticum, had ze tegen lunchtijd genomen. De gloeiende rode cijfers op de wekkerradio naast haar bed vertelden haar dat het tijd was voor de volgende.

Ze strompelde uit bed, huiverend, trok haar verbandtrommeltje open en doorzocht het. Vond de paracetamol onder het verband, nam een paar tabletten tegen de koorts. Ze waren oud, stamden nog uit Sarajevo, de uiterste houdbaarheidsdatum was al een paar jaar verstreken. Er was niets aan te doen, ze had geen keus.

Ze kroop weer in bed, kon net zo goed proberen de koorts weg te slapen.

Maar de slaap kwam niet. De mislukking knaagde aan haar. Voor haar geestesoog speelden zich scènes af, mensen stierven, niet te bedwingen fantasieën begonnen vorm te krijgen, de koorts was aan het stijgen. Uiteindelijk kwam hij, het jongetje, zijn armen uitgestrekt, altijd in slow motion, rennend, schreeuwend, de dood in zijn ogen.

Ze stond op, geërgerd, hoestte, dronk een halve liter water. Ze moest deze shitzooi kwijt zien te raken voordat ze haar vonden. Ze had geen tijd om ziek te zijn.

Daarna sprak ze zichzelf streng toe. Wat was een verkoudheid nou in vergelijking met wat er had kunnen gebeuren? De zee had zich boven haar hoofd gesloten, ijskoud en hard, duisternis en pijn. Ze had de paniek weggedrukt, dwong haar lichaam tot beweging, zwom onder water weg van de kaderand, zo ver ze kon, haalde adem, dook weer. Toen ze tot op een paar meter de andere kant van de haven had bereikt, wierpen de golven haar tegen de kade, haar schouder sloeg tegen het beton, ze had zich omgedraaid en hem gezien, hij stond over het zeeoppervlak te staren, zwart silhouet tegen loods in gouden schijnsel.

In de oliehaven was ze naar boven geklauterd. Bleef liggen tussen twee gele bolders en was heel even buiten bewustzijn geraakt, angst en adrenaline hadden de verdoving weggedrukt. Ze was in de luwte gaan zitten en had de inhoud van haar tas gecontroleerd. Na een paar pogingen had ze haar mobiele telefoon aan de praat gekregen en een taxi besteld bij de oliehaven van Loudden. Vervolgens wilde die domme chauffeur haar niet meenemen omdat ze zo nat was, maar ze had voet bij stuk gehouden en hij had haar naar dit armzalige motel gebracht.

Ze deed haar ogen dicht, wreef erin.

De taxichauffeur was een probleem. Hij zou zich haar gegarandeerd herinneren en vermoedelijk doorslaan zodra hij er genoeg geld voor kreeg.

Ze moest hier weg. Vannacht al moest ze haar biezen pakken en deze kamer verlaten.

Plotseling drong tot haar door dat ze haast had. Ze ging staan, iets minder draaierig nu, de koortsremmers begonnen te werken, ze trok haar verkreukelde kleren aan. De zakken van haar jas voelden nog steeds wat klam.

Ze had net de verbanddoos in haar tas gestopt, toen er op de deur werd geklopt. Haar polsslag schoot naar haar hals, ze hapte naar lucht, vederlicht.

'Aida?'

De stem was laag en zacht, klonk dof achter de deur. Kat en muis.

'Ik weet dat je hier bent, Aida.'

Ze greep haar tas en stoof de badkamer in, deed de deur op slot, klom op de badrand, duwde het ventilatieraampje open. Een koude wind sloeg naar binnen. Ze smeet de tas naar buiten, deed snel haar jas uit en drukte die door de opening. Op dat moment hoorde ze in de kamer het gerinkel van gebroken glas.

'Aida!'

Ze zette zich schrap, wurmde zich door het gat, brak haar val met haar handen en maakte een koprol toen ze de grond raakte. Het gebons tegen de badkamerdeur stuiterde door het open raam, het geluid van hout dat versplinterd werd. Ze trok haar jas aan, greep haar tas en zette het op een rennen in de richting van de snelweg.

Maandag 29 oktober

Ze stapte uit bij het eindpunt van lijn 41. Slaakte een zucht, zag de bus wegglijden en achter een laag administratiegebouw verdwijnen. Het was doodstil, er was geen mens te bekennen. De dag was bezig de strijd op te geven, zich terug te trekken voordat hij ook maar gearriveerd was. Ze miste hem niet.

Ze hing haar tas over haar schouder en liep een paar meter naar voren, keek om zich heen. Er hing een eigenaardige sfeer tussen deze huizen en loodsen. Hier hield Zweden op. Een bord aan haar linkerhand wees in de richting van Tallinn, Klaipeda, Riga, Sint-Petersburg, de nieuwe economieën, de jonge democratieën.

Kapitalisme, dacht Annika. Eigen verantwoordelijkheid, privatiseringen. Is het de oplossing?

Ze draaide haar gezicht naar de wind, kneep haar ogen tot spleetjes. Alles werd grijs. De zee. De kades, de huizen, de kranen. Koud, af en toe nog een windvlaag. Ze deed haar ogen dicht, liet de wind aan haar trekken.

Ik heb alles wat ik mij ooit heb gewenst, dacht ze. Zo wil ik mijn leven leven. Ik heb zelf gekozen. Er is niemand om de schuld te geven.

Ze keek pal in de wind, haar ogen traanden ervan. Recht voor haar lag het hoofdkantoor van de Stockholmse Havens, een mooi, oud bakstenen gebouw met leuke hoekjes en terrassen en een dak van gewalst plaatstaal met verschillende niveaus. Achter het gebouw reikten de reuzensilo's van Lantmännen tot aan de hemel, het leken wel samengegroeide penissen. De terminal voor Estland lag links van haar, daarachter begon het water. Rechts bevond zich een havenbassin met aan beide zijden kranen en loodsen.

Ze sloeg de kraag van haar jas op, trok haar sjaal steviger vast en wandelde langzaam in de richting van het kantoor. Een veerboot die op Tallinn voer lag afgemeerd, hij zag er gigantisch uit zoals hij daar achter de gebouwen lag. Voor de Balten vormde hij het venster naar het westen.

Toen ze de hoek van het kantoorgebouw omgeslagen was, zag ze de afzettingen. In de verte, bij de silo's, zwaaide het blauw-witte plastic heen en weer in de wind, eenzaam en bevroren. Er waren geen politiemensen te zien. Ze bleef staan en bestudeerde de landtong die zich voor haar uitstrekte. Dat moest het hart van de haven zijn. Het gebied was een paar honderd meter lang met aan weerszijden enorme loodsen. In de verte, achter de afzettingen, zag ze iets wat op een terrein leek waar opleggers stonden geparkeerd. De figuren met knalgele vesten die daar in de verte rondliepen, waren de enige mensen die ze zag.

Ze liep langzaam naar de plastic afzettingen van de politie, keek op naar de enorme silo's. Ondanks het feit dat ze contact had met de grond, gaf hun hoogte haar een gevoel van duizeligheid. De uiteinden ontmoetten de hemel zonder er noemenswaardig tegen af te steken, grijs tegen grijs. Ze volgde ze met haar blik, totdat haar dijbeen tegen het stugge plastic stootte.

Tussen de silo's bevond zich een nauwe ruimte waar het daglicht niet kon komen. Hier was het leven uit de mannen gevloeid. Ze knipperde met haar ogen om ze aan het donker te laten wennen, kon net de zwarte vlekken onderscheiden die door hun bloed waren gevormd. De lichamen hadden aan het begin van de doorgang gelegen, niet verborgen tussen de schaduwen.

Ze draaide de dood de rug toe en keek om zich heen. Rijen grote schijnwerpers stonden opgesteld langs de kades. Het hele havengebied moest 's nachts baden in het licht, behalve dan het gedeelte tussen de silo's.

Als je nu toch iemand wilt doodschieten, waarom laat je hem dan precies in het licht van de schijnwerpers liggen? Waarom sleep je hem dan niet in de schaduw?

Het heeft er natuurlijk mee te maken hoeveel haast je hebt, dacht ze.

Ze liet haar blik zakken, stampte met haar voeten en blies in haar handen, de smurrie spatte op, klotewinter. Achter het afgezette gebied zag ze de rekwisietenopslag van TV-Zweden, lag die hier?

Ze liep om de afzetting heen. Had het behoorlijk koud, de regen was licht maar scherp door de ijzige wind van zee. Wikkelde nog een stuk sjaal om haar hoofd en liep verder, in de richting van het water, volgde een afrastering van Gunnebo die de grens met de Baltische staten vormde. Een vrachtwagen die zijn beste dagen gehad had, stond aan de andere kant uitlaatgassen uit te stoten, ze trok haar sjaal over haar neus. De afrastering eindigde in een groot hek vlak bij de plek waar de opleggers stonden opgesteld. Drie douane-inspecteurs waren bezig de op een na laatste vrachtwagen van die dag te controleren, de laatste was de milieuboef achter haar.

'Wat heb jij hier te zoeken?'

De man had blosjes van de kou, onder zijn gele vest droeg hij het uniform van de Douanedienst. Zijn ogen waren helder en vrolijk. Annika glimlachte en wees over haar schouder.

'Ik ben alleen maar nieuwsgierig', zei ze. 'Ik werk voor een krant en ik las over die moorden daar.'

'Als je iets wilt schrijven, moet je ik naar onze persmedewerker verwijzen', zei de douane-inspecteur vriendelijk.

'Nee, nee, ik schrijf niet voor de krant, ik controleer alleen maar de dingen die anderen geschreven hebben. Daarom is het goed er eens uit te zijn en om je heen te kijken, dan weet je of de verslaggevers hun werk wel goed doen.'

De douaneman schoot in de lach.

'Tja, dan hoef jij je niet te vervelen.'

'Net zomin als jij, neem ik aan', zei Annika.

Ze schudden elkaar de hand en noemden hun naam.

'Bijna klaar voor vandaag?' vroeg Annika terwijl ze naar de laatste vrachtwagencombinatie wees die zojuist naar het hek tufte.

De man zuchtte licht.

'Ik wel', zei hij. 'Het is hier al een paar dagen rommelig, met de afzettingen daar en zo. En dan al die sigaretten.'

Annika trok haar wenkbrauwen op.

'Is er vandaag iets bijzonders gebeurd?'

'Vanmorgen hebben we een gemodificeerde koelwagen gepakt die vol zat met tabak, in het chassis, onder het plafond, in de wanden. Ze hadden al het isolatiemateriaal weggehaald en de lege ruimten volgestopt met sigaretten.'

'Wow', zei Annika. 'Hoe kwamen jullie daarachter?'

De douaneman haalde zijn schouders op.

'We hebben een schot aan de achterkant van de auto losgeschroefd, daar lag wat isolatiemateriaal, heel weinig maar. Erachter zat nog een schot, en daarachter lagen de sigaretten.'

'Hoeveel dan?'

'Er kunnen vijfhonderdduizend in het chassis van een aanhanger en vijfhonderdduizend onder het plafond, en verder evenveel in de wanden. Al met al moeten het er zo'n twee miljoen geweest zijn, en je kunt uitgaan van een kroon per sigaret.'

'Oh man', zei Annika.

'Eigenlijk is het niets als je kijkt hoeveel er binnenkomt. Er worden ontzettend veel sigaretten gesmokkeld. De syndicaten zijn opgehouden met drugs en rijden nu met tabak. Sinds de overheid de accijns op sigaretten heeft verhoogd, leveren sigaretten net zoveel winst op als heroïne, maar wel met aanzienlijk lagere risico's. Voor miljoenen aan drugs krijg je een gevangenisstraf tot je crepeert, bij sigaretten is de straf miniem. Ze rijden met een dubbele huif, vloeren met scharnieren, holle stalen balken...'

'Inventieve rakkers', zei Annika.

'Onmiskenbaar', zei de douaneman.

Annika waagde het erop.

'Weet je wie het waren, de lijken?'

De man schudde het hoofd.

'Njet. 'k Had ze nog nooit gezien.'

Annika sperde haar ogen wijd open.

'Dus je hebt ze gezien?'

'Yes. Ze lagen daar toen ik kwam. Recht in de schedel geschoten.'

'Gat, wat akelig', zei Annika.

De douaneman maakte een grimas, stampte leven in zijn voeten.

'Zo, nu wordt het tijd om de tent te sluiten. Heb je nog meer vragen?'

Annika keek om zich heen.

'Alleen maar wat zich in die gebouwen bevindt.'

De douaneman wees en legde uit.

'Loods acht', zei hij. 'Staat op dit moment leeg. In nummer twee, daarachter, zitten de Tallinn-terminal en de douane. Alle goederentransporten uit Tallinn moeten daarnaar toe om de papieren te laten controleren voordat ze bij ons komen.'

'Wat zijn dat voor papieren?'

'Vrachtbrieven, iedere kist met inhoud moet er opstaan. Daarna krijgen ze zo een en die moeten ze aan ons laten zien.'

De man haalde een knalgroene strook papier te voorschijn met stempels, handtekeningen en de letters IN.

'En jullie controleren ieder frutseltje?' vroeg Annika.

'Het meeste, maar we komen niet aan alles toe.'

Annika glimlachte begrijpend.

'Wanneer slaan jullie een auto over?'

De douaneman zuchtte.

'Als je daarachter een auto openmaakt en je ziet kisten en dozen van vloer tot plafond, dan kan het gebeuren dat je het even niet kunt opbrengen. Als je zo'n auto moet controleren, moet hij naar de zeven daar in de verte, in het containergebied, en dan moet alles gelost worden, je moet de goederen eruit pielen met vorkheftrucks. We hebben douaniers die gediplomeerd vorkheftruckchauffeur zijn, maar hun aantal is natuurlijk beperkt.'

'Ja, dat snap ik', zei Annika.

'Dan hebben we nog de verzegelde auto's, dat zijn de auto's die Zweden alleen maar passeren met verzegelde laadruimtes. Niemand mag iets van de lading wegnemen, iets toevoegen of omruilen, voordat het transport in het juiste ontvangstland arriveert.'

'Zijn dat de auto's waar TIR opstaat?'

De man knikte.

'Er bestaan ook andere varianten van verzegeling, maar TIR is de bekendste.'

Annika wees.

'Wat doen al die opleggers hier?'

Hij draaide zich om en liet zijn blik over de parkeerplaats gaan.

'Daar op het eind van de landtong staan de goederen die onderweg zijn naar de Baltische staten en op een boot wachten, of het zijn spullen die ingeklaard zijn en wachten op verder transport binnen Zweden.'

'Kun je hier een plek huren?'

'Nee, het is puur een kwestie van een plek zoeken. Er is niemand die precies in de gaten houdt wie hier staan. Of waarom. Of hoelang. Het kan van alles zijn.'

'Hier en daar een binnengesmokkelde slof sigaretten?'

'Met de allergrootste waarschijnlijkheid.'

Ze glimlachten naar elkaar.

'Bedankt voor je tijd', zei Annika.

Ze liepen samen naar de inrit van de Vrijhaven. Toen ze zich precies naast de afzetting van de politie bevonden, gingen de schijnwerpers aan, ze stortten hun onbarmhartige schijnsel uit over het terrein.

'Verdomd tragische geschiedenis', zei de douaneman. 'Jonge jongens, nauwelijks twintig.'

'Hoe zagen ze eruit?' vroeg Annika.

'Die jongens wisten niet wat winter is', zei de douaneman. 'Moeten het verrekte koud gehad hebben, ze hadden een dun leren jasje aan en een spijkerbroek. Niets op het hoofd, blote handen. Sportschoenen.'

'Hoe lagen ze?'

'Bijna boven op elkaar, allebei met een gat in het hoofd.'

De douaneman klopte zichzelf midden op zijn schedeldak.

Annika bleef staan.

'Was er niemand die iets gehoord heeft? Zijn er hier 's nachts geen bewakers?'

'In alle loodsen lopen honden rond, behalve in de acht, omdat die leeg staat. Die beesten blaffen als bezetenen als iemand probeert binnen te komen. De diefstallen en inbraken zijn fors afgenomen sinds ze met die honden begonnen zijn, maar ja, het zijn natuurlijk geen echte ooggetuigen. Ik weet eigenlijk niet of iemand de schoten gehoord heeft. Het waaide natuurlijk op orkaankracht.'

Nadat ze kaartjes en beleefdheidsfrasen hadden uitgewisseld, liep Annika snel naar het bushokje bij het bord Tallinn, Klaipeda, Riga, Sint-Petersburg. Ze klappertandde van de kou. De eenzaamheid omhelsde haar, zwaar en nat. Daar stond ze dan, een grijze figuur die opging in de grijze achtergrond. Het was te vroeg voor de krant, te laat om naar huis te gaan en er was te veel leegte om te kunnen nadenken.

Toen lijn 76 plotseling vanachter het administratiegebouw van SVEX verscheen, volgde ze haar impuls. In plaats van met de 41 terug te gaan naar Kungsholmen, ging ze naar Gamla Stan. Stapte uit bij de Slottsbacken en laveerde door de smalle straatjes naar de Tyska Brinken. Het was opgehouden met regenen, de wind was gaan liggen. Tussen de stenen gebouwen stond de tijd stil, haar voetstappen dreunden dof tegen het ijs dat zich op de straatstenen had afgezet. De duisternis viel snel in, in het gouden schijnsel van de smeedijzeren lampen werden de kleuren vertekend, ze waren gereduceerd tot vlekken in de lichtkringen die door de lantaarns werden gevormd. Zwart smeedijzer. Rood oker. Glinsterende handgeblazen raampjes met ruitjesmotief, gevat in boogvormige sponningen. Gamla Stan was een andere wereld, een andere tijd, een echo van het verleden. Natuurlijk was Anne Snapphane erin geslaagd een zolderappartement te bemachtigen in de buurt van de Duitse Kerk. In onderhuur weliswaar, maar toch.

Ze was thuis en ze was pasta aan het koken.

'Pak een bord. Er is ook genoeg voor jou', zei ze toen ze Annika had binnengelaten en de deur achter haar op slot had gedaan. 'Vanwaar deze eer?'

'Ik ben op pad geweest, ik kom net van de Vrijhaven.'

Onder het schuine dak van de keuken liet Annika zich op een stoel zakken, ze ademde de warmte in en de dampen die uit de spaghettipan kwamen. De zinloosheid verbleekte, de leegte werd gevuld met het beurtelings harder en zachter wordende gekwebbel van Anne Snapphane. Annika antwoordde met eenlettergrepige woorden.

Ze zaten recht tegenover elkaar, roerden boter, kaas en sojasaus door de tagliatelle. De kaas smolt, vormde taaie tentakels tussen de pastaslierten. Annika draaide haar vork rond in de wirwar op haar bord en keek door het raam van de dakkapel naar buiten. Daken, schoorstenen en dakterrassen vormden zwarte contouren tegen de diepblauwe winterhemel. Plotseling merkte ze hoeveel honger ze had, ze at tot ze buiten adem was en dronk vervolgens een groot bierglas cola.

'Is er vanmorgen niet een moord gepleegd in de Vrijhaven?' vroeg Anne. Ze liet water in de waterkoker lopen nadat ze de laatste restjes pasta had verorberd. Annika zette haar bord in de afwasmachine.

'Twee, gistermorgen', zei ze.

'Wat leuk,' zei Anne, 'sinds wanneer ben jij weer verslaggeefster?'

Goot water in de koffiepot van Bodum.

'Trek nu geen overhaaste conclusies. De ijskast is dieper dan je zou vermoeden', zei Annika en ze liep naar de woonkamer met de zolderbalken.

Anne Snapphane kwam achter haar aan met een dienblad met twee mokken, de Bodum-koffiepot en een zak autodrop.

'Maar je mag weer schrijven? Echt schrijven, bedoel ik?'

Ze gingen op de bank zitten, Annika slikte.
'Welnee. Maar ik wou niet thuiszitten. Een dubbele moord blijft natuurlijk een dubbele moord.'
Anne maakte een grimas, blies in de hete koffie, slurpte.
'Dat je er zin in hebt. Gelukkig heb ik verstand van vrouwen en hun relaties, van mode en van eetstoornissen.'
Annika glimlachte.
'Hoe gaat het?'
'De programmadirecteur vindt *Vrouwen op de bank* een doorslaand succes. Persoonlijk ben ik niet onverdeeld enthousiast. De hele redactie werkt zich kapot, iedereen haat de presentator en de regisseur gaat vreemd met de projectleider.'
'Wat voor kijkcijfers hebben jullie? Een miljoen?'
Anne Snapphane bekeek Annika met een bedroefde blik.
'Lieve schat', zei ze. 'Wij praten nu over het universum van de satelliet. Over kijkersaandelen. Het bereiken van de doelgroep. Alleen die kleurloze publieke kanalen hebben het nog over kijkcijfers.'
'Waarom schrijven wij daar dan voortdurend over?' zei Annika terwijl ze de zak met autodrop openmaakte.
'Al sla je me dood', zei Anne. 'Waarschijnlijk weten jullie niet beter. En *Vrouwen op de bank* zal nooit wat worden als we niet een paar echte journalisten op de redactie krijgen.'
'Is het zo erg? Er zou toch iemand nieuw beginnen bij jullie?' zei Annika voordat ze haar mond volpropte.
Anne Snapphane kreunde luid.
'Michelle Carlsson. Kan niets, weet niets, maar is onaangenaam camerageil.'
Annika schoot in de lach.
'Is dat niet de tv-branche in een notendop?'
'O ja,' zei Anne, 'wees jij maar lekker arrogant, avondkrantredacteurtje. Wie in een glazen huis woont, moet niet met stenen gooien.'
Anne zette haar tv aan en belandde midden in de tune van het nieuwsprogramma van de publieke omroep.
'Voilà, pretentiespecial', zei ze.
'Shhh,' zei Annika, 'even luisteren of ze wat hebben over de moorden in de Vrijhaven.'
Het televisienieuws begon met de naweeën van de orkaan in

Zuid-Zweden. De Malmö-redactie was op pad geweest om verwrongen bushokjes, weggewaaide daken van schuren en kapotte etalageruiten te filmen. Een man met een pet van Lantmännen op zijn hoofd wreef bezorgd in zijn nek en staarde ondertussen naar zijn kapotgewaaide kas. Hij zei iets in de lokale tongval, ze hadden het moeten ondertitelen. Vervolgens bevonden ze zich in het binnenste van een krachtcentrale waar een hologige woordvoerder geïnterviewd werd. Hij verzekerde de kijkers dat alles gedaan werd om ervoor te zorgen dat iedereen in de loop van de avond weer stroom had. Zo- en zoveel huishoudens in Skåne, Blekinge en Småland zaten nog steeds zonder.

Annika zuchtte zacht. Hoe oninteressant.

Daarna volgde een schatting van de omvang van de schade uitgedrukt in kronen, en dat kwam neer op een heleboel miljoenen. In Denemarken was een vrouw gedood toen haar auto getroffen werd door een omvallende boom.

'Hebben ze bossen in Denemarken?' vroeg Anne Snapphane.

Annika keek vermoeid naar haar vriendin uit Norrbotten.

'Jij bent zeker nog nooit onder de boomgrens geweest', zei ze.

Vervolgens kwamen de obligate commentaren bij newsfeeds over Tsjetsjenië en Kosovo. Russische troepen hadden blabla en het UÇK had babbeldebabbel. De camera's zwiepten over platgebombardeerde gebouwen en vervuilde vluchtelingen in de bak van een vrachtwagen.

'Die moord van jou laat ze koud', zei Anne Snapphane.

'Het is mijn moord niet', zei Annika. 'Het is de moord van Sjölander.'

Na een kort item over iets wat de minister-president gezegd had, begon een liveverslag over de moorden in de Vrijhaven. De commentator stond te praten bij wat beelden van de ruimte tussen de silo's. Ze hadden ongeveer dezelfde informatie als de *Kvällspressen* had gepubliceerd in de editie die twaalf uur geleden van de persen was gerold.

'Moet je nagaan', zei Annika. 'Tv-verslaggevers kunnen ook nooit eens iets uitzoeken. Ze hebben de hele dag de tijd gehad, maar ze hebben nog geen steek boven water gekregen.'

'Dit heeft voor hen geen hoge prioriteit', zei Anne.

'Dat tv-volk leeft nog in de jaren vijftig', zei Annika. 'Ze stellen zich er tevreden mee dat de beelden bewegen en dat er geluid bij is. Journalistiek laat ze koud, of ze kunnen het niet. Tv-verslaggevers zijn waardeloos.'

'Amen', zei Anne. 'Gods geschenk aan de journalistiek heeft gesproken. Maar nondeju, heb je alle autodrop opgegeten? Je had er toch wel een paar voor mij kunnen bewaren?'

'Sorry', zei Annika beschaamd. 'Ik moet ervantussen.'

Ze liet Anne achter onder haar schuine dak en liep door de Stora Nygatan in de richting van Norrmalm. De lucht voelde niet meer zo scherp, alleen maar fris en prikkelend. Iets in haar werd wakker, ze kreeg zin om te zingen. Toen ze op de kruising bij het Riddarhuset en het hooggerechtshof neuriënd op het groene poppetje stond te wachten, verscheen links van haar plotseling een kleine man.

'Ik ben komen fietsen van Huddinge', zei hij, en Annika maakte een sprongetje van schrik.

De man was helemaal kapot van vermoeidheid. Zijn hele lichaam beefde, de snot liep uit zijn neus.

'Zo, dat is een hele tocht', zei Annika. 'Zijn je benen niet helemaal aan hun eind?'

'Helemaal niet', zei de man. De tranen begonnen te stromen. 'Ik zou nog wel zo'n stuk kunnen fietsen.'

Het werd groen. Toen Annika overstak, volgde de man in haar kielzog. Hangend over zijn stuur strompelde hij achter haar aan. Annika wachtte hem op.

'Waar ga je nu heen?' vroeg ze.

'De trein', fluisterde hij. 'De trein naar huis.'

Ze hielp hem over de Tegelbacken en naar het Centraal Station. Hij had geen cent op zak, Annika betaalde zijn kaartje.

'Is er iemand die voor je zorgt als je thuiskomt?' vroeg ze.

De man schudde het hoofd, de snot zwiepte weg.

'Ik ben net ontslagen', zei hij.

Ze liet hem achter op een bankje bij het Centraal Station, kin tegen de borst, de fiets tegen zijn been geparkeerd.

De foto was groot en liep over het midden van het katern. De overheersende kleur was glanzend goudgeel, de motieven waren scherp en helder. De politiemensen in hun zware leren jassen, zwart, en profil, de lichtgevende witheid van de ambulances, van ernst vervulde mannen in grijsblauw met kleine werktuigen in de hand, de rotzooi, de trap, de gynaecologenstoel.

En dan de pakketjes, levenloos, ineengedoken en zwart. Wat waren ze groot toen ze leefden, wat namen ze een plaats in. Wat leken ze klein op de grond, eenvoudig te hanteren afval.

Ze hoestte, beefde. Gedurende de dag was de koorts gestegen. De antibiotica leken niet te helpen. De wond aan haar voorhoofd deed pijn.

Ik moet rusten, dacht ze. Ik heb slaap nodig.

Ze liet de krant zakken, leunde achterover tegen de kussens. Het gevoel dat je valt vlak voordat de slaap komt was er ogenblikkelijk, ze viel achterover, herkende het snelle inademen, het tasten naar de leuning. En dan de jongen, zijn angst en geschreeuw, haar eigen bodemloze ontoereikendheid.

Ze deed moeizaam haar ogen open. Aan de andere kant van de muur lachten de conferentiegangers. Ze was tegelijk met de buslading bij het hotel aangekomen en was erin geslaagd als een van de deelnemers in te checken. Dat had haar even respijt gegeven, maar nu voldeed het niet langer. Als haar oude medicijn in de loop van de nacht niet begon te werken, moest ze medische hulp zoeken. De gedachte beangstigde haar, het zou zo eenvoudig zijn haar op te sporen. Ze dronk een beetje water, haar arm stijf en zwaar, probeerde zich weer op het artikel te concentreren.

Afrekening in de onderwereld. De Joegoslavische maffia. Geen verdachten, maar verschillende aanwijzingen. Ze sloeg de pagina om. Een foto van een taxichauffeur.

Ze hield de adem in, keek beter, worstelde zich omhoog tegen de kussens.

De taxichauffeur, de man die haar niet in zijn mooie auto wilde hebben. Ze herkende hem. Een verslaggever had met hem gepraat. In het artikel vertelde hij dat hij 's nachts bij de oliehaven een vrouw had meegenomen die nat was als een verzopen kat. De politie wilde graag in contact komen met de vrouw om haar informeel te verhoren.

Informeel te verhoren.

Ze zonk terug in de kussens, sloot haar ogen, ademde snel.

Stel je voor dat er een opsporingsbevel tegen haar was uitgevaardigd! Dan was medische hulp dus uitgesloten.

Ze kreunde luid, ademde heftig en met horten en stoten, de politie zat achter haar aan.

Geen paniek, dacht ze. Laat je niet meeslepen door hysterie. Misschien word je wel helemaal niet gezocht.

Ze dwong zichzelf te kalmeren, haar polsslag en ademhaling onder controle te krijgen.

Hoe zou ze erachter kunnen komen of ze gezocht werd? Ze kon moeilijk bellen en ernaar vragen, binnen het kwartier zouden ze haar komen halen. Ze kon er natuurlijk een beetje naar vissen, net doen of ze informatie had en proberen de politiemensen zover te krijgen dat ze hun mond voorbijpraatten.

Ze kreunde nog een keer luid en hield de krant omhoog om de rest van het artikel te lezen. Er stond verder niet zoveel in, uit het verhaal bleek niet dat ze gezocht werd.

Toen zag ze de naam onder het artikel. De journalist. Journalisten overdreven soms, speculeerden, verzonnen dingen, maar aan de andere kant konden ze ook meer weten dan ze schreven.

Ze hoestte hard. Zo kon het niet langer doorgaan. Ze had hulp nodig. Ze pakte de krant op en las de naam nog een keer.

Sjölander.

Reikte naar de telefoon.

Annika had haar jas half uit toen Sjölander haar riep en met de hoorn zwaaide.

'Ik heb hier een of andere tante die hulp nodig heeft. Kun jij haar nemen?'

Annika deed haar ogen dicht. Haar pakkie-an. Meespelen, volhouden.

De vrouw aan de andere kant van de lijn klonk mat en ziek, had een zwaar accent.

'Ik heb hulp nodig', hijgde ze.

Annika ging zitten, plotseling voelde ze zich weer leeg, verlangde naar koffie.

'Hij zit achter me aan', zei de vrouw. 'Hij achtervolgt me.'

Ze probeerde de redactie buiten te sluiten, boog naar voren, leunde over haar bureau.

'Ik ben uit Bosnië gevlucht', zei de vrouw. 'Hij probeert me te vermoorden.'

Grote god, was zij misschien verantwoordelijk voor alle ellende in de wereld?

De vrouw mompelde iets, het klonk alsof ze bezig was haar bewustzijn te verliezen.

'Zeg hoor eens', zei Annika terwijl ze haar ogen opendeed. 'Hoe gaat het met jou?'

De vrouw begon te huilen.

'Ik ben ziek', zei ze. 'Ik durf niet naar het ziekenhuis te gaan. Ik ben zo bang dat hij me vindt. Kun jij me niet helpen?'

Annika kreunde zacht, zocht met haar blik de redactie af naar iemand met wie ze de vrouw zou kunnen doorverbinden. Niemand.

'Heb je de politie gebeld?' vroeg ze.

'Hij vermoordt me als hij me vindt', fluisterde de vrouw. 'Hij heeft mij al diverse keren geprobeerd dood te schieten. Ik ben het vluchten zo moe.'

De hijgende ademhaling van de vrouw echode in de hoorn. Annika voelde zich steeds krachtelozer worden.

'Ik kan je niet helpen', zei ze. 'Ik ben journalist, ik schrijf artikelen. Heb je het noodspreekuur van de sociale dienst gebeld? Of het vrouwenhuis?'

'De Vrijhaven', fluisterde de vrouw. 'De doden in de Vrijhaven. Ik kan over de moorden vertellen.'

Annika's reactie was fysiek, een snelle inademing, ze rechtte haar rug.

'Hoe? Wat?'

'Als jij vertelt wat jullie weten, vertel ik wat ik weet', zei de vrouw.

Annika likte haar lippen, zocht Sjölander met haar blik, zag hem nergens.

'Je moet hiernaartoe komen', hijgde de vrouw. 'Vertel niemand waar je heen gaat. Neem geen taxi. Vertel aan niemand wie ik ben.'

Toen ze de hoorn neergelegd had, stond Jansson voor haar neus.

'De moorden in de Vrijhaven', lichtte ze toe.

'Waarom heeft Sjölander het gesprek niet genomen?' vroeg Jansson.

'Het was een vrouw', zei Annika.

'Aha', zei Jansson en hij beantwoordde vervolgens zijn telefoon.

'Ik ga erheen', zei ze. 'Het kan even duren.'

Jansson zwaaide.

Annika nam een plattegrond uit de Gouden Gids mee en kreeg beneden de sleutels van een anonieme dienstauto, de zoon van Tore Brand zat bij de receptie. Ze ging met de lift naar de garage, vond na enige verwarring de auto. Legde de kaart tegen het stuur en probeerde het hotel te vinden. Nogal ver, alweer een buitenwijk waar ze nog nooit geweest was.

Er was weinig verkeer, de weg was glad. Ze reed voorzichtig, voelde er weinig voor om vannacht te sterven.

Het loopt wel los, dacht ze. Het gaat goed komen.

Door de voorruit keek ze naar boven, naar de hemel.

Iemand ziet mij, dacht ze, ik voel het.

Thomas drukte het nieuwsgebabbel weg, belandde in een vurig discussieprogramma, zapte naar de volgende zender, bevond zich plotseling in een soap uit het zuiden van de VS en kwam ten slotte bij MTV terecht, give it to me baby, aha, aha. Hij betrapte zichzelf erop dat hij naar de borsten van die meiden zat te staren, naar hun goudbeschilderde buiken en wapperende manen.

'Lieverd!'

Eleonor trok de voordeur achter zich dicht en stampte de sneeuwtroep van haar schoenen.

'In het souterrain', riep hij terug en hij zette gauw een ander kanaal op, daar had je het nieuws weer.

'Jeetje, wat een dag', zei zijn vrouw toen ze beneden was. Ze trok de zijden bloes uit haar rok, deed de paarlemoeren knoopjes bij haar polsen open, landde naast hem op de bank.

Hij trok haar naar zich toe en kuste haar oor.

'Je werkt te hard', zei hij.

Ze klikte de haarspeld open en schudde haar haren los.

'De managementcursus', zei ze. 'Je weet dat die vanavond was. Ik heb het een paar keer tegen je gezegd.'

Hij liet haar los, reikte weer naar de afstandsbediening.

'Zeker', zei hij.

'Was er post?'

Ze ging staan en liep de trap naar de hal weer op, hij gaf geen antwoord. Hoorde haar nylonkousen tegen de laklaag van de traptreden knerpen, knerp, knerp, knerp. Het geritsel van enveloppen die opengescheurd werden, de la voor de rekeningen die open- en weer dichtgedaan werd, het deurtje van het aanrechtkastje waar het oud papier lag.

'Is er gebeld?' riep ze.

Hij schraapte zijn keel.

'Nee.'

'Helemaal niemand?'

Hij zuchtte geluidloos.

'Ja, mijn moeder.'

'Wat wou ze?'

'Over kerst praten. Ik heb gezegd dat ik het er met jou over zou hebben en dat ik haar later terugbel.'

Ze kwam de trap weer af, knerp, knerp, een volkoren boterham met magere smeerkaas in de hand.

'We zijn vorig jaar bij hen geweest', zei ze. 'Mijn ouders zijn dit jaar aan de beurt.'

Hij pakte het programmablad van de salontafel, bladerde de filmrecensies door.

'Wat vind je ervan als we dit jaar gewoon thuisblijven?' zei hij. 'We kunnen de kerstlunch toch hier houden? Zowel jouw als mijn ouders kunnen komen.'

Ze kauwde fanatiek op het vezelrijke brood.

'En wie moet dat regelen volgens jou?'

'Er bestaat toch zoiets als catering?'

Ze bleef naast de bank staan, keek op hem neer, er zaten stukjes korrel in haar mondhoeken.

'Catering?' zei ze. 'Jouw moeder maakt altijd zult van een varkenskop, mijn moeder maakt haar eigen knoflookworst, en jij hebt het over catering?'

Hij ging staan, plotseling geërgerd.

'Laat maar zitten dan', zei hij en hij liep haar voorbij zonder een blik.

'Wat is er met jou?' zei ze uitdagend tegen zijn rug. 'Niets is meer goed tegenwoordig! Wat is er mis met ons leven?'

Hij bleef halverwege de trap staan, keek haar aan. Zo mooi. Zo moe. Zo ver weg.

'Natuurlijk kunnen we naar jouw ouders', zei hij.

Ze draaide hem haar rug toe, ging op het puntje van de bank zitten en zette een ander kanaal op.

Het werd hem wazig voor de ogen, de stenen in zijn borst werden zwaarder.

'Is het goed als we een beetje luchten?' vroeg Annika terwijl ze naar het raam liep.

'Nee!' siste de vrouw waarna ze terugzonk in het bed.

Annika verstarde midden in de beweging, voelde zich dom en onhandig, trok het gordijn weer dicht. De kamer was donker, grijs en ongezond, het rook er naar koorts en slijm. In een hoek ontwaarde ze een bureau met een stoel en een schemerlampje, ze deed het aan, trok de stoel naar het bed, deed haar jas uit. De vrouw zag er werkelijk ziek uit, er zou iemand voor haar moeten zorgen.

'Wat is er gebeurd?' vroeg Annika.

De vrouw ging in een foetushouding liggen en begon hysterisch te lachen, een lachen dat ten slotte overging in huilen. Annika voelde zich ongemakkelijk, had haar handen gevouwen op schoot gelegd, onzeker.

Nog iemand die pas ontslagen is, dacht ze.

Maar de vrouw kwam tot bedaren, hijgend kreeg ze zichzelf onder controle. Haar gezicht glansde van de tranen en het zweet, ze keek Annika aan.

'Ik kom uit Bijeljina', zei ze zacht. 'Ken je Bijeljina?'

Annika schudde haar hoofd.

'De oorlog in Bosnië is daar begonnen', zei de vrouw.

Annika zei niets en wachtte op het vervolg. Dat kwam niet. De vrouw deed haar ogen dicht, haar ademhaling werd zwaarder, het leek of ze zou wegglijden.

Annika schraapte voorzichtig haar keel, keek onzeker naar de zieke in het bed.

'Wie ben je?' vroeg ze luid.

De vrouw schrok op.

'Aida', zei ze. 'Ik heet Aida Begović.'

'Waarom lig je hier?'

'Er zit iemand achter mij aan.'

Haar ademhaling was nu weer snel en oppervlakkig, ze leek op de grens van bewusteloosheid te verkeren. Annika begon zich steeds onbehaaglijker te voelen.

'Heb je niemand die voor je kan zorgen?'

Geen antwoord, mijn hemel, moest ze een ambulance bellen?
Annika liep naar het bed, boog zich over de vrouw.
'Hoe gaat het met je? Moet ik iemand bellen? Waar woon je, waar kom je vandaan?'
Het antwoord kwam ademloos.
'Fredriksberg in Vaxholm. Ik kan er nooit meer naartoe. Hij vindt me meteen.'
Annika liep naar haar tas, haalde blocnote en pen eruit, noteerde 'Fredriksberg', 'Vaxholm' en 'iemand achter haar aan'.
'Wie vindt je?'
'Een man.'
'Welke man? Jouw eigen man?'
Ze antwoordde niet, hijgde.
'Wat wilde je vertellen over de Vrijhaven?'
'Ik was daar.'
Annika staarde de vrouw aan.
'Hoe bedoel je? Heb je het zien gebeuren?'
Plotseling herinnerde ze zich het artikel in de krant, de taxichauffeur met wie Sjölander gepraat had.
'Dat was jij!' zei ze.
Aida Begović uit Bijeljina werkte zich omhoog in het bed, schudde de kussens op, legde ze tegen het hoofdeinde en ging ertegenaan zitten.
'Ik had ook dood moeten zijn, maar ik ben ontsnapt.'
De vrouw had rode vlekken in haar gezicht, haar haar was plakkerig van het zweet. Er zat een flinke jaap in haar voorhoofd, haar wangen zagen blauw. Ze keek Annika aan met ogen als afgronden, zwart, bodemloos. Annika ging weer zitten, haar mond was helemaal droog.
'Wat is er gebeurd?'
'Ik rende en ik viel, probeerde me te verstoppen, er was een lange kade waar een hoop troep op lag. Daarna ben ik weer gaan rennen, hij schoot op me, ik ben in het water gesprongen. Het was zo ontzettend koud, dat is de reden dat ik ziek geworden ben.'
'Wie schoot er?'
Ze sloot haar ogen, aarzelde.
'Het kan gevaarlijk voor je zijn om het te weten', zei ze. 'Hij heeft eerder mensen gedood.'

'Hoe weet je dat?' vroeg Annika.

Aida lachte vermoeid, haar vingers tegen haar voorhoofd.

'Laat ik zeggen dat ik hem goed ken.'

Het oude liedje, dacht Annika.

'Wie waren de dode mannen?'

Aida uit Bijeljina sloeg haar ogen op.

'Dat is niet belangrijk', zei ze.

Annika's onzekerheid moest wijken voor een snel opkomende, heldere irritatie.

'Hoezo niet belangrijk?' zei ze. 'Twee jonge mensen die in het hoofd geschoten zijn?'

De vrouw ontmoette haar blik.

'Weet je hoeveel mensen in Bosnië zijn gestorven tijdens de oorlog?'

'Dat heeft hier niets mee te maken', zei Annika. 'We hebben het nu over de Vrijhaven van Stockholm.'

'Vind jij dat dat iets anders is?'

Ze staarden elkaar aan, zwijgend. De glanzende koortsogen van de vrouw hadden te veel gezien. Annika wendde als eerste haar blik af.

'Misschien niet', zei ze. 'Waarom zijn ze vermoord?'

'Wat weet jij?' vroeg Aida uit Bijeljina.

'Niet veel meer dan wat er in de krant staat. Dat de mannen vermoedelijk Serviërs zijn, ze hadden Servische kleren aan. Geen identiteitspapieren, geen vingerafdrukken. Interpol heeft al contact opgenomen met Belgrado. De politie zoekt jou.'

'Word ik officieel gezocht?'

De vraag was kort en intensief, Annika bestudeerde haar nauwgezet.

'Dat weet ik niet', zei ze. 'Ik denk het. Waarom neem je zelf geen contact met hen op om het te vragen?'

De vrouw keek haar aan door een waas van koorts.

'Je begrijpt het niet', zei ze. 'Jij kent mijn situatie niet. Ik kan niet met de politie praten. Niet nu. Wat weet je van de moordenaar?'

'Onderwereld, volgens de politie.'

'Motief?'

'De een of andere criminele afrekening, precies zoals het er stond. Wat weet jij hier eigenlijk van?'

Aida Begović uit Bijeljina deed haar ogen dicht en rustte even uit.

'Je mag niet vertellen dat je met mij gepraat hebt.'

'Prima', zei Annika. 'Jij valt onder de bronbescherming. Geen enkele instantie mag onderzoek doen naar jouw identiteit, dat is in strijd met de grondwet.'

'Je begrijp het niet, het zou gevaarlijk kunnen zijn voor jou. Je mag niet opschrijven wat ik gezegd heb, dan snappen ze dat jij het weet.'

Annika bestudeerde de vrouw, aarzelde, gaf geen antwoord, wilde niets beloven. De vrouw werkte zich weer omhoog tegen de kussens.

'Ben je er geweest? Heb je de vrachtwagens gezien die bij de zee staan?'

Annika knikte.

'Er ontbreekt er een', zei Aida uit Bijeljina. 'Een vrachtwagen vol sigaretten, niet alleen in het chassis, maar helemaal vol, vijftig miljoen sigaretten, vijftig miljoen kronen.'

Annika hapte naar lucht.

'Er gaan meer moorden gepleegd worden, de man van wie de lading is, zal de dieven niet laten ontkomen.'

'Is hij degene die achter jou aan zit?'

De vrouw knikte.

'Waarom?'

Ze deed haar ogen dicht.

'Ik weet alles', zei ze.

Ze zwegen een poosje, totdat er op de deur geklopt werd. Aida uit Bijeljina trok lijkbleek weg. Er werd nog een keer geklopt. Een zachte stem, donker en mannelijk, een fluistering haast.

'Aida?'

'Dat is hem', fluisterde de vrouw. 'Hij schiet ons allebei dood.'

Ze zag eruit of ze ieder moment van haar stokje kon gaan.

Annika werd onmiddellijk bevangen door een intens gevoel van duizeligheid. Ze ging staan, de kamer zwaaide, ze deed een stap opzij.

Opnieuw geklop.

'Aida?'

'Nu gaan we dood', zei de vrouw berustend.

Annika zag hoe ze het hoofd boog en begon te bidden.

Nee, dacht Annika. Niet hier, niet nu.

'Kom', fluisterde ze. Ze trok de vrouw uit bed en sleepte haar naar de badkamer, smeet Aida's kleren naar binnen, trok snel haar trui uit, hield die voor haar borst en deed de deur open.

'Ja?' vroeg ze verbaasd.

De man die daar stond was lang en knap, in het zwart gekleed en hield zijn hand onder zijn jack.

'Waar is Aida?' vroeg hij met een licht accent.

'Wie?' vroeg Annika verward, droge mond, polsslag die in haar hoofd dreunde.

'Aida Begović. Ik weet dat ze hier is.'

Annika slikte, knipperde naar de lamp aan het plafond en duwde de trui onder haar kaak. 'Ik denk dat je het verkeerde kamernummer hebt', zei ze hijgend. 'Dit is mijn kamer. Als je me wilt excuseren, ik voel me niet zo goed. Ik was al... naar bed gegaan.'

De man deed een stap naar voren, legde zijn linkerhand tegen de deur in een poging hem open te duwen. Als in een reflex zette Annika haar voet als een deurstop tegen de andere kant. Op dat moment ging de deur van de naastgelegen kamer open. Een stuk of tien licht aangeschoten conferentiegangers van de IT-afdeling van Telia tuimelden de hotelgang in.

De lange man in het zwart aarzelde, Annika perste lucht in haar longen en begon te schreeuwen.

'Ga weg! Verdwijn!'

Probeerde koortsachtig de deur dicht te drukken.

Een paar conferentiegangers bleven staan, keken om zich heen.

'Ga weg!' schreeuwde Annika. 'Help mij, hij probeert binnen te dringen!'

Twee van de Telia-mannen zetten een hoge borst op en draaiden zich om naar Annika.

'Wat is hier aan de hand?' vroeg de ene.

'Het spijt me, schat', zei de man en hij liet de deur los. 'We moeten hier later maar verder over praten.'

Hij draaide zich op zijn hielen om en liep snel in de richting van de entree. Annika deed de deur dicht, misselijk van angst.

O mijn god, mijn god, laat mij leven.

Haar benen trilden zo hevig dat ze op de vloer moest gaan zitten, haar handen beefden, ze wilde overgeven. De badkamerdeur gleed open.

'Is hij weg?'

Annika knikte zwijgend, Aida uit Bijeljina snikte.

'Je hebt mijn leven gered. Hoe kan ik je ooit...'

'We moeten hier weg,' zei Annika, 'allebei, als de bliksem.'

Ze ging staan, deed het schemerlampje uit en begon in het donker haar spullen bijeen te graaien.

'Wacht', zei Aida. 'We moeten wachten tot hij weggereden is.'

'Hij gaat ons natuurlijk staan opwachten', zei Annika. 'Shit, shit!'

Ze vocht tegen de tranen. De vrouw strompelde naar het bed en ging moeizaam zitten.

'Nee', zei ze. 'Hij denkt dat hij besodemieterd is. Hij heeft geld betaald, en nu gaat hij checken of zijn bron misschien niet te vertrouwen is.'

Annika haalde drie keer diep adem, rustig maar, rustig aan.

'Hoe kon hij weten dat jij hier bent?' vroeg ze. 'Heb je dat tegen iemand gezegd?'

'Gisteren heeft hij me ook gevonden, hij besefte dat ik niet ver zou komen. Hij heeft mensen op pad gestuurd om me te zoeken. Kun je zien of hij wegrijdt?'

Annika veegde haar buitenste ooghoeken af en gluurde vanachter het gordijn naar buiten. Op de parkeerplaats beneden zag ze de man staan, in het gezelschap van twee andere mannen. Ze gingen alle drie in de auto zitten die naast die van haar stond geparkeerd en reden weg.

'Ze zijn weggereden', zei Annika en ze liet het gordijn los. 'Kom, we gaan.'

Ze deed het lampje weer aan, trok haar jas aan, stopte de pen in haar tas, raapte de blocnote van de vloer, zweet op de rug, koude handen.

'Nee', zei Aida uit Bijeljina. 'Ik blijf. Hij komt niet terug.'

Annika rechtte haar rug, voelde haar gezicht gloeien.

'Hoe weet je dat? Die man is absoluut levensgevaarlijk! Kom, ik rij je naar het vliegveld of naar de trein.'

De vrouw sloot haar ogen.

'Je hebt hem gezien', zei ze. 'Je weet dat hij Aida uit Bijeljina zoekt. Hier kan hij mij niet doden, vanavond niet. Hij doet nooit iets waardoor hij het risico loopt gesnapt te worden. Daarom zal hij mij morgen pakken, of overmorgen.'

Annika liet zich weer op de stoel zakken, legde de blocnote op schoot, de blocnote die ze in een ander hotel in een andere buitenwijk ook bij zich had gehad.

'Is er nergens een plek waar je je kunt verbergen?' vroeg ze.

Aida schudde het hoofd.

'Is er niemand die voor je kan zorgen?'

'Ik durf niet naar een ziekenhuis te gaan.'

Annika slikte, aarzelde.

'Er is misschien een manier', zei ze. 'Misschien is er iemand die je helpen kan.'

De vrouw uit Bosnië reageerde niet.

Annika bladerde in haar blocnote, zocht, vond het niet.

'Er is een stichting die mensen als jij helpt', zei Annika. Ze begon in haar tas te graven, daar, op de bodem lag het kaartje. 'Bel meteen dit nummer, vanavond nog.'

Ze krabbelde het geheime telefoonnummer van Het Paradijs op een papiertje en legde het op het nachtkastje.

'Wat is dat voor stichting?' vroeg de vrouw.

Annika ging naast de zieke zitten, streek haar haren naar achteren en probeerde een kalme en bedaarde indruk te maken.

'Ik weet niet precies hoe het in zijn werk gaat, maar het is mogelijk dat deze mensen je kunnen helpen. Ze wissen mensen uit, zodat niemand ze nog kan vinden.'

De ogen van de vrouw glansden argwanend.

'Hoezo uitwissen?'

Annika probeerde te glimlachen.

'Ik weet het niet precies. Bel ze vanavond, vraag naar Rebecka, doe haar de groeten van mij.'

Ze stond op.

'Wacht', zei Aida. 'Ik wil je bedanken.'

Moeizaam trok ze een grote tas onder het bed vandaan, een rechthoekige tas met handvatten en een schouderriem, het grote metalen slot moest geopend worden met een sleutel.

'Ik wil jou deze geven', zei Aida uit Bijeljina en ze hield Annika een gouden ketting voor, een zware ketting met twee asymmetrisch geplaatste bedeltjes.

Annika deed een stap achteruit, ze had het warm in haar jas, wilde hier weg.

'Zo'n cadeau kan ik niet aannemen', zei ze.

Aida glimlachte, voor het eerst, bedroefd.

'We zien elkaar nooit weer', zei ze. 'Je brengt me in verlegenheid als je mijn geschenk niet aanneemt.'

Aarzelend nam Annika de halsketting in ontvangst, zwaar en massief.

'Bedankt', zei ze en ze liet het sieraad in haar tas glijden. 'Succes.'

Ze draaide zich om, vluchtte weg van de zieke vrouw, liet haar achter op het bed, de armen om haar grote tas geslagen.

De parkeerplaats was leeg. Ze haastte zich over het asfalt, trippelende voetstappen, onzeker, te licht. Snelle blik over de schouder, niemand zag haar in de dienstauto stappen. Ze reed de snelweg op, keek in haar achteruitkijkspiegel, verliet de weg bij de eerste afslag, stopte achter een benzinepomp, keek om zich heen, reed in langzame cirkels terug naar Stockholm.

Niemand volgde haar.

Toen ze terug was in de parkeergarage van de krant, bleef ze minutenlang tegen het stuur geleund zitten terwijl ze probeerde haar ademhaling weer onder controle te krijgen.

Het was langgeleden dat ze zo bang was geweest.

Meer dan twee jaar.

De lange man met de zwarte kleren forceerde met een simpele handbeweging de kamerdeur in de gang van het conferentiehotel in de afgelegen buitenwijk. Hij rook dat hij op de juiste plek was. De kamer stonk naar stront en angst. De duisternis daarbinnen was versplinterd, een straatlantaarn op de parkeerplaats beneden schilderde witte taartpunten op het plafond. Hij deed de deur achter zich dicht, hoorde de lichte klik van het slot. Stapte de kamer binnen, zette koers naar het bed. Deed het licht aan.

Leeg.

Het bed was afgehaald, een rol toiletpapier stond op het nachtkastje, verder waren alle meubels gerangschikt volgens de standaardinrichting.

De woede overspoelde hem met een intensiteit die hem volkomen mat maakte. Hij liet zich op het bed zakken, legde zijn hand op een berg gebruikte tissues. Op de vloer, naast zijn voet, lag een doosje. Hij pakte het op, las wat erop stond.

Het was leeg, antibiotica, een tekst in het Servo-Kroatisch.
Dit moest van haar zijn, ze moest hier geweest zijn.
Hij ging staan, moest drie keer tegen het hoofdeinde van het bed schoppen voordat het kapot ging.
Hoer. Ik zal je vinden.
Hij kamde de hele kamer uit, centimeter voor centimeter, lade na lade, doorzocht prullenmanden, kasten, trok het bureau en het onderstel van het bed van de kant.
Niets.
Vervolgens pakte hij zijn mes en begon systematisch het beddengoed in repen te snijden, het donzen dekbed, de kussens, de springveren matras, het stoelkussen, het douchegordijn, hij explodeerde bijna door de druk in zijn binnenste.
Hij ging op de badrand zitten, legde zijn voorhoofd tegen het koude lemmet van zijn mes.
Ze was hier geweest, de bron was te vertrouwen. Waar was ze in godsnaam naartoe gegaan? Het zou niet lang duren voordat het geroddel over hem zou beginnen. Hij, die die teef had laten lopen. Hij had de kamer moeten binnendringen toen hij hier was, maar hij had pech, die vervloekte gasten in de gang, die Zweedse hoer.
Hij ging rechtop zitten.
De Zweedse vrouw, wie was zij in vredesnaam? Hij had haar nooit eerder gezien. Ze had geen accent, en ze moest Aida kennen. Waarvan? En wat deed ze hier? Hoe was zij erbij betrokken geraakt?
Plotseling ging de mobiele telefoon in zijn binnenzak. Hij rukte zijn jasje open en trok het mobieltje eruit, in het voorbijgaan streelde hij zijn wapen.
'Molim?'
Goed nieuws, eindelijk goed nieuws.
Hij verliet de kamer, glipte het hotel uit, door niemand opgemerkt.

Annika Bengtzon stapte binnen zonder te kloppen, zonk weg in die oude bank van hem zonder een opmerking te maken over de stank.
'Ik heb een tip gekregen waar ik zo snel mogelijk met je over wil praten', zei ze. 'Heb je nu tijd?'
Hij zag er moe uit, ziek bijna.

'Ik heb niet de indruk dat er veel te kiezen valt voor mij', zei Anders Schyman geërgerd.

Ze haalde diep adem, blies de lucht langzaam uit.

'Sorry,' zei ze, 'ik ben een beetje gestrest. Ik heb net een bijzonder onbehaaglijke...'

Ze werkte zich uit haar jas.

'Gisteravond heb ik een vrouw ontmoet die Rebecka heet. Ze is de directrice van een geheel nieuwe activiteit, een stichting die Het Paradijs heet. Ze helpen mensen die met de dood bedreigd worden aan een nieuw leven, vooral vrouwen en kinderen. Het klonk verrekte spannend.'

'Hoezo helpen?'

'Die mensen worden systematisch uit alle registers verwijderd. De vrouw wilde niet precies vertellen hoe het in zijn werk gaat voordat ik het groene licht heb dat het stuk gepubliceerd wordt.'

Schyman bekeek haar aandachtig, ze was nerveus.

'We kunnen dergelijke garanties niet geven zolang we niet weten waar het over gaat, dat weet je', zei hij. 'Een activiteit als deze moet enorm zorgvuldig gecheckt worden voordat we ermee naar buiten gaan. Die Rebecka kan echt van alles zijn, een bedriegster, afperser, moordenares, je weet het niet.'

Ze keek hem aan, liet zijn blik niet los.

'Vind je dat ik dat uit moet zoeken? Ik bedoel, vind je dat ik...'

Ze zweeg, slikte. Hij begreep waar ze naartoe wilde.

'Spreek gerust nog een keer met haar af en zeg dat we geïnteresseerd zijn. Ik vind echter niet dat de tijd en energie die je in deze geschiedenis steekt ten koste mag gaan van jouw werk in de nachtploeg.'

Ze stond op uit de bank en ging in een van de bezoekersstoelen bij zijn bureau zitten.

'Je moet zorgen dat je van die klotebank afkomt', zei ze. 'Waarom vraag je niet of dat ding weggehaald kan worden?'

Ze legde haar blocnote op het bureau. Hij aarzelde even, besloot toen eerlijk te zijn.

'Ik weet wat je wilt. Dat ik je ontsla van je werk in de nachtploeg en je weer een functie geef als verslaggeefster.'

Hij leunde achterover, maakte zijn gedachtegang af: 'Op dit moment is dat niet mogelijk.'

'Waarom niet?' zei ze snel. 'Ik werk nu een jaar en driehonderd-drieënzestig dagen in de nachtdienst. Sinds het vonnis heb ik een vaste aanstelling. Ik denk dat ik mijn bijdrage wel geleverd heb. Ik wil schrijven. Echt schrijven.'

Een onaangename vermoeidheid overviel hem. Ik wil. Ik zal. Waarom mag ik niet. Verwende kinderen, meer dan tweehonderd stuks die altijd hun zin moesten hebben, wier artikelen of taken of loonpeil altijd het enige belangrijke op aarde waren. Hij kon haar nu geen andere functie geven, niet vlak voor de ophanden zijnde reorganisatie.

'Luister goed naar me', zei hij. 'Dit is niet het juiste moment. Vertrouw op me.'

Ze bestudeerde hem een paar seconden indringend, daarna knikte ze.

'Ik snap het', zei ze en ze stond op en ging, haar tas, jas, sjaal en handschoenen in één grote kluwen in haar armen.

Toen ze de deur had dichtgedaan, slaakte Anders Schyman een diepe zucht.

De vloer glom, was net in de was gezet, de computerschermen deden de duisternis vibreren. IJsblauwe gezichten richtten al hun concentratie op de virtuele werkelijkheid, de toetsenborden zongen, klikkerdeklak, klikkerdeklik, de muisaanwijzers joegen over de beeldschermen, knaagden, verplaatsten, veranderden, verwijderden. Jansson praatte in zijn telefoon, rookte en sloeg koortsachtig op de toetsen, deed of het rookhok niet bestond. Ze liet haar spullen naast de bureaus van de nachtploeg op de vloer vallen en ging naar de wc, spoelde warm water over haar polsen, verkleumd tot op het bot was ze.

Ze deed haar ogen dicht en zag de man voor zich, de knappe zwarte man met zijn hand onder zijn leren jasje, de moordenaar. Ze herinnerde zich niet wat ze gezegd had, wat hij gezegd had, alleen maar haar eigen verwarring en onhandigheid en de verlammende angst.

Waarom ik? dacht ze. Waarom altijd ik?

Ze droogde haar handen af, bestudeerde haar bedroefde gezicht in de spiegel.

Oma, dacht ze. Morgen mag ik naar oma, en dan ga ik slapen, uitrusten, leven.

Een vaag gevoel van opluchting, haar polsslag was teruggekeerd naar haar lichaam en handen. De band over haar borst werd iets losser.

Het Paradijs, dacht ze, misschien moet ik toch maar met stichting Het Paradijs aan de slag. Misschien moet ik niet heel mijn vrije periode in Lyckebo blijven, misschien kan ik ook een beetje schrijven.

Ze glimlachte wat voor zich uit, de tip over de stichting zou een keerpunt kunnen worden. Ze zou onderzoek doen, ze zou weer echt aan het werk mogen. Schyman zou...

Plotseling kreeg ze het ijskoud, de band werd weer aangesnoerd.

Schyman! Stel je voor dat hij gelijk had! Stel je voor dat Rebecka een bedriegster was, een oplichtster, een boef. Ze sloeg een hand voor haar mond en hapte naar lucht. O nee, Aida uit Bijeljina, ze had al iemand naar Het Paradijs gestuurd!

De kou werd heviger en verspreidde zich, nam bezit van haar hele lichaam.

O lieve heer, hoe kon ze nou zoiets stoms doen? Een organisatie aanbevelen waar ze helemaal niets over wist?

Ze stapte een wc-hokje binnen en ging op het toilet zitten, duizelig en mat. Waren er grenzen aan haar domheid?

Ze snakte naar adem, probeerde zichzelf onder controle te krijgen.

Wat heb ik gedaan? Wat had Aida Begović voor keuze? Als ik daar niet geweest was, was Aida al dood geweest.

Ging staan, liep naar de wasbakken en dronk water uit de kraan, zag haar gloeiende gezicht in de spiegel.

Anderzijds, hoe kon ze daar zo zeker van zijn? Misschien was Aida ook wel een leugenaarster, een gek. Misschien had ze wel de gewoonte om van Huddinge naar Stockholm te fietsen tot ze erbij neerviel, zonder geld om weer thuis te komen. De knappe man in het zwart was misschien wel haar broer die haar weer naar haar familie zou brengen.

Ze deed haar ogen dicht, achterhoofd tegen de betegelde muur, haalde een paar keer diep adem.

Niemand zou het ooit te weten komen. Niemand zou er ooit achter komen wat ze gedaan had. Aida had gelijk. Ze zouden elkaar nooit meer ontmoeten.

Als Het Paradijs functioneerde zou ze verdwijnen, voor altijd.

Zo niet, dan zou ze sterven.

Er was een manier om te controleren of Aida wist waarover ze praatte.

Annika liep terug naar haar plaats, koos het nummer van Q.

'Vanavond heb ik echt geen tijd', zei haar bron bij de politie.

'Hebben jullie de vrachtwagen gevonden?' vroeg ze snel.

Lange, verbaasde stilte.

'Ik weet dat jullie ernaar op zoek zijn', zei ze.

'Hoe wist jij in vredesnaam van de oplegger?' vroeg hij. 'We zijn er net achter gekomen dat hij verdwenen is, zijn nog niet eens aan de opsporing begonnen.'

Ze haalde opgelucht adem, Aida loog niet.

'Ik heb mijn bronnen', zei ze.

'Jij wordt verdorie steeds spookachtiger', zei Q. 'Ben je helderziend of zo?'

Ze kon het niet laten hard te lachen, een beetje te hard.

'Ik meen het', zei Q. 'Dit is geen spel. Kijk uit met wie je hierover praat.'

De lach stokte in haar keel.

'Hoe bedoel je?'

'Iedereen die wist dat de vrachtwagen verdwenen was, heeft grote problemen en dat geldt ook voor jouw bron.'

Ze sloot haar ogen, slikte.

'Ik weet het.'

'Wat weet je dan?'

'Wat weten jullie?'

Hij zuchtte haast onhoorbaar.

'Het einde hiervan is nog lang niet in zicht', zei hij.

'Er zullen meer moorden volgen', zei Annika zacht.

'We proberen ze te verhinderen, maar we staan op een flinke achterstand', zei Q.

'Wat kan ik schrijven?'

'De vrachtwagen, of beter gezegd de oplegger, kunnen we loslaten. Schrijf dat we weten dat-ie verdwenen is, met een lading sigaretten van een onbekende waarde.'

'Vijftig miljoen', zei Annika.

Hij ademde in de hoorn.

'Je weet meer dan ik, maar ik geloof je.'

'Wie waren de mannen?' vroeg ze.

'Dat weten we nog niet.'

'Mijn bron zegt dat ze niet belangrijk waren. Wat denk je dat ze daarmee bedoelt?'

Een korte stilte.

'Dus je hebt een vrouwelijke bron? Je weet dat we achter haar aan zitten. Zij kan als derde slachtoffer bedoeld geweest zijn, we hebben bloed gevonden op een kade vlak bij de plaats van het misdrijf.'

Stilte.

'Bengtzon, in 's hemelsnaam, pas goed op jezelf.'

Toen legde hij neer.

Ze bleef een paar seconden zitten met het dode gesuis aan haar oor, een abstract gevoel van onbehagen.

'Wat was dat?' vroeg Jansson.

'Even iets checken', zei ze en ze verdween naar de misdaadredactie.

Sjölander zat kirrend te bellen, keek geërgerd op. Ze ging op de rand van zijn bureau zitten, precies zoals hij altijd bij haar deed.

'De moorden in de Vrijhaven. Het gaat een feuilleton worden. Een oplegger vol met gesmokkelde sigaretten is verdwenen, de politie zit al te wachten op de volgende moord.'

De chef misdaad knikte waarderend.

'Goede informatie', zei hij. 'Schrijf je zelf?'

'Het liefst niet', zei ze. 'Maar het klopt, ik heb het van twee kanten gehoord. De ene kant is de politie.'

'Mail me wat je hebt', zei hij.

'Een wat uitgebreider verhaal over de sigarettenmaffia misschien?'

Hij had zijn hoorn alweer opgenomen, stak zijn duim in de lucht.

Dinsdag 30 oktober

Annika lag naar het gebarsten grijze plafond te staren, ze was klaarwakker. Het daglicht achter het witte gordijn verklapte dat het rond lunchtijd moest zijn en dat het weer slecht was. Vreemd genoeg voelde ze zich uitgeslapen, ze had nergens pijn.

Ze rolde zich op haar zij, haar blik viel op het kaartje dat ze op haar nachtkastje had gelegd, het nummer van Rebecka. Het besluit kwam uit het niets, plotseling ging ze rechtop in bed zitten en koos het nummer, impulsief, nieuwsgierig.

De telefoon ging over. Het signaal klonk als altijd, noch beschermd, noch uitgewist. Ze wachtte gespannen af.

'Het Paradijs!'

Het was de stem van een oudere vrouw.

'Ahum, mijn naam is Annika Bengtzon en ik ben op zoek naar Rebecka.'

'Een ogenblikje...'

Telefoongesuis, de normale ruis die je hoorde als je even moest wachten, naderende voetstappen, hakken tegen de vloer, een toilet dat doorgetrokken werd, ze luisterde aandachtig. Tot dusverre klonken de activiteiten van stichting Het Paradijs volkomen normaal.

'Annika? Wat leuk om van je te horen!'

De lichte stem, lauw en enigszins lijzig.

Annika voelde hoe de ijver bezit van haar nam, ze was bijna vergeten hoe die kon kietelen.

'Ik zou je nog een keer willen ontmoeten', zei ze. 'Wanneer heb je tijd?'

'Deze week wordt moeilijk, we verwachten diverse nieuwe cliënten. Volgende week hebben we het ook enorm druk.'

De moed zonk Annika in de schoenen, shit.

'Waarom belde je ons als je helemaal geen tijd hebt om te praten?' zei ze zuur.

Weer een stilte, opnieuw telefoongesuis.

'Ik wil je graag ontmoeten, wanneer ik tijd heb', zei Rebecka met een luchtige stem, koel, neutraal.

'En wanneer is dat?'

'Om twee uur vanmiddag heb ik een vergadering in Stockholm. We zouden een uur daarvoor kunnen afspreken. Dat is het enige gaatje dat ik heb.'

Annika keek op haar wekker.

'Nu? Vandaag?'

'Als het wat jou betreft geen probleem is.'

Ze ging liggen met de hoorn tegen haar oor.

'Nee, prima', zei ze.

Toen ze neergelegd hadden, bleef ze nog even in bed liggen, kalm, en eventjes zweefde het licht de kamer weer binnen, glinsterend. Daarna gooide ze het dekbed opzij, deed haar joggingbroek en sweatshirt met capuchon aan en rende met zeep en shampoo naar de douche in het gebouw aan de andere kant van de binnenplaats. Het water was warm en liefkozend, ze waste haar haar, droogde zich langzaam af, het licht was terug.

Ze rende de trappen weer op, zette koffie en at een bekertje yoghurt, poetste haar tanden boven de gootsteen. Veegde de waterdruppels op die ze op de vloer had gemorst. Er kwam een koude luchtstroom van het kapotte raam in de woonkamer. Ze veegde het glas en de pleisterkalk bijeen, vond een papieren draagtas van die vervelende buurt-Ica en plakte die over het gat.

Nog even, dacht ze. Nog even en ik weet hoe Het Paradijs te werk gaat.

Nog even en ik ben bij oma in Lyckebo.

Rebecka had dezelfde kleren aan als bij de vorige ontmoeting, licht, neutraal, linnen of een mengsel van linnen en katoen. Het haar strak achterovergekamd, blond, een enigszins geforceerde trek om de mond.

Evita Perón die de armen en zwakkeren bijstaat, dacht Annika. *Don't cry for me Argentina.*

'Ik heb een beetje haast,' zei de vrouw, 'dus misschien kunnen we het snel afhandelen.'

Ze heeft een voorliefde voor hotelbars, stelde Annika vast toen de vrouw de ober wenkte en mineraalwater voor hen beiden bestelde.

'We waren bij het uitwissen gebleven', zei Annika. Ze leunde achterover, haar haar was nog nat, het rook naar Wella. 'Jullie zorgen dat mensen verdwijnen. Hoe gaat dat in zijn werk?'

Rebecka zuchtte en haalde een servet te voorschijn.

'Je moet me verontschuldigen,' zei ze terwijl ze haar handen afveegde, 'maar we hebben op dit moment nogal veel te doen. We hebben net een nieuw geval gekregen dat tamelijk gecompliceerd is.'

Annika keek in haar blocnote en probeerde haar pen uit. Aida uit Bijeljina? dacht ze.

De ober bracht het water. Zijn schort was schoon. Rebecka wachtte tot hij weg was, net als de vorige keer.

'Oké, je moet beseffen dat het hier om personen gaat die verschrikkelijk bang zijn', zei ze. 'Sommigen zijn haast verlamd van angst. Ze kunnen geen boodschappen doen, niet naar het postkantoor, ze functioneren niet als mensen.'

Ze schudde het hoofd toen ze aan haar arme cliënten dacht.

'Het is vreselijk. We moeten ze met alles helpen, met praktisch alle details, zoals kinderoppas, een nieuwe woning, werk, scholen. En natuurlijk psychiatrische en sociale opvang, velen zijn er enorm slecht aan toe.'

Annika knikte en maakte aantekeningen, ja, dat begreep ze wel, ze dacht weer aan Aida.

'En wat doen jullie dan?' vroeg ze.

Rebecka veegde een vlek van haar glas en nipte aan het water.

'De cliënt kan zijn of haar contactpersoon bij ons vierentwintig uur per dag bereiken. De essentie is dat er altijd iemand is om op terug te vallen als je het niet meer ziet zitten.'

Kom terzake, dacht Annika.

'Waar wonen deze mensen? Hebben jullie een of ander groot huis?'

'Het Paradijs heeft diverse eigen panden, verspreid over heel Zweden. In principe zijn de huizen van ons, of we huren ze via een stromanconstructie die niet te achterhalen is. Daar mogen de cliënten een tijdje wonen. Iedere medische behandeling die in deze periode plaatsvindt, geschiedt zonder dat de arts de identiteit van de patiënt kent. Er worden geen dossiers samengesteld. In plaats van een identificatiekaartje krijgt onze cliënt een pasje met een referentienummer. Het ziekenhuis of het medisch centrum krijgt dan via

Het Paradijs te horen welke Provinciale Raad de zorg zal betalen, de cliënt zoekt natuurlijk meestal geen hulp in de provincie die betaalt...'

Annika maakte aantekeningen, dit klonk prima.

'Hoelang kan een... cliënt bij jullie blijven?'

'Zolang het nodig is', zei Rebecka. De ademloze iele stem klonk zeer beslist. 'Er is geen bovengrens aan de tijd.'

'Maar gemiddeld?'

De vrouw veegde haar mondhoeken af.

'Als alles gaat zoals het moet, zijn we in drie maanden klaar.'

'En dan hebben jullie een nieuwe woning geregeld, medische hulp, verder nog iets?'

De vrouw glimlachte.

'Vanzelfsprekend. Er zijn een heleboel andere dingen die geregeld moeten worden als je je oude leven achter je laat. De kwestie van het salaris en de kinderbijslag, bijvoorbeeld. Ons contact met de banken werkt net zo. Met een aantal ervan werken we samen. Een cliënte hoeft geen rekening te hebben in de plaats waar ze woont. Bij iedere storting van loon op een rekening nemen de banken contact op met Het Paradijs, dat de transacties regelt via een referentienummer. Hetzelfde geldt voor de contacten met kinderdagverblijven, scholen, consultatiebureaus, de sociale verzekeringsinstanties, de Belastingdienst, ja, alles. Velen hebben juridische hulp nodig, en dat regelen wij dan ook.'

Annika bleef aantekeningen maken.

'Dus jullie regelen nieuw werk, nieuwe woonruimte, nieuwe crèche, scholen, artsen, advocaten, en alles loopt via Het Paradijs?'

Rebecka knikte.

'De vervolgde mens verdwijnt achter een muur. Degene die een uitgewiste persoon probeert te vinden, stuit in alle gevallen op ons, en daarmee houdt het op.'

'Waar leven deze mensen van als jullie bezig zijn met het uitwissen? In die periode kunnen ze niet werken, neem ik aan.'

'Nee, natuurlijk niet', zei Rebecka. 'Velen zitten in de ziektewet, anderen in de bijstand, velen hebben natuurlijk kinderen en die krijgen vanzelfsprekend kinderbijslag en voorschotten op de alimentatie. Bij juridische geschillen komt rechtshulp in beeld, bij voogdijkwesties bijvoorbeeld.'

Annika dacht na.

'Maar', zei ze, 'als de vervolgers zich niet gewonnen geven, wat doen jullie dan? Kunnen jullie mensen ook aan nieuwe persoonsnummers helpen?'

'We hebben zestig personen succesvol uitgewist. Geen van deze gevallen heeft een nieuwe identiteit hoeven aannemen. Dat was niet nodig.'

Annika schreef haar zin af en liet toen haar pen zakken. Dit klonk werkelijk volkomen ongelofelijk. Ze sloeg haar blik op en keek de bar rond. Ronde tafels, messing details. Hoogpolige vloerbedekking, bordeelverlichting.

Waar zaten de zwakke plekken in dit verhaal?

Annika schudde het hoofd.

'Hoe kunnen jullie er zo zeker van zijn dat iedereen die bij jullie komt de waarheid spreekt? Er kunnen wel misdadigers bij zitten die de politie en het rechtssysteem willen ontlopen?'

Rebecka maande haar stil te zijn, de ober gleed voorbij.

'Mag ik een ander glas, dit was vuil. Bedankt. Ik begrijp je vraag. Maar voor een particulier is het onmogelijk om bij Het Paradijs aan te kloppen met het verzoek uitgewist te worden. We werken alleen in opdracht van overheidsinstanties. Onze cliënten komen bij ons terecht via de politie, via de sociale diensten, het Openbaar Ministerie, het ministerie van Buitenlandse Zaken, ambassades, organisaties van immigranten en via scholen.'

Annika krabde op haar hoofd. Oké.

'Maar hoe vinden jullie je cliënten überhaupt, als jullie zo geheim zijn?'

De vrouw kreeg haar glas, de ijsklontjes rinkelden.

'Tot dusverre zijn de cliënten bij ons gekomen via contacten en aanbevelingen. De gevallen zijn uit het hele land afkomstig. Zoals gezegd, de reden dat ik contact met jou opnam, is dat we ons rijp voelen onze activiteiten uit te breiden.'

De woorden klonken na in Annika's oren, ze liet ze een paar seconden in de lucht hangen.

'Hoeveel geld vragen jullie precies voor jullie diensten?' vroeg ze.

Rebecka glimlachte.

'Niets. We vragen alleen maar geld van de sociale instanties voor de tijd die we aan begeleiding besteden en voor de onkosten die we hebben bij het uitwissen van de sporen. Onze activiteiten leveren geen financieel gewin op. We vragen alleen geld voor de kosten die we maken. Hoewel we een ideële organisatie zijn zonder winstbejag, moeten we natuurlijk betaald worden voor het werk dat we verrichten.'

Ja, dat had ze eerder gezegd.

'Over wat voor bedragen praten we, in kronen en öres?'

De vrouw van porselein boog naar beneden en pakte iets uit haar tas.

'Hier heb je een infosheet over onze activiteiten. We hebben ze heel informeel gehouden, niet bijzonder stijlvol, maar de overheidspersonen met wie we contact hebben gehad, kenden ons natuurlijk al op de een of andere manier en waren al op de hoogte van onze competentie.'

Annika pakte het papier. Bovenaan stond een postadres in Järfälla. Daarna volgde een opsomming van de diensten waar Rebecka net over verteld had. Helemaal onderaan las ze: 'Neem voor informatie over de kosten contact met ons op, zie bovenstaand adres en telefoonnummer.'

'Wat vragen jullie?' vroeg Annika opnieuw.

Rebecka zocht iets in haar tas.

'Vijfendertighonderd kronen per persoon per etmaal. Dat is een bijzonder lage vergoeding voor een sociale voorziening. Hier, dit kun je ook lezen', zei ze en ze gaf Annika nog een papier.

Er stonden ongeveer dezelfde gegevens op, met iets meer details.

'Nou', zei Rebecka. 'Wat denk je, is het iets om over te schrijven?'

Annika stopte de A-viertjes in haar tas.

'Daar kan ik nu geen antwoord op geven. Eerst moet ik met mijn chefs praten om te weten te komen of dit iets is wat de krant wil publiceren. Bovendien moet ik jouw informatie controleren bij een paar overheidspersonen waar jullie contact mee gehad hebben. Misschien kun je me nu alvast een paar namen geven?'

Rebecka dacht na, vouwde haar servet op.

'Op zich wel', zei ze. 'Dat zou ik kunnen doen. Maar je moet begrijpen dat het hier om enorm gevoelige kwesties gaat, alles is vertrouwelijk. Niemand zal iets over ons vertellen als ik niet gezegd heb dat het in orde is. Daarom zou ik hier later op terug willen komen.'

'Zeker', zei Annika. 'Op het moment dat ik zo'n lijst heb, moet ik met een paar van jouw gevallen praten, met iemand die volkomen uitgewist is.'

De glimlach, de koele glimlach.

'Dat wordt waarschijnlijk lastiger. Je vindt ze nooit.'

'Misschien kun jij ze vragen mij te bellen.'

De kleine vrouw knikte.

'Jazeker, dat is natuurlijk mogelijk. Maar ze kennen onze procedures niet. Om te voorkomen dat ze zichzelf kunnen verraden, vertellen we ze niets.'

'Ik ben niet van plan jouw cliënten uit te horen over jullie werkwijze. Ik wil een met de dood bedreigde vrouw die zegt: "Het Paradijs heeft mijn leven gered."'

Voor het eerst glimlachte Rebecka zo breed dat haar tanden zichtbaar werden. Ze waren klein en wit als parels.

'Dat kan ik wel regelen,' zei ze, 'daar zijn er een heleboel van. Was er verder nog iets?'

Annika aarzelde.

'Nog één ding', zei ze. 'Wat is eigenlijk jouw drijfveer?'

Rebecka kruiste vlug haar armen en benen, een klassieke verdedigingshouding.

'Daar kan ik niet over praten.'

'Waarom niet?' vroeg Annika rustig. 'Jouw organisatie is werkelijk iets bijzonders, er moet iets geweest zijn wat jou ertoe gebracht heeft ermee te beginnen.'

Er viel een stilte, Rebecka's onderbeen wipte ritmisch op en neer.

'Ik wil niet dat je dit opschrijft', zei ze ten slotte. 'Dit is privé, tussen jou en mij.'

Annika knikte.

De vrouw boog zich naar voren, haar ogen wijd opengesperd.

'Zoals ik al zei,' fluisterde ze, 'ben ik zelf bedreigd geweest. Dat was een verschrikkelijke ervaring, verschrikkelijk! Op het laatst kon ik niet meer functioneren, niet meer slapen, niet meer eten.'

Ze keek over haar schouder, liet haar blik even rusten op de andere gasten in de bar, leunde nog verder naar voren.

'Ik besloot te overleven. Zo ben ik begonnen met het construeren van deze bescherming. Tijdens dat werk ontdekte ik grote aantallen mensen in soortgelijke situaties. Ik nam het besluit een daad te stellen, een verantwoordelijkheid te nemen waartoe de overheid niet in staat is.'

'Wie bedreigde jou?' vroeg Annika.

Rebecka slikte, met trillende onderlip.

'De Joegoslavische maffia,' zei ze, 'heb je wel eens van ze gehoord?'

Annika knipperde met haar ogen, stomverbaasd.

'Wat heb jij daarmee te maken?'

'Niets!' zei Rebecka fel. 'Het was allemaal één groot misverstand! Afgrijselijk was het, afgrijselijk!'

Plotseling ging ze staan.

'Neem me niet kwalijk', zei ze en ze rende naar de toiletten. Op tafel lag een bergje verfrommelde servetten.

Annika bleef haar een hele tijd nastaren, wat stelde dat in godsnaam voor? Nog een sigarettendief?

Ze zuchtte, dronk het lauwe water op, las haar aantekeningen door. Ondanks de woordenstroom zaten er hiaten in het verhaal, maar ze zag ze nog niet. En wat had de Joegoslavische maffia hiermee te maken?

De vrouw van porselein bleef weg. Annika werd ongeduldig, keek hoe laat het was, haar trein naar Flen ging bijna. Ze betaalde de rekening en had haar jas al aan toen Rebecka terugkwam, met heldere ogen en onaangedaan.

'Sorry', zei de vrouw met een glimlach. 'De herinneringen kunnen zo'n pijn doen.'

Annika keek haar aan, ze kon de vraag net zo goed meteen stellen.

'Heb jij iets met de verdwenen sigaretten te maken?' vroeg ze, licht gestrest.

Rebecka glimlachte en knipoogde schaapachtig.

'Ben je je sigaretten kwijt? Ik rook niet.'

Annika zuchtte.

'Ik zal niets kunnen schrijven zonder die lijst met overheidspersonen', zei ze. 'Het is belangrijk dat ik die zo snel mogelijk krijg.'

'Natuurlijk', zei Rebecka. 'Je hoort binnenkort van mij. Als je er niets op tegen hebt, ga ik het liefst als eerste weg, zodat we niet samen gezien kunnen worden. Kun je een paar minuten wachten?'

Mission impossible, dacht Annika. The object has left the building.

'Zeker', zei ze.

Al voordat ze de spoorbrug Årstabron gepasseerd waren, had de cadans van de trein haar in een toestand van geconcentreerde kalmte gebracht. Links gleed Tanto voorbij, grote huizen met panoramavensters die uitzagen over het water. Hier begon de natuur, wat was Stockholm toch klein. De voorbijsuizende sparren vulden haar blikveld met hun donkergroene wintertooi, zwaaiden heen en weer op het ritme van de trein, kadeng, kadeng.

Mensen uitwissen, dacht ze. Is zoiets echt mogelijk? Een organisatie die op alle papieren vermeld staat, die de contacten met alle instanties onderhoudt, die alle contracten ondertekent, kan zoiets echt volgens de wet?

Ze pakte blocnote en pen en begon te schetsen.

Als het werkelijk zo is dat gemeenten de diensten van Het Paradijs inkopen, moeten die diensten natuurlijk legaal zijn, dacht ze.

Vervolgens hebben we de financiën, hoeveel kost het om uitgewist te worden?

Ze bladerde in haar aantekeningen.

Vijfendertighonderd kronen per persoon per etmaal. Mogelijk was dit een redelijk bedrag, ze kon het niet beoordelen.

Ze begon een systematisch overzicht van de kosten te maken: vijf personen fulltime, stel dat die vijftienduizend kronen per maand verdienden plus sociale lasten, dat kwam neer op ongeveer honderdduizend kronen per maand. Plus de huizen, zeg dat ze tien huizen hadden die ieder aan rente of huur een tienduizend kronen per maand kostten, dat waren nog eens honderdduizend kronen. Meer? De medische kosten kwamen voor rekening van de Provinciale Raden. De gemeenten stonden voor de bijstandsuitkeringen, de Dienst Sociale Verzekeringen voor het ziekengeld, de Raad voor Rechtshulp voor de rekeningen van de advocaten.

Waarschijnlijk waren de kosten niet hoger dan zo'n tweehonderdduizend kronen per maand.

En hoe zat het met de inkomsten?

Vijfendertighonderd kronen per etmaal betekende per maand

honderdvijfduizend kronen voor één persoon.

Als ze iedere maand een vrouw met een kind helpen, hebben ze tienduizend kronen winst, besefte ze.

Ze staarde verbluft naar haar berekening.

Klopte dit wel?

Ze rekende alles nog eens na.

Zestig gevallen à vijfendertighonderd kronen per dag kwam in drie maanden neer op een kleine negentien miljoen.

In de loop van drie jaar hadden ze ruim zeven miljoen aan kosten gehad, hetgeen een winst inhield van bijna twaalf miljoen.

Dit kan niet juist zijn, dacht ze. De kosten in mijn berekening zijn gebaseerd op schattingen en aannames. Misschien zijn de werkelijke kosten wel veel hoger, zijn er posten die ik niet ken. Misschien hebben ze wel artsen en psychologen en juristen in dienst, en een heel scala aan contactpersonen die het hele jaar door vierentwintig uur per dag stand-by staan. Zoiets is natuurlijk duur.

Ze stopte haar spullen weer in haar tas, leunde achterover tegen de rugleuning en gaf zich over aan het ritme van de trein. Kadeng, kadeng.

De geluiden zijn altijd hetzelfde, dacht Anders Schyman. Het geschraap van stoelen, een praatzender op de radio, CNN met het geluid zacht, geritsel van papier, een kakofonie van mannenstemmen die nu eens harder, dan weer zachter werd, met nadruk uitgesproken korte zinnen. Gelach, altijd gelach, hard, snel.

De geuren, altijd koffie, een vermoeden van zweetvoeten, aftershave. Achtergebleven tabaksrook in de lucht die werd uitgeademd, testosteron.

Het management vergaderde iedere dinsdag- en vrijdagmiddag om de grotere investeringen en de strategieën voor de langere termijn te bespreken. Het waren allemaal mannen, boven de veertig, ze hadden allemaal een auto van de zaak en precies dezelfde donkerblauwe wollen jasjes. Hij wist dat ze 'de schaapskudde' werden genoemd.

Ze vergaderden altijd in de schitterende hoekkamer van hoofdredacteur Torstensson die uitkeek op de Russische ambassade. Er waren altijd koffiebroodjes en biscuitjes, Jansson kwam altijd als laatste binnen, hij morste altijd koffie op de vloerbedekking, bood nooit zijn verontschuldigingen aan en haalde nooit een doekje. Schyman zuchtte.

'Ja, als we misschien...' zei hoofdredacteur Torstensson en hij keek onzeker om zich heen. Niemand lette op hem. Jansson kwam binnenslenteren, slaapdronken, met zijn haar rechtovereind en een sigaret in zijn mondhoek.

'We roken hier niet', zei de hoofdredacteur.

Jansson morste koffie op de vloerbedekking, nam een flinke haal van zijn sigaret en ging helemaal aan het eind van de tafel zitten, aan een lange kant. Sjölander, de chef misdaad, zat vlak naast hem te bellen met zijn mobiele telefoon. Ingvar Johansson bladerde in een stapel bulletins, Foto-Pelle stond te lachen om iets wat de chef amusement zei.

'Oké', zei Schyman. 'Ga zitten, dan kunnen we dit straks ook nog afronden.'

Het geroezemoes verstomde, iemand deed de radio uit, Sjölander sloot zijn gesprek af, Jansson nam een biscuitje. Zelf bleef hij staan.

'Achteraf bezien kunnen we concluderen dat het de juiste beslissing was om op de orkaan te focussen', ging Schyman verder terwijl de mannen een stoel opzochten. In zijn ene hand hield hij de krant van zaterdag omhoog, met de andere bladerde hij de concurrenten door.

'Wij waren de beste, van begin tot eind, en dat was welverdiend. We hadden een vooruitziende blik en hebben de ons ter beschikking staande middelen op een nieuwe manier gecoördineerd. Alle redacties en ploegen hebben samengewerkt en dat gaf ons een kracht waar niemand tegenop kon.'

Hij legde de kranten weg. Niemand zei iets. Dit was controversiëler dan je op het eerste gezicht zou zeggen. Al deze mannen waren heer en meester over hun eigen territorium. Niemand wilde macht en invloed afstaan aan een ander. Daardoor kon het, in extreme situaties, gebeuren dat de chefs vasthielden aan hun eigen nieuwtjes om maar de eerste te zijn in hun eigen oplage of op hun eigen afdeling. Als ze samenwerkten werd de macht naar een hogere laag in de hiërarchie verplaatst, naar het niveau van de adjunct-redactiechef, de managementlaag die de hoofdredacteur in het leven wilde roepen.

Hij bladerde nog wat in de kranten, ging zitten.

'Onze inspanningen met betrekking tot de gehandicapte jongen lijken ook vruchten af te werpen, de gemeente gaat haar besluit blijkbaar herzien en hem de zorg geven waar hij recht op heeft.'

De stilte was tastbaar. Alleen CNN en de ventilatoren gingen onverstoorbaar door. Anders Schyman wist dat de anderen er niet van hielden oude kranten door te nemen, ouwe koek, vandaag is er een nieuwe dag, je moet vooruit om hogerop te komen, dat was hun devies. De redactiechef was het daar niet mee eens. Hij was van mening dat je lering moest trekken uit de fouten van de vorige dag teneinde ze de volgende dag te kunnen vermijden, een toch zo vanzelfsprekende waarheid die hier nog niet doorgedrongen was.

'Hoe gaat het met de voorbereidingen voor het congres van de socialisten?' vroeg Schyman en hij richtte zijn blik op de chef mens & maatschappij.

'Nondeju, ja, daar zijn we flink mee bezig', zei het Wollen Jasje. Hij boog naar voren, had papieren in zijn handen. 'Calle Wennergren heeft een verdomd goeie tip gekregen over een van de vrouwelijke ministers. Blijkbaar heeft ze privé-inkopen gedaan met haar regeringskaart, te weten luiers en chocola.'

De mannen grinnikten, ja jemig, zo bleek maar weer eens dat ze niet met geld konden omgaan! Luiers! En chocola!

Schyman keek de man onbewogen aan.

'Zo', zei hij. 'En wat is hier het onderwerp voor de krant?'

De lach stierf weg, het Wollen Jasje glimlachte, niet-begrijpend.

'Privé', zei hij. 'Ze heeft privé-boodschappen gedaan met haar regeringskaart.'

Iedereen knikte instemmend, wat een nieuws!

'Oké', zei Schyman. 'Daar moeten we op doorgaan. Van wie kwam de tip?'

Licht verontwaardigd gemompel, over zoiets praatte je niet. Schyman zuchtte.

'Ja, maar, jezus', zei hij. 'Dat snappen jullie toch wel, dat iemand bezig is haar een hak te zetten. Check wie het is. Dát is misschien het onderwerp, de machtsstrijd binnen de sociaal-democratische partij, welke schade ze bereid zijn elkaar toe te brengen aan de vooravond van het congres. Nog iets? Het parlement?'

Ze gingen verder met het doornemen van de klussen die uitgezet waren binnen de verschillende redacties: de politiek, het amusement, het buitenland, het nieuws. Een van de schrijvers van de hoofdartikelen maakte aantekeningen en leverde commentaar, er werden afspraken gemaakt over diverse standpunten, richtlijnen werden vastgesteld.

'Zweten en eten?'

De chef van de afdeling werk & geld stelde met groot enthousiasme voor opnieuw aandacht te besteden aan aandelenfondsen, welke stijgende waren, welke je moest mijden, welke ethisch waren en welke op de lange termijn weinig risico inhielden. Koppen als 'Word een winnaar' verkochten altijd. Iedereen knikte, dit werd zonder reserve als een goed onderwerp beschouwd. Alle leden van de kudde zaten op een flink pakket opties.

'De afdeling misdaad?'

Sjölander schraapte zijn keel, ging rechtop zitten. Hij was bijna ingedut.

'God ja,' zei hij, 'we hebben de dubbele moord in de Vrijhaven, en volgens de politie is dat alleen nog maar het begin. Zoals jullie in de krant van vandaag kunnen lezen, zijn wij de enige met de informatie over de verdwenen lading sigaretten. Vijftig miljoen. Ze gaan elkaar in het wilde weg vermoorden vanwege die vrachtwagen.'

Iedereen knikte waarderend, goed onderwerp.

'En dan hebben we de privatisering van de publieke sector', zei de hoofdredacteur met een stem die iets lichter was dan die van de anderen. 'Is een van de verslaggevers daar al mee begonnen?'

Schyman negeerde hem.

'Annika Bengtzon is met iets bezig, ik weet niet wat dat op kan leveren. Ze is de een of andere duistere stichting op het spoor die in actie komt waar de sociaal-democratie faalt, ze verbergen vrouwen en kinderen die met de dood bedreigd zijn.'

De schaapskudde draaide wat ongemakkelijk heen en weer, wat was dat nou weer, hoezo stichting, dit klonk wel erg vaag.

'Annika Bengtzon komt soms met goeie dingen, maar ze is zo vastgeroest in die dingen met vrouwen en kinderen', zei Sjölander.

Ze knikten allemaal, hemel nog aan toe, dat was altijd zo'n gejammer, daar viel geen respect te behalen, geen aanzien, zoiets was alleen maar zielig en tragisch.

'Maar ja, als je ook bedenkt waar ze vandaan komt', zei Sjölander met een lichte grijns, en iedereen grijnsde met hem mee, ja, ja.

Schyman observeerde ze zwijgend.

'Was het een beter onderwerp geweest als ze bedreigde mannen verborgen hadden?' vroeg hij.

Er werd weer met de stoelen geschraapt, op de klok gekeken, verdomme, nu werd het echt tijd om aan de slag te gaan, output moest er komen, zijn we klaar voor vandaag?

Ze braken op, de radio werd weer aangezet, herrie en kabaal.

Anders Schyman ging terug naar zijn kamer met hetzelfde gevoel van lichte frustratie dat hem vaak overviel na de redactievergaderingen. De manier waarop de redactieleiding de werkelijkheid categoriseerde, haar homogeen incestueuze visie op dingen, het inzichtloze gebrek aan zelfkritiek.

Toen hij eenmaal zat en de TT-bulletins had opgestart, was zijn brein gevuld met een allesoverheersende gedachte: hoe moet dit in vredesnaam aflopen?

Annika stapte bij de Konsum uit de bus, de stoep was spekglad, ze trok haar schouders op, negeerde de blikken. Mensen in schreeuwerige skikleding flikkerden in haar buitenste ooghoeken, ze wendde zich af, als ze wilden staren dan deden ze dat maar, zij ging haar eigen gang. Er lag veel gruis op straat, ze stapte op de rijbaan en liep in de richting van de winkel. Het industriegebied stak scherp af tegen de massieve grijsheid van de hemel, het rook er naar natte sneeuw. Zoals gewoonlijk probeerde ze niet naar de verlaten hoogoven te kijken, daarom keek ze naar links, liefkoosde met haar blik de mooie oude arbeidershuisjes met hun krachtige betimmering in Falun-rood. Rechts lag haar oude huis, ze gluurde ernaar, tot dusverre had het leeggestaan.

Dat was nu niet meer zo.

Ze bleef midden op straat staan, verbaasd.

Gordijnen en bloemen voor het raam, een rustiek hanglampje.

Iemand woonde in haar keuken, sliep in haar slaapkamer. Iemand die het huis aankleedde, de planten water gaf, zich betrokken voelde. De lege venstergaten waren opnieuw tot leven gekomen.

Ze was verbaasd hoe intens haar opluchting was, ze reageerde haast fysiek. Er werd iets van haar borst getild. Het gebruikelijke verlangen ervandoor te gaan verdween. Voor de eerste keer sinds het verschrikkelijke gebeurde, voelde ze een golf van tederheid voor dit fabrieksdorp.

Ik heb het hier ook goed gehad, dacht ze. Soms hadden we het fijn samen. Af en toe was er liefde.

Ze liet het dorp achter zich, kwam op de Granhedsvägen, versnelde haar tempo, hees haar tas over haar schouder. Keek naar boven, een licht gesuis in de toppen van de sparren, de duisternis zou niet lang meer uitblijven.

Ik vraag me af of er op andere planeten ook bomen zijn, dacht ze.

De weg was bevroren en ongelijk, zigzaggend zocht ze naar houvast. Een paar auto's met wazige dimlichten passeerden haar, niemand die ze kende.

De stilte begon zich op te dringen. Het geknerp van haar schoenen, haar regelmatige ademhaling, het diffuse gerommel van een vliegtuig op de aanvliegroute naar Arlanda. Haar lichaam werd licht, dansend, haar ogen vrij.

Het bos had te lijden gehad van de storm. Op de kaalslag achter het Tallsjömeer waren bijna alle hoge zaadbomen geknakt. Elektriciteits- en telefoonpalen waren omgewaaid. De bomen waren op alle hoogten en bij alle geledingen afgeknapt, ze lagen met wortel en kluit omhoog, waren op manshoogte afgebroken, gespleten, de top uiteengereten. De rijbaan lag vol met kapotgewaaide takken, ze moest over de resten van een omgevallen berk klauteren.

Overgeleverd zijn we, dacht ze. Wat zijn er toch weinig dingen waar we invloed op hebben.

De oprijlaan naar Lyckebo was niet sneeuwvrij gemaakt. Ongeveer een dag geleden had er nog een auto gereden, de sporen waren gesmolten, tot dubbele breedte uitgesmeerd en daarna dichtgevroren tot ijsgeulen. Lopen ging moeilijk, haar tas bonsde tegen haar heup.

De slagboom die het Harpsund-terrein markeerde stond open, de sparren omsloten haar. De duisternis werd intenser, hier had de storm niet zoveel schade aangericht. De overheid had geld om haar bossen te onderhouden.

Ze passeerde het beekje, het water dat uit de duiker liep had een ijssculptuur gevormd. Eronder hoorde ze een licht kabbelend geluid. Sporen van dieren in verschillende vormen en afmetingen kruisten elkaar: eland, ree, haas, wild zwijn. De sporen die al een paar dagen oud waren, waren uitgevloeid tot reuzenafdrukken.

Toen was daar plotseling de open plek met de drie Falun-rode gebouwen, het zomerhuis, de houtschuur en de stal. Alles stil. Links het houten hutje, het weiland dat afliep naar de steiger. Ze bleef staan, deed haar handschoenen uit en haar muts af, liet haar haren wapperen in de wind die vanaf het meer kwam, sloot haar ogen en haalde diep adem. Het beeld van de open plek bleef achter op haar netvlies als een zwart-witnegatief, stil, kleurloos, geluidloos. Achter haar oogleden kreeg langzaam maar zeker een onbestemde onrust vorm, wat was er mis?

Ze sperde haar ogen wijd open, het licht viel naar binnen, de scène kristalhelder, na twee seconden wist ze het.

Geen rook uit de schoorsteen.

Ze liet haar tas op de grond vallen en begon te rennen, ze voelde haar hartslag dreunen in haar hoofd. Trok de deur open, kou en duisternis, een bedompte luchtstroom die gevaar verried.

'Oma!'

De benen staken onder de klaptafel uit, bruine steunkousen, haar ene schoen was uitgevallen.

'Oma!!'

Ze tilde de tafel weg, raakte met haar linker ringvinger bekneld toen het blad dichtklapte.

'O, lieve heer, lieve heer…'

De oude vrouw was voorover gevallen en lag enigszins gedraaid, er was wat bloed uit haar mond gelopen. Annika wierp zich over haar heen, pakte haar hand, ijskoud, streelde haar over het haar, de tranen begonnen te stromen, golven van adrenaline.

'Oma, grote god, hoor je me, hallo, oma…?'

Annika probeerde haar pols te voelen, vond de plek niet, zocht in haar hals, vond daar ook niets, haar handen stuntelig en vochtig, ze rolde de oude vrouw op haar rug, boog zich naar haar toe en probeerde een ademtocht op te vangen. Warempel, ze ademde.

'Oma?'

Een kreun als antwoord, daarna een zwak gemompel.

'Oma!'

Het hoofd van de vrouw viel opzij, op haar wang zat gestold bloed. Haar kin hing slap tegen haar hals. Opnieuw gekreun, gekerm.

'Pijn', zei ze. 'Help me.'

'Oma, ik ben het, o hemel oma, je bent gevallen, ik zal je helpen...'

ABS, dacht Annika en ze streek de oude vrouw over het haar.

Ademhaling, bloeding, shock. Ze moet warm gehouden worden.

Annika ging snel staan en stoof naar de kamer, het gustaviaanse bed was netjes opgemaakt. Met één ruk trok ze het beddengoed naar zich toe, inclusief het onderlaken en de oplegmatras, stormde terug naar de keuken. Ze legde de matras op de grond, lichtte het bovenlichaam van haar grootmoeder op en schopte de matras eronder, daarna de heupen, daarna de benen. Ze lag niet helemaal goed. Vervolgens lakens en dekens, tilde de benen op, wikkelde ze erin. Zette haar eigen muts op het hoofd van de vrouw, het grijze haar stug tegen haar bevende handen.

Ambulance, dacht Annika.

'Wacht hier oma', zei ze. 'Ik ga hulp regelen. Ik kom zo terug.'

De vrouw kreunde als antwoord.

Ze stoof het huis uit, door het bos, langs het beekje, passeerde de slagboom, over de weg, dook onder een hangende elektriciteitsleiding door, sprong over de graspollen in het moeras en rende de heuvel op naar Lillsjötorp.

Grote god, laat Gammel-Gustav thuis zijn!

De oude man stond hout te hakken. Hij hoorde Annika niet, hardhorend als hij was. Ze deed geen moeite hem te begroeten en rende het huis binnen.

De Sperma-emmer was er, de gezinsverzorgster van Gustav en het oude slippertje van Sven, Ingela heette ze. Ze stond af te wassen en keek Annika verbijsterd aan.

'Wel allemach...?'

Annika stoof naar de telefoon en draaide 90000.

'Je kunt toch op zijn minst de buitendeur dichtdoen', zei de Sperma-emmer geërgerd. Ze droogde haar handen af aan een theedoek en liep naar de hal.

'SOS 112, wat is er aan de hand?' vroeg een dame in de hoorn.

Annika begon luid te huilen.

'Het is oma!' gilde ze.

'Zullen we bij het begin beginnen? Wat is er gebeurd?'

Annika deed haar ogen dicht, streek over haar voorhoofd.

'Er is iets met mijn oma gebeurd', zei ze. 'Ik dacht dat ze dood was. Ze ligt in een zomerhuis, even buiten Granhed, jullie moeten haar komen halen.'

'Wat heb je met je hand gedaan?' vroeg de Sperma-emmer verschrikt.

'Welk Granhed?' vroeg de dame.

Annika gaf hakkelend een routebeschrijving, 'sla bij Valla af en volg de richting Hälleforsnäs, daarna de Stöttastensvägen, voorbij Granhed, na het Hösjömeer eerste rechts.'

'Is er iets met Sofia gebeurd?' vroeg de Sperma-emmer met grote ogen.

Annika liet de hoorn los en beende het huis uit, rende via dezelfde route terug als ze gekomen was. Het was donker geworden, ze viel verscheidene keren. Het zomerhuisje was bezig één te worden met de achtergrond, het zwarte bos.

De vrouw had zich niet bewogen, lag doodstil, ademde rustig. Annika ging bij haar zitten, legde haar hoofd op haar knie en begon te huilen.

'Je gaat nu niet dood, hoor je dat! Je gaat nu niet dood!'

Langzaam kwam ze tot bedaren. Het zou zeker een halfuur duren voordat de ambulance kwam. Met de achterkant van haar hand veegde ze snot en tranen weg, en op dat moment zag ze het bloed. De huid en het vlees van haar linker ringvinger hadden bekneld gezeten toen ze de klaptafel weggezette. Het bloed liep langs haar polsen, maar onder haar nagels was het gestold. Vervolgens kwam de pijn. Ze kreunde en had het gevoel dat de kamer begon te zwaaien. Wat was ze toch ook een baby! Ze wikkelde een vaatdoekje om de wond en legde er een knoop in.

Ze kon net zo goed proberen het hier een beetje warm te krijgen.

Ze liep naar het fornuis, legde haar hand op het ijzer. Het was koel, maar niet koud, hier had sinds vanmorgen vroeg geen vuur meer gebrand. Ze verfrommelde een paar krantenpagina's, deed er een blok hout en wat berkenbast bij. Toen ze de lucifer langs het strijkvlak bewoog, beefde haar hand, de pijn bonsde in haar vinger. Met de volgende lucifer stak ze de petroleumlamp aan en zette die voor het raam dat uitzag op het water.

Ze haalde een kussen en legde dat onder haar grootmoeders hoofd, keek peinzend naar het oude gezicht. Sofia Katarina. Dezelfde naam als de jongste van de schare pleegkinderen in de boeken over Astrid. Annika herinnerde zich hoe mooi ze de naam had gevonden. Als kind deed ze altijd net alsof de boeken van Martha Sandwall-Bergström eigenlijk over haar oma gingen. Sofia Katarina. Sossatina.

Waar bleef die verdomde ambulance nou?

Ze keek om zich heen in de keuken. Niets wees erop dat er koffie was gezet, geen spoor van brood, pap of lunch. Oma moest vroeg in de morgen gevallen zijn, direct nadat ze was opgestaan, het fornuis had aangestoken en haar bed had opgemaakt. Dat is dus acht uur geleden, dacht Annika. Acht uur. Is dat te lang? Redt ze dat?

Het vuur kwam goed op gang, ze stopte nog een paar houtblokken in het fornuis. De warmte verspreidde zich ongemerkt door de keuken, de kou gaf zich zonder strijd over. Dit huis was gewend aan warmte en licht, liefde en harmonie. Maar nu waren de omstandigheden gewijzigd.

Haar grootmoeder bewoog kreunend haar hoofd. Annika's machteloosheid sloeg om in een brandende woede.

Godvergeten kloteambulance, waar bleven ze nou?

Het loofbos was dicht, slecht onderhouden, het leek bijna kreupelhout. De weg was modderig en kapotgereden, Ratko vloekte toen het linkerachterwiel slipte in de blubber. Hij stopte, schakelde terug van de drive naar de een, trapte voorzichtig het gas weer in. De zware dieselmotor gromde zacht, het wiel kwam los, de auto daverde verder. Hij zou er nu moeten zijn.

Weer lag er een boompje over de weg en even werd hij overmand door een oncontroleerbare woede. Hij sloeg hard op het stuur, verdomme, verdomme, hij had genoeg tegenslagen gehad. Met een heftig gebaar zette hij de wagen in de parkeerstand en stapte uit om de berk weg te slepen. Hij duwde de stam in de sloot, sprong erbovenop, besefte plotseling dat hij op de plaats van bestemming was. De spleet in het landschap waar de trailer stond was slechts een tiental meters van hem verwijderd, de gele cabine lichtte op tussen de naakte spichtigheid van de loofbomen. Als niet toevallig deze boom was omgevallen, had hij de weg terug vermoedelijk niet gevonden. Het noodlot streek als een veer door zijn nek, hij maakte een wuivende beweging met zijn hand.

Hij bleef even staan, hijgend, zijn adem hing als een rookwolk om hem heen.

Zoiets als geluk bestaat niet. Iedere man creëert zijn eigen succes, dat was zijn vaste overtuiging. Dat ze de vrachtwagen en de prutsers die hem gestolen hadden, hadden gevonden was geen geluk, dat kwam doordat ze decennia hadden besteed aan het opbouwen van hun netwerken.

Niemand kon ontkomen, hij vond ze altijd. Die ellendelingen dachten dat ze hem konden besodemieteren.

Het gevoel van euforie toen ze de trailer teruggevonden hadden, had plaatsgemaakt voor een machteloze woede toen ze hem openmaakten. De sigaretten waren weg. Iemand had ze verstopt, de jongens beweerden dat ze niet wisten wie het gedaan had en waar.

Ratko klemde zijn kaken op elkaar tot ze pijn deden.

Er was nog slechts één reden te bedenken waarom de jongens niet gepraat hadden: ze hadden geen flauw idee waar de lading was.

Hij deed zijn handschoenen uit en nam een sigaret. Rookte die langzaam op, helemaal tot aan het filter. Drukte de peuk uit tegen zijn schoenzool en stopte hem in zijn zak. Tegenwoordig konden ze DNA in het filter vinden, van het speeksel. Hij moest ook niet vergeten zijn schoenen weg te gooien. De problemen die hij nu al had waren groot genoeg, hij hoefde niet ook nog eens de Zweedse politie op zijn hielen.

Hij bleef een poosje staan, trok zijn handschoenen weer aan. Hij kon het maar beter toegeven, hij was nog steeds ver van het doel verwijderd. Vele keren in zijn leven had hij redenen gehad om razend te zijn, maar deze keer was het anders. Hij wist niet of hij de jager of de buit was. Hij voelde het gevaar van verschillende kanten op hem afkomen. Zijn superieuren zeiden dat ze op hem vertrouwden, dat ze begrepen dat hij zou zorgen dat alles weer in orde kwam, maar hij wist dat hun geduld grenzen kende. De inspanningen van de afgelopen nacht hadden hem niet dichter bij de lading gebracht, maar waren ook niet helemaal verspilde moeite geweest. Ze benadrukten zijn inventiviteit en doorzettingsvermogen. Toch was hij er niet gerust op. De vrouw was verdwenen, en hij begreep niet waar ze gebleven was. Hij snapte nog steeds niet wat haar rol was in het geheel.

Hij klom in de auto, wierp een blik in de achteruitkijkspiegel.

Niets. Alleen de pakketten die het zicht enigszins belemmerden. Hij reed ongeveer dertig meter vooruit en sloeg toen rechts af, tussen de bomen door, de auto hotste en richtte zich op, en toen was hij er. Zette de wagen in de parkeerstand, draaide de sleutel om, liet die in het contact zitten. Haalde de jerrycans en ging aan de slag. Nauwgezet en systematisch overgoot hij truck en oplegger met benzine, het spatte en spetterde, zowel zijn haar als zijn kleren zogen de glanzende roze vloeistof naar zich toe, daarna zette hij de jerrycans weer op hun plek. Hij moest opschieten, het werd nu snel donker. In het donker viel het vuur meer op.

Ten slotte waren alleen de pakketten er nog. Hij gooide het eerste over zijn schouder, was haast blij met de benzinedampen die van zijn kleren af sloegen. De stank was niet te harden. Toen hij op het punt stond het lijk in de cabine van de vrachtwagen te duwen, viel het lichaam op de grond en op dat moment verloor hij zijn zelfbeheersing. Begon te schoppen met zijn schoenen met ijzeren neuzen, vlees en botten dansten en rolden in het rond, steeds maar weer, nog een keer, nog een keer, tot hij aan het eind van zijn Latijn was. Hij moest even uitrusten, de benzine op zijn kleren maakte hem duizelig. Met een resolute greep tilde hij het pakket daarna aan de passagierskant in de truck en vervolgens liep hij weg om het andere te halen. Plotseling hoorde hij in de verte het geluid van een motor. Hij bevroor midden in een beweging, het andere lijk hing al half uit de auto. Angst overmande hem, hij smeet het pakket op de grond en wierp zich tussen de struiken. Lag uitgestrekt in het vochtige mos, binnen een paar seconden doorweekt.

Het geluid werd langzaam zachter en verdween toen. Hij ging op handen en voeten staan, hijgde, had een loopneus, veegde een paar takjes uit zijn haar. Strontmazzel dat niemand hem gezien had.

Hij ging staan, beschaamd, zag het lijk ineengezakt liggen, hervond zijn woede. Trok het pakket naar zich toe, schopte en sloeg. Droeg het daarna verbeten naar de cabine van de vrachtwagen en duwde het aan de chauffeurskant op de vloer. Werkte snel en vastberaden, haalde de laatste twee jerrycans, een in iedere hand. Liet de vloeistof over de lichamen lopen, drenkte de lijken in benzine. De laatste druppels gebruikte hij als lont, hij schonk ze in een sliert over de grond, tussen de bomen. Hij slaakte een zucht, merkte plotseling hoe uitgeput hij was. Nam een paar minuten de tijd om op adem te komen, trok zijn kleren uit, inclusief zijn onderbroek, pakte de sporttas met zijn reservespullen. Kleedde zich snel aan, rillend, het was waterkoud, sloeg zijn armen een paar keer krachtig om zijn lichaam heen.

Beter, veel beter. Nu alleen het vuurwerk nog.

Hij keek even naar de mise-en-scène, de trailer, de lichamen, het bos, eigenlijk tamelijk tevreden.

Bewoog zijn duim langs het wieltje van zijn Bic-aansteker, legde die op de grond, draaide zich om en begon te rennen.

De ingang van de eerste hulp deed denken aan een garage. De ambulance kwam tot stilstand, een roedel ziekenhuispersoneel gehuld in fladderende schorten met balpennen in de borstzakken verzamelde zich om hen heen. Ze praatten rustig met elkaar, maakten efficiënte bewegingen. Alle vrouwen hadden net hun haar gewassen en alle mannen waren gladgeschoren. Oma werd weggerold in een zwerm van fladderend overheidspolyester.

Annika stapte uit de auto, zag de horde wegzweven naar de eerste hulp. Een dame achter een raam verwees haar naar de wachtkamer. Die zat vol met hangerige kinderen, rusteloze ouders, hologige gepensioneerden en een luidruchtige immigrantenfamilie. Annika wroette in haar tas en vond een telefoonkaart. Ze liep naar de automaat, verontschuldigde zich toen ze zich aan de luide familie voorbij drong, pakte met haar linkerhand de hoorn en leunde met haar voorhoofd tegen het apparaat, haalde diep adem. Het moest.

Toen de telefoon vier keer was overgegaan, nam haar moeder op, een zweem van irritatie.

'Ik bel over oma', zei Annika. 'Het gaat heel slecht met haar. Ik heb haar in het zomerhuis gevonden, ze was bijna dood.'

'Hoe bedoel je?' zei haar moeder in de andere hoorn, en daarna, tegen iemand in de kamer: 'Nee, niet die glazen, neem die rode maar...'

'Oma is hartstikke ziek!' schreeuwde Annika. 'Hoor je niet wat ik zeg!?'

Haar moeder kwam terug.

'Ziek?' Verbaasde stem, niet bang, niet geschokt. Verwonderd.

'In de ambulance leefde ze nog, maar daarna hebben ze haar weggereden en ik weet niet wat er nog meer gebeurd is...'

Annika begon te huilen, geluidloos.
'Mama, kun je niet hiernaartoe komen?'
Haar moeder zei niets, een zwak gesuis op de lijn.
'Maar we zouden net gaan eten. Waar ben je?'
'In het Kullbergska.'
De luidruchtige familie werd eindelijk ergens binnengeroepen, in de stilte echode het geluid van de hoorn die op de haak werd gelegd.
Een fladderende arts-assistent kwam naar haar toe.
'Familie van Sofia Katarina? Wilt u zo vriendelijk zijn met mij mee te lopen?'
De witte rug van de man verdween weer achter de glazen deur. Annika slikte en liep hem achterna. O god, ze is dood, nu gaat hij zeggen dat ze dood is. U hebt haar te laat gevonden. Waarom bekommert u zich niet wat meer om de ouden van dagen in uw familie?
De patiëntenkamer was klein en naargeestig, had geen ramen. De dokter stelde zich voor, gemompel en een snelle hand, hij drukte het knopje van zijn balpen in en boog zich over zijn papieren. Annika slikte.
'Is ze dood?'
De arts legde zijn pen neer en wreef in zijn ogen.
'We gaan haar neurologisch screenen om uit te zoeken wat er misgegaan is. Op dit moment zijn we met een paar onderzoeken bezig, suiker, bloedwaarden, bloeddruk.'
'En?' zei Annika.
'Haar toestand lijkt stabiel', zei hij en hij ontmoette haar blik. 'Ze gaat niet verder achteruit, begint wat te reageren, hoge bloedsuikers hebben we uitgesloten. Maar haar reflexen zijn zwak, aan één kant is ze verlamd. Misschien is het je opgevallen dat haar ene mondhoek slap hangt.'
Het was een constatering, geen vraag.
'Haar bloed dan?' zei Annika. 'Waarom bloedde ze uit haar mond?'
De arts ging staan.
'Tijdens de val heeft ze zichzelf gebeten. Wat zit er om je hand?'
'Een vaatdoek. Mijn vinger is bekneld geraakt. Wordt ze weer beter?'
Annika ging ook staan, de arts klemde de pen op de rand van zijn borstzakje.

'Als we hier klaar zijn, doen we een CT-scan. Het zal even duren voordat we de omvang van de schade kunnen beoordelen.'

'Een plaatje van haar hersenen? Maar wat is er dan mis met haar? Gaat ze dood?'

Annika's handpalmen waren nat geworden van het zweet.

'Het is te vroeg om...'

'Gaat ze dood?'

Haar stem was veel te schel, had geen kracht, de arts deed een paar stappen achteruit.

'Er is iets gebeurd in het linkergedeelte van haar grote hersenen, een of andere vorm van beroerte. Of ze heeft een prop in een bloedvat in de hersenen, een cerebrale trombose, of een bloeding, een cerebrale hemorragie. Het is te vroeg om te kunnen beoordelen wat het geweest is.'

'Wat is het verschil?'

De man legde zijn hand op de deurklink.

'Bij een bloeding komen de symptomen plotseling en raakt de patiënt in de meeste gevallen buiten westen. Vaak heeft hij of zij een geschiedenis van hoge bloeddruk. Je moet naar die hand laten kijken, en je moet een prik tegen tetanus halen.'

Hij liep de kamer uit, een suizend geluid van statische elektriciteit weerklonk toen zijn jas langs het kunststof deurkozijn veegde. Annika ging weer zitten, verlamd, haar mond halfopen, kreeg geen lucht.

Dit gebeurt niet, niet mij, niet nu.

Ze bleef zitten tot er een verpleegster kwam die drie hechtingen in haar vinger maakte, haar een spuit in haar achterwerk gaf en haar vinger verbond met een wit gaasverband dat tevens om haar pols werd bevestigd. Daarna liep ze weer naar de wachtkamer terwijl ze met een hand steun zocht tegen de beschilderde glasvezelwand van de gang, ziekenhuisgeluiden in de verte, paniek vlak onder de oppervlakte.

Haar moeder verscheen in de wachtkamer, openhangende nertsmantel, ouderwets, te nauw over de schouders, praatte luid met de dame van de receptie. Liet zich daarna op de dichtstbijzijnde stoel zakken zonder haar jas uit te doen.

'Hebben ze iets gezegd?'

Annika zuchtte diep, vocht tegen de tranen, strekte haar armen uit en omhelsde haar moeder.

'Het is iets in de hersenen. O mama, stel je voor dat ze doodgaat!'

Mompelde tegen haar schouder, snotterde op de bontjas.

'Waar is ze nu?'

'Op radiologie.'

Haar moeder maakte zich los, streelde Annika's wang, hoestte, veegde haar voorhoofd af met haar handschoen.

'Doe je bontjas uit, je krijgt het veel te warm zo', zei Annika.

'Ik weet wat je denkt', zei haar moeder. 'Jij vindt dat dit mijn schuld is.'

Annika keek haar moeder aan, zag hoe de verwachte kritiek achterdocht in haar gezicht had gekerfd. De woede kwam als een witte bliksemschicht.

'O nee', zei ze. 'Je moet mij niet verwijten dat jij je schuldig voelt.'

Haar moeder wuifde zichzelf koelte toe met haar hand.

'Ik voel me helemaal niet schuldig, maar jij vindt dat dat zou moeten.'

Annika kon niet blijven zitten. Ze ging staan en liep naar het loket.

'Wanneer krijgen we iets te horen over Sofia Katarina?'

'Ga nog maar even zitten, het zal nog wel een poosje duren', zei de dame.

Haar moeder had haar bontjas van haar schouders laten glijden.

'Weet je waar je hier roken mag?' vroeg ze en ze friemelde aan haar handtas.

'Nu je er toch over begint,' zei Annika, 'vind ik het eigenlijk wel een beetje raar dat ik haar moest vinden, ik woon tenslotte honderdtwintig kilometer bij haar vandaan. Jij maar drie.'

Ze ging twee stoelen verderop zitten, met haar rug tegen een radiator.

'Dat wordt je dan zo even recht in je gezicht gezegd', zei haar moeder.

Annika wendde zich af, deed haar ogen dicht en liet de warmte door haar trui heen dringen, stak haar kin in de lucht, een metalen rand sneed in haar nek. De tranen brandden onder haar oogleden.

'Niet nu, mama', fluisterde ze.

'Annika Bengtzon?'

De vrouwelijke arts had een paardenstaart en droeg een map met papieren in de hand. Annika ging rechtop zitten, veegde haastig de tranen onder haar ogen weg, keek naar de vloer. De arts ging recht tegenover haar zitten en leunde naar voren.

'De CT-scan laat precies zien wat we al vermoedden', zei ze. 'Een bloeding in het linkergedeelte van de hersenen, midden in het centrum van het zenuwsysteem. Dat zien we ook aan de symptomen in haar linker lichaamshelft en aan het feit dat het oog onaangetast lijkt.'

'Een beroerte?' zei haar moeder ademloos.

'Ja. Een attaque.'

'Mijn hemel', zei haar moeder mat. 'Wordt ze weer gezond?'

'Een klein gedeelte van de symptomen verdwijnt meestal. Maar op deze leeftijd, met dit acute verloop, moeten we helaas rekening houden met ernstige restsymptomen.'

'Wordt ze een kasplant?' vroeg Annika.

De arts keek haar vriendelijk aan.

'We weten niet of de bloeding haar verstand heeft aangetast. Dat hoeft niet zo te zijn. Dat hangt voor een groot gedeelte af van de revalidatie. Die is in zulke gevallen bijzonder belangrijk.'

Annika slikte, beet op haar lip.

'Kan ze weer thuis wonen?'

'Dat kunnen we op dit moment nog niet beoordelen. Over het algemeen is het zo dat de toestand verbetert als de patiënt thuis kan wonen, met intensieve thuiszorg vanzelfsprekend. Het alternatief is een verzorgingstehuis of een verpleeghuis.'

'Verzorgingstehuis?' zei Annika. 'Toch niet Lövåsen, hè?'

De arts glimlachte.

'Er is niets mis met Lövåsen. Je moet niet alles geloven wat ze in de krant schrijven.'

'Ik heb die artikelen zelf geschreven', zei Annika.

'Ik heb niets tegen Lövåsen, hoor', zei haar moeder.

De arts ging staan.

'Ze ligt nu op de spoedeisende hulp. Als ze weer op temperatuur is, mogen jullie even bij haar. Maar dat duurt nog een poosje.'

Annika en haar moeder knikten, gelijktijdig.

Thomas verfrommelde het verpakkingsmateriaal van de hamburger en smeet het in de prullenmand. Hij moest niet vergeten die te legen als hij wegging, anders zou zijn kantoor de hele week naar frituurvet stinken.

Met een zucht leunde hij achterover in zijn bureaustoel en staarde naar het raam. De duisternis daarbuiten wierp het beeld van zijn kamer terug, nóg een medewerker van de sociale dienst met financiële verantwoordelijkheid, maar dan in een andere, gespiegelde, wereld. Het was stil in het raadhuis, bijna alle ambtenaren waren al weg. Nog even en de leden van de Raad voor Sociale Aangelegenheden zouden zich in de aangrenzende vergaderkamer verzamelen, maar op dit moment was het nog rustig. Hij voelde zich eigenaardig tevreden, vrij en vredig. Hij had zijn werk de schuld gegeven toen Eleonor over het eten begon, een leugen was het niet, maar de waarheid kon je het ook nauwelijks noemen. Zijn taken waren deze tijd van het jaar altijd talrijk en zwaar, maar dat was nu niet erger dan anders. In het verleden had het hem er niet van weerhouden naar huis te gaan voor het avondeten. De warme maaltijd was heilig voor hen. Voorgerecht, hoofdgerecht, Eleonor nam nooit een toetje. Altijd kaarslicht tijdens het donkere jaargetijde, altijd gemangelde servetten. Hij had het gewaardeerd, zij was er dol op geweest, ze vertelde het vaak aan hun gemeenschappelijke vrienden. Zo romantisch. Zo fantastisch. Zo'n perfect paar, *a match made in heaven.*

Nee, dacht hij, niet in de hemel, in Perugia.

Hij kon niet zeggen wanneer de triestheid was binnengeslopen. Het gevoel dat ze in een volwassen werkelijkheid leefden gleed weg, er kwam iets anders voor in de plaats, iets wat dichter bij de waarheid stond. Ze waren niet volwassen, ze speelden volwassenen. Ze zeilden, organiseerden etentjes, waren betrokken bij het verenigingsleven. Vaxholm was hun wereld, de ontwikkeling en het succes van de plaats en de gemeente vormden hun grote interesse en ambitie. Ze waren hier beiden geboren en getogen, hadden nooit ergens anders gewoond. Je kon van hen moeilijk zeggen dat ze hun verantwoordelijkheid niet namen, en dat gold zowel voor hun sociale leven als voor hun werk.

Maar als het op hun eigen relatie aankwam, was het begrip verantwoordelijkheid nogal verwaterd. Ze gedroegen zich nog steeds als twee tieners die net het huis uit waren, romantische spelletjes speelden en altijd rekening moesten houden met hun ouders.

Thomas zuchtte. Daar kwam het weer.

Het ouderschap.

Eleonor wilde geen kinderen. Ze vond hun leven geweldig, hun gemeenschappelijke bestaan, de etentjes, de reizen, haar carrière, haar aandelenportefeuille, de buren, het verenigingsleven, de boot.

Ik hoef mijn vrouwelijkheid niet te bevestigen door kinderen te baren, had ze gezegd tijdens hun laatste ruzie over dit onderwerp. Het is mijn leven. Ik doe ermee wat ik wil. Ik wil plezier hebben, mensen ontmoeten, vooruitkomen op mijn werk, in ons investeren, en in het huis.

'Zullen we beginnen?'

De algemeen directeur stond in de deuropening, Thomas knipperde verward met zijn ogen.

'Ja, natuurlijk, ik kom eraan.'

Hij verzamelde snel zijn papieren, licht gegeneerd. Besefte dat hij er met zijn hoofd niet bij was en vroeg zich af hoe duidelijk je dat kon zien.

De elf leden hadden om de tafel plaatsgenomen, hij ging recht tegenover de raadssecretaris zitten, vlak bij de stoel aan de korte kant waar de voorzitter zou plaatsnemen. De sectordirecteuren zaten naast elkaar langs een lange zijde, enkele ambtenaren waren present. Er stond een twintigtal punten op de agenda, de meeste raakten hem niet. Het budget zou worden doorgenomen tijdens een speciale tweedaagse vergadering in het hotel, vandaag zou hij alleen een paar korte punten aan de orde stellen en verder beschikbaar zijn voor eventuele acute vragen.

Terwijl de voorzitter de vergadering opende, las hij de agenda vluchtig door, de gebruikelijke rimram, het plan voor de kinderopvang, personeelskwesties, de gehandicaptenzorg, de thuiszorg. De helft van de punten bestond uit slepende kwesties die al honderd keer ter tafel waren gekomen en vandaag vermoedelijk evenmin in een besluit zouden resulteren. Zijn punt over de uit de hand lopende kosten van het gehandicapten- en ouderenvervoer was nummer acht. Met een lichte zucht liet hij zijn blik over het papier glijden, nam een slokje ijswater. Agendapunt 17 was nieuw: contract stichting Het Paradijs.

Wat was dat nu weer voor revolutionaire activiteit? Dachten ze nu werkelijk dat ze zich op dit moment, onder deze omstandigheden, nieuwe contracten konden veroorloven? Hij zuchtte zo geluidloos hij kon, richtte zijn aandacht op de leden van de Raad.

De partijdemagogen, de socialist en de conservatief, zaten ieder aan hun hoek van de tafel, gereed om met argumenten en bezwaren op de proppen te komen. 'De vrijheid van het individu', zou de conservatief zeggen, waarna de socialist zou pareren met 'solidariteit'. Al spoedig zou het verlangen van de politici naar iets *concreets* naar voren worden gebracht, de eis tot *opvolging* zou uitgesproken worden, en hij zou verwijzen naar cijfers en tabellen die niemand tevreden stelden.

Perugia, dacht hij, op dit moment zit hij daar, op zijn bergtop in Umbrië, koning over de omgeving.

Hij moest glimlachen om die gedachte.

Vreemd dat ik de stad als een man zie.

'Thomas?'

De voorzitter keek hem vriendelijk aan. Hij schraapte zijn keel en zocht het juiste document erbij.

'We moeten iets doen aan het gehandicapten- en ouderenvervoer', zei hij. 'De kosten lijken uit te komen op een bedrag dat drie keer zo hoog is als het budget voor het lopende jaar. Ik zie niet hoe we deze toename kunnen stoppen, de wet die hierop betrekking heeft, geeft ons geen antwoorden. Als er geen paal en perk aan wordt gesteld, zal de behoefte oneindig blijken te zijn.'

Hij kwam met cijfers en tabellen, consequenties en alternatieven. De voorzitter haalde een circulaire te voorschijn met nieuwe richtlijnen van de Vereniging van Zweedse Gemeenten, zij waren blijkbaar niet de enigen met het probleem. De Vereniging had het probleem gesignaleerd, hun centrale directieven waren even wollig en hoogdravend als altijd. Algauw bleven ze hangen in een discussie over de vraag hoe ze de verantwoordelijke ambtenaren verder zouden moeten opleiden, moesten ze op cursus, of moest er extern advies worden ingehuurd?

Stichting Het Paradijs, dacht hij. Mooie naam.

De vergadering sleepte zich voort. Ze bleven nogmaals steken in een discussie over details, de renovatie van een speeltuin, en hij begon zich steeds meer te ergeren. Toen eindelijk agendapunt 17 aan de orde kwam, leunde hij naar voren. Een van de ambtenaren, een vrouw die al heel lang bij de gemeente werkzaam was, introduceerde het onderwerp.

'Dit betreft een principebesluit over het inkopen van de diensten van een nieuwe organisatie', zei ze. 'We hebben een spoedgeval dat al behandeld is door de Raad voor Buitengewone Kwesties, maar het leek ons goed het contract met jullie te bespreken voordat we ja zeggen.'

'Wat is dat voor stichting?' vroeg de demagoogsocialist achterdochtig, en al op dat moment had Thomas er een vermoeden van hoe dit zou aflopen. Zodra de socialist tegen was, was de conservatief automatisch voor.

De ambtenaar aarzelde, ze kon niet in detail op het onderwerp ingaan, omdat de notulen van de vergadering een openbaar stuk waren.

'In grote lijnen kan ik opmerken dat de organisatie zich bezighoudt met het beschermen van mensen die met de dood zijn bedreigd', zei ze. 'We hebben hun werkwijze doorgenomen met de directrice, en voor wat betreft dit specifieke geval zijn wij van mening dat dit een dienst is die we moeten inkopen...'

Allemaal lazen ze het contract aandachtig door, hoewel er niet bijzonder veel te bestuderen viel. De gemeente Vaxholm verbond zich per zorgetmaal vijfendertighonderd kronen te betalen voor beschermd wonen totdat een bevredigende oplossing was gearrangeerd voor de cliënte in kwestie.

'Wat is dit nou?' ging de socialist verder. 'We hebben toch al afspraken met diverse zorginstellingen, is het nu echt nodig dat er nog eentje bij komt?'

De ambtenaar leek in verlegenheid gebracht.

'Deze activiteit is geheel nieuw en uniek', zei ze. 'Het enige werkterrein waarop Het Paradijs actief is, is de bescherming van en de steun aan mensen die met de dood zijn bedreigd, meestal zijn het vrouwen en kinderen. Die mensen worden uit alle openbare registers geschrapt, hun vervolgers vinden hen nooit. Alle sporen eindigen bij een blinde muur, bij deze stichting.'

Alle aanwezigen staarden de ambtenaar aan.

'Kan dit wel volgens de wet?' vroeg de onlangs gekozen vertegenwoordiger van de milieupartij, een jonge vrouw. Zoals gebruikelijk werd ze genegeerd.

'Waarom kunnen we dit niet zelf regelen, binnen de sociale dienst?' vroeg de conservatief.

De directeur van de sector Zorg voor Individu en Gezin, die blijkbaar op de hoogte was van de kwestie, nam het woord.

'Hier is niets raars aan', zei hij. 'Je zou kunnen zeggen dat het om een houding gaat, een vorm van soepelheid die alleen een externe organisatie kan bieden. Zij hebben een flexibiliteit die wij als overheidsinstantie ontberen. Ik geloof hierin.'

'Het is enorm duur', zei de socialist.

'Zorg kost geld, wanneer beseffen jullie dat nou eens een keer?' vroeg de conservatief, en dat was het startsein.

Thomas leunde achterover en bestudeerde het contract. Het was werkelijk tot in het extreme uitgekleed. Het bevatte totaal geen specificatie van de diensten die ingekocht werden, niets over de locatie waar de activiteiten plaatsvonden, niet eens een organisatienummer. De enige informatie was een verwijzing naar een postbus in Järfälla.

Zoals gebruikelijk wenste hij dat hij de macht had zich uit te spreken, concrete en wezenlijke bezwaren tegen het voorstel te berde te brengen.

Ze moesten natuurlijk referenties natrekken, bij de gemeentelijke juristen checken of de maatregelen inderdaad juridisch gezien door de beugel konden. Waarom wilden ze nu juist op dit moment de uitgaven verhogen? En waarom vroegen ze hem in godsnaam niet of het financieel verantwoord was deze beslissing te nemen? Hij was tenslotte de enige die overzicht over het budget had, waarom zat hij anders godverdomme bij deze vergadering? Als wanddecoratie misschien?

'Moeten we hier per se vanavond een besluit over nemen?' vroeg de voorzitter.

Zowel de ambtenaar als de sectordirecteur knikte.

De voorzitter zuchtte.

Toen brak er iets in hem. Voor het eerst tijdens zijn zevenjarig dienstverband bij de gemeente verhief Thomas zijn stem tijdens een vergadering van de Raad.

'Maar dit is toch ziek!' zei hij verontwaardigd. 'Hoe kunnen jullie nou denken dat er maar ingekocht en ingekocht kan worden zonder aan de consequenties te denken? Wat is dit eigenlijk voor activiteit? In stichtingsvorm bovendien! Jezus! En wat een klotecontract trouwens, ze geven ons niet eens hun organisatienummer. Dit stinkt, als jullie het mij vragen. Hetgeen jullie godverdomme zouden moeten doen!'

Ze staarden hem allemaal aan of ze een spook zagen. Pas nu besefte hij dat hij was gaan staan, dat hij zich over de tafel heen boog en dat hij met zijn rechterhand het contract boven zijn hoofd heen en weer zwaaide. Zijn gezicht stond in vuur en vlam, hij voelde zich zweterig. Hij liet het contract op tafel vallen, streek zijn haren naar achteren, trok zijn stropdas recht.

'Sorry', zei hij. 'Het spijt me, ik...'

Verward ging hij zitten, begon wat in de papieren die voor hem lagen te bladeren, de leden wendden hun blik van hem af en begonnen naar de tafel te staren. Hij wilde dood, door de grond gaan, verdwijnen.

De voorzitter slaakte een luide zucht.

'Goed, als we dan nu een besluit kunnen nemen, dan...'

Het contract werd aangenomen met zeven stemmen tegen vier.

'Ik heb meganieuws.'

Sjölander en Ingvar Johansson sloegen hun blik op naar de verslaggever die hen stoorde. De ontevreden uitdrukking op hun gezicht maakte echter snel plaats voor een welwillende glimlach toen ze zagen dat het Calle Wennergren was.

'Shoot man', zei Sjölander.

De verslaggever ging op het bureau van de chef misdaad zitten.

'De moorden in de Vrijhaven', zei hij. 'Ik heb een verdomd goeie tip gekregen.'

Sjölander en de nieuwschef lieten hun voeten van hun bureau glijden en rechtten hun rug.

'Wat?' vroeg Ingvar Johansson.

'Ik heb net met een diender gepraat', zei Calle Wennergren zacht. 'Ze denken dat Ratko erachter zit.'

De oudere man bestudeerde afwachtend zijn jongere collega.

'Hoezo?' vroeg Sjölander.

'Jullie weten wel wat ik bedoel,' zei Calle Wennergren, 'de maffia, Joegoslaven, verdwenen sigaretten, dat ruikt op grote afstand naar Ratko.'

'Met wie heb je gepraat?'

'Een vent bij de recherche.'

'Belde jij hem, of hij jou?'
De verslaggever trok verbaasd zijn wenkbrauwen op.
'Hij belde, hoezo?'
Sjölander en Ingvar Johansson wisselen een snelle blik uit.
'Oké', zei de chef misdaad. 'Wat wou de politie?'
'Ons tippen dat Ratko erachter zit, ze jagen op dit moment als gekken op hem. De politie wil dat wij zijn naam en foto publiceren.'
'Wordt hij officieel gezocht?'
De verslaggever fronste zijn voorhoofd.
'Dat zei de rechercheur niet, alleen maar dat ze achter hem aan zitten.'
'Dit is goed', zei Ingvar Johansson en hij begon een schets te maken in een blocnote. 'We doen het zo, Sjölander zet de achtergrond van Ratko in elkaar, jij gaat vannacht naar de Joegoslavische kroegen om het commentaar van de mensen op te nemen. Dit kan de één worden, en de nieuwsposter.'
'Right on!' zei Calle Wennergren en hij stuiterde naar de fotoredactie.
De beide chefs keken de verslaggever na tot hij verdwenen was.
'Wist jij dit?' vroeg Ingvar Johansson.
Sjölander zuchtte en legde zijn voeten weer op het bureau.
'De politie heeft geen enkel aanknopingspunt. Die dode jongens waren nieuw, vers ingevlogen uit Servië. Er zijn geen getuigen van de moord, niemand die kan praten. Ik weet niet waarom, maar de dienders zijn blijkbaar van zins Ratko uit te roken.'
'Heeft hij hier iets mee te maken?'
De chef misdaad schoot in de lach.
'Natuurlijk, Ratko stuurt in Scandinavië alles aan wat maar met Joegoslavië en sigaretten te maken heeft. Misschien is hij niet schuldig aan deze moorden, maar hij heeft gegarandeerd een vinger in de pap.'
De mannen lieten hun gedachten een paar minuten de vrije loop en kwamen toen tot dezelfde conclusie.
'Een zuiver geval van strategisch gelekte informatie door de politie', zei Ingvar Johansson.
'Zuiverder kan niet', beaamde Sjölander.
'Waarom?' vroeg de nieuwschef.
De chef misdaad haalde zijn schouders op.

'De dienders weten niet waar ze moeten beginnen. Óf ze willen Ratko's positie ondermijnen, óf ze willen die verstevigen, maar voor ons maakt het geen donder uit. Als een rechercheur komt melden dat ze achter Ratko aan zitten, dan is het gegarandeerd een onderwerp voor de nieuwsposter.'

Ze knikten elkaar toe.

'Informeer jij Jansson?' vroeg Sjölander.

Ingvar Johansson ging staan en liep naar de nachtredactie.

Een zwakke lamp verspreidde een geelachtig licht in een hoek van de kamer. Een e.c.g.-monitor bliepte ritmisch en eentonig. Sofia Katarina lag aan een infuus en snoeren. Haar lichaam leek ingezakt en droog onder de dunne deken, zo stil en klein. Annika liep naar haar toe en streelde haar haar, het trof haar hoe ongelofelijk oud ze leek. Zo vreemd. Ze had haar grootmoeder nooit als een oude vrouw gezien.

'Wat ziet ze eruit', zei haar moeder. 'Moet je haar mond zien.'

Haar rechtermondhoek hing slap, er liep speeksel uit dat op haar hals terechtkwam. Annika pakte een papieren handdoekje en veegde het weg.

'Ze slaapt nu', zei de arts. 'Jullie mogen hier best even blijven.'

Verliet toen de kamer, de deur viel met een zucht dicht.

Ze zaten ieder aan een kant van het bed, haar moeder had nog steeds haar bontjas aan. De kamer was gevuld met ziekenhuisgeluiden, het gesuis van ventilatoren, het elektronische gezang van de apparatuur, Zweedse klompen buiten op de gang. Toch was de stilte drukkend.

'Wie had dat kunnen vermoeden?' zei haar moeder. 'Nou net vandaag...'

Ze begon te snotteren.

'Dit kon je natuurlijk niet weten', zei Annika zacht. 'Er is niemand die jou bekritiseert.'

'Gisteren was ze in de winkel voor haar boodschappen. Ik zat achter de kassa, ze was zo monter en zo vrolijk.'

Ze zwegen weer, haar moeder huilde.

'We moeten een plek vinden waar ze kan wonen', zei Annika. 'Lövåsen is geen optie.'

'Ja, dat weet ik niet, hoor', zei haar moeder en ze keek op.

'Verkeerde medicatie, verwaarlozing, ik heb een hele serie artikelen geschreven over het wanbeleid in Lövåsen. Daar gaat oma niet heen.'

'Dat is toch al heel lang geleden, het is er nu vast en zeker veel beter.'

Haar moeder depte haar gezicht met een papieren zakdoekje, Annika ging staan.

'Misschien kunnen we het privé oplossen', zei ze.

'Nou, bij mij kan ze niet wonen!'

Haar moeder zat nu rechtop en was opgehouden met deppen, Annika zag haar daar zitten, astmatisch door al dat gerook, warm van de bontjas en de opvliegers, met dunner wordend haar, snel toenemend overgewicht, achterdocht en zelfingenomenheid. Voordat ze het goed en wel besefte was ze naar haar toe gelopen en had ze haar bij haar schouders gepakt.

'Gedraag je toch niet zo onvolwassen', siste ze. 'Ik bedoelde een particulier zorgalternatief. Dit gaat niet over jou, snap je dat dan niet? Voor deze ene keer sta jij niet in het middelpunt.'

De mond van de vrouw viel open, op haar hals verschenen rode vlekken.

'Jij, jij...' begon ze, waarna ze Annika wegduwde en ging staan.

De jonge vrouw staarde naar de oudere, ze verwachtte een uitbarsting.

'Laat maar horen', zei ze verbeten. 'Zeg maar wat je dacht.'

Haar moeder trok haar bontjas weer over haar borst en deed een paar snelle stappen in haar richting.

'Als jij eens wist hoeveel ellende ik over me heen heb gekregen door jou!' fluisterde ze. 'Hoe denk je eigenlijk dat deze jaren voor mij geweest zijn? Al die blikken achter mijn rug? Al het geroddel? Geen wonder dat je zusje verhuisd is, je zuster die altijd tegen je opzag. Het is ongelofelijk dat Leif het uitgehouden heeft, hij heeft diverse keren op het punt gestaan mij te verlaten. Dan was jij tevreden geweest, jij hebt mij altijd alle liefde misgund, jij hebt Leif nooit gemogen...'

Alle kleur verdween uit Annika's gezicht, haar moeder liep eerst om haar heen en daarna achteruit naar de deur, wees naar haar, een beschuldigende vinger.

'Om maar te zwijgen over Sofia!' ging ze verder, met luidere stem.

'Die vrouw werd zo gerespecteerd. Huishoudster op Harpsund, en toen moest ze haar laatste dagen slijten als de grootmoeder van een moordenares...'

Annika's adem stokte.

'Loop naar de hel', kon ze uitbrengen, hijgend.

Haar moeder ging weer voor haar staan, de spuug spatte uit haar mond.

'Zo'n chique journaliste als jij zou er toch tegen moeten kunnen de waarheid te horen?'

Plotseling was ze weer in de fabriek, bij de cokesinvoer, naast de hoogoven, zag het lichaam van de kat vliegen, zag de ijzeren buis liggen. Greep naar haar hoofd, klapte dubbel.

'Ga weg mama', fluisterde ze. 'Maak dat je wegkomt, en gauw een beetje.'

Haar moeder pakte een leren etui met sigaretten en een groene plastic aansteker.

'Blijf jij hier maar gewoon zitten,' zei ze, 'en denk er maar eens over na wat je allemaal aangericht hebt.'

Het werd stil, de duisternis werd intenser, Annika vocht om lucht te krijgen. De schok zat als een steen vlak onder haar keel, maakte het moeilijk adem te halen.

Ze haat me, dacht ze. Mijn moeder haat me. Omdat ik haar leven verpest heb.

Een golf van zelfmedelijden spoelde over haar heen, drukte haar tegen de grond.

Wat heb ik gedaan met de mensen van wie ik hou? O god, wat heb ik gedaan?

Sofia Katarina's linkerhand friemelde wat aan de gele overheidsdeken.

'Barbro?' mompelde ze.

Annika keek op, oma, o, oma, vloog naar haar toe, pakte haar koude, bewegingloze hand, duwde haar angst weg, probeerde te glimlachen.

'Hallo oma, ik ben het. Annika.'

'Barbro?' murmelde haar grootmoeder vragend en ze keek haar met doffe ogen aan.

De tranen kwamen, vertroebelden het zicht.

'Nee, ik ben het, Annika. De dochter van Barbro.'

De blik van de oude vrouw gleed door de kamer, haar linkerhand tastte en plukte.

'Ben ik in Lyckebo?'

Haar ogen liepen over, ze ademde met open mond en liet de tranen stromen.

'Nee oma, je bent ziek geworden. Je bent nu in het ziekenhuis.'

De ogen van de oude vrouw richtten zich weer op Annika.

'Wie ben jij?'

'Annika', fluisterde Annika. 'Ik ben het.'

Toen brak plotseling een schittering door de mist.

'Maar natuurlijk', zei Sofia Katarina. 'Mijn lieveling.'

Annika huilde, haar voorhoofd op de buik van de oude vrouw, ze nam haar hand in de hare. Ging ten slotte staan om haar neus te snuiten.

'Je bent heel erg ziek geweest, oma', zei ze terwijl ze om het bed heen liep. 'Nu moeten we zien dat je snel weer helemaal beter wordt.'

Maar haar grootmoeder was alweer in slaap gevallen.

Woensdag 31 oktober

Aida zette zich schrap, de heuvel voor haar leek eindeloos. De straat golfde, haar tred was onvast, ze viel bijna voorover, het zweet liep vanachter haar oor in haar nek. Was ze er nou nog niet?

Ze ging op de rijbaan zitten, benen in de berm, legde haar hoofd op haar knieën. Voelde de kou en het vocht niet, ze moest alleen even rusten, daarna zou ze verdergaan.

Een auto kwam over de top van de heuvel, minderde vaart toen hij haar voorbijreed. Ze voelde de blikken in haar rug. Hier kon ze niet blijven zitten. In een keurige villawijk als deze zou het niet lang duren voordat iemand de politie belde.

Ze ging staan, heel even werd het zwart voor haar ogen.

Ik moet het huis vinden. Nu.

Ze liep door, en al bij de volgende oprit zag ze het nummer. Wat idioot, op twintig meter van het doel had ze bijna opgegeven. Ze probeerde te lachen, maar struikelde over een steen. Ze ging bijna onderuit, stond op het punt in huilen uit te barsten.

'Help mij', mompelde ze.

Ze strompelde naar de trap, trok zich langs het hek omhoog, belde aan. Massieve buitendeur, twee bijzetsloten. Binnen rinkelde ergens een bel. Er gebeurde niets. Ze belde nog een keer. En nog een keer. En nog een keer. Probeerde door het bruine glas van het zijraampje te turen, duisternis, leegte, niet eens meubels.

Ze zonk neer op de trap, leunde met haar voorhoofd tegen de buitenmuur. Ze kon niet meer. Hij moest maar komen. Het maakte ook niet meer uit. Bel de politie maar. Erger dan dit kon het niet worden.

'Aida?'

Het lukte haar nauwelijks op te kijken.

'Maar liefje toch, hoe is het met je?'

Haar bewustzijn liet haar bijna in de steek, ze hield zich vast aan de muur.

'Mijn god, ze is ziek. Anders! Kom eens hier, help me!'

Iemand pakte haar beet, trok haar overeind, een geschokte vrouwenstem, een rustiger mannenstem, het werd warm, donker, ze was in het huis.

'Leg haar op de bank.'

Alles zwaaide, ging op en neer, ze werd verplaatst, landde ergens. Keek recht in de rugleuning van een bank, bruin, het prikte. Kreeg een deken over zich heen, had het desondanks koud.

'Ze is doodziek,' zei de vrouw, 'enorm hoge koorts. We moeten met haar naar een dokter.'

'We kunnen hier geen dokter laten komen, dat begrijp je toch wel?' zei de man.

Ze probeerde iets te zeggen, te protesteren, nee, geen dokter, geen ziekenhuis.

De man en de vrouw gingen naar een andere kamer, ze hoorde ze mompelen. Misschien was ze weggedommeld, want het volgende moment stonden ze boven haar met een kop dampende thee.

'We begrijpen dat jij Aida bent', zei de vrouw. 'Mijn naam is Mia, Maria Eriksson. Dit is mijn man Anders. Wanneer ben je zo ziek geworden?'

Ze probeerde antwoord te geven.

'Geen dokter', fluisterde ze.

De vrouw die Mia heette knikte.

'Oké', zei ze. 'Geen dokter. Dat begrijpen we. Maar je moet onder doktersbehandeling, en we hebben een oplossing.'

Ze schudde het hoofd.

'Ze zitten achter me aan.'

Mia Eriksson streek over haar voorhoofd.

'We weten het. Er zijn manieren om jou te helpen zonder dat iemand erachter komt.'

Ze deed haar ogen dicht, haalde opgelucht adem.

'Ben ik in Het Paradijs?' fluisterde ze.

Het antwoord kwam van ver, bijna was ze weer weggegleden.

'Ja', zei de vrouw. 'Wij zullen voor je zorgen.'

Gedurende de nacht waren de slaap en het bewustzijn gekomen en gegaan. Sofia Katarina was beurtelings verward, bang en sentimenteel.

De fysiotherapeute kwam na het eerste, korte, onderzoek met een ontmoedigend rapport.

'Haar rechterkant functioneert tamelijk slecht', zei ze. 'Hier zal hard aan gewerkt moeten worden.'

'Wat moet er gebeuren om haar weer op de been te krijgen?' vroeg Annika.

De vrouw glimlachte wat.

'Het probleem zit niet in de benen, maar in het hoofd. Er bestaat geen behandeling die de functie van dode zenuwcellen kan herstellen. Daarom is het een kwestie van gebruikmaken van de cellen die nog goed zijn. Zenuwcellen die het overleefd hebben en die voorheen inactief waren, moeten geactiveerd worden. Binnen de fysiotherapie zijn daar een heleboel verschillende methoden voor.'

'Maar wanneer is ze weer beter?'

'Het kan wel een halfjaar duren voordat je resultaat ziet. Het belangrijkste is nu dat we met de behandeling beginnen en dat die consequent toegepast wordt.'

Annika slikte.

'Wat kan ik doen?'

De fysiotherapeute pakte haar hand en glimlachte naar haar.

'Je doet het precies goed. Je voelt je betrokken. Praat met haar, activeer haar, zing oude liedjes met haar. Je zult merken dat ze graag wil praten over dingen uit het verleden. Laat haar haar gang gaan.'

'Maar wanneer is ze de oude weer?'

'Je zult je oma nooit meer terugkrijgen zoals ze was.'

Annika knipperde met haar ogen, de afgrond opende zich, de paniek begon zich op te dringen.

'Hoe moet ik nu verder? Zij was altijd mijn steun en toeverlaat.'

Haar stem te schel, wanhopig.

'Nu moet jij haar steun en toeverlaat zijn.'

De fysiotherapeute tikte even op haar hand, Annika merkte niet dat ze wegging.

'Oma', fluisterde ze en ze streelde de hand van de vrouw.

Maar haar grootmoeder sliep. De geluiden van de dag kropen naar binnen door de spleet in de vloer en verspreidden zich in het sombere kamertje. Ondanks het feit dat Annika licht geslapen had en vaak wakker was geworden, was ze in topvorm, rusteloos, op het hyperactieve af.

Ze moest een plek regelen waar ze haar oma op een goede manier konden revalideren, en die plek zou niet Lövåsen zijn, dat stond als een paal boven water. Geërgerd ging ze staan en liep de kamer rond, opnieuw, steeds maar opnieuw. Haar benen deden pijn, haar vinger klopte.

Er moeten andere mogelijkheden zijn, particuliere verpleeghuizen, verzorgingsflats, thuiszorg.

Annika zag niet hoe de deur open gleed, voelde slechts de trek rond haar benen.

Het was de vrouwelijke arts weer, gevolgd door haar moeder in haar nertsmantel.

'We moeten het over Sofia's toekomst hebben', zei de arts. Annika pakte haar spullen en liep achter haar aan.

'Ik heb geen mogelijkheden om haar zelf te verzorgen', zei haar moeder nadat ze in de kamer van de arts ieder in een bezoekersstoel hadden plaatsgenomen. 'Ik moet aan mijn werk denken.'

'Barbro, je zou in aanmerking komen voor zorgsubsidie als je voor je moeder zou zorgen', probeerde de arts.

Haar moeder draaide onrustig heen en weer.

'Ik heb niet de behoefte mijn beroepsleven op te geven.'

Iets in Annika knapte. Het gebrek aan slaap, liefde, samenhang schoot met hoge snelheid naar haar brein. Ze ging staan en begon te schreeuwen.

'Jij bent verdorie alleen maar invalcaissière bij de Konsum, waarom kun jij godverdomme niet voor oma zorgen?'

'Ga zitten', zei de arts beslist.

'Jezus christus!' schreeuwde Annika, ze bleef staan, onvaste stem, trillende benen. 'Jullie geven geen donder om oma, niemand van jullie geeft om haar! Jullie willen haar opsluiten in dat gesticht en de sleutel weggooien. Ik weet hoe het daar is! Ik heb erover geschreven! Verwaarlozing, personeelstekort, verkeerde medicatie!'

De arts ging ook staan, ze liep om de tafel heen en stapte op Annika af.

'Of je gaat zitten,' zei ze rustig, 'of je gaat eruit.'

Annika veegde over haar voorhoofd, haar benen begaven het, ze liet zich op de stoel zakken, Barbro friemelde aan de rand van haar bontjas, zocht begrip in de ogen van de arts, wat moest zij wel niet allemaal doormaken?

'Lövåsen zou een goed alternatief geweest zijn...'

'Jezus!'

'...als er plaatsen geweest waren. Maar die zijn er niet. De wachtlijst is lang. Het zal niet lang meer duren voordat Sofia in medisch opzicht uitbehandeld is, maar ze heeft wel vierentwintig uur per dag verzorging nodig en een uitgebreide en intensieve revalidatie. We moeten daarom snel een paar andere opties bedenken. Daarom wend ik mij tot jullie. Hebben jullie misschien nog ideeën?'

Haar moeder likte onzeker haar lippen.

'Jaa,' zei ze, 'ik weet het niet, hoor, je gaat er natuurlijk van uit dat de samenleving voor je klaarstaat en haar verantwoordelijkheid neemt als er zoiets gebeurt, daar betalen we toch belasting voor...'

Annika staarde naar haar handen, haar gezicht gloeide.

'Is er niet ergens anders plaats, in een andere instelling?' vroeg ze.

'Eventueel in Bettna', zei de arts.

'Dat is verdomme tientallen kilometers van Hälleforsnäs en haast tweehonderd van Stockholm', zei Annika terwijl ze haar blik opsloeg naar de vrouw. 'Hoe moeten we haar dan bezoeken?'

'Ik zeg niet dat het ideaal is...'

'Stockholm dan?' zei Annika. 'Kan ze een plaats krijgen in Stockholm? Ik zou elke dag bij haar op bezoek gaan.'

Ze was weer gaan staan, de arts gebaarde met haar hand dat ze moest gaan zitten.

'In laatste instantie misschien. We moeten eerst proberen een oplossing te vinden binnen onze eigen gemeente.'

Haar moeder zei niets, peuterde nerveus aan de haakjes die langs de rand van haar bontjas bevestigd waren. Annika zat ineengezakt op haar stoel, staarde naar de vloer. De arts keek een tijdje zwijgend naar hen, moeder en dochter, de jonge vrouw in shock, de oudere verward en bezorgd. Ze wendde zich tot Annika.

'Dit is een afschuwelijke ervaring geweest', zei ze. 'Als gevolg van dit trauma zal zich bij jou vermoedelijk een aantal symptomen openbaren. Je kunt het koud krijgen, gaan huilen, gedeprimeerd raken.'

Annika ontmoette haar blik.

'Leuk', zei ze. 'Wat doe ik daartegen?'

De vrouw zuchtte licht en ging staan.

'Neem een borrel', zei ze.

Annika staarde haar aan.

'Meen je dat?'

De arts glimlachte wat, stak haar hand uit.

'Het is een beproefde kuur in dit soort gevallen. We zullen elkaar binnenkort zeker weer ontmoeten. Als jullie willen, mogen jullie hier nog wel even blijven zitten, maar ik moet op ronde.'

Ze liet de vrouwen achter in het kamertje, de deur viel dicht. De stilte werd monumentaal. Haar moeder schraapte haar keel.

'Heb je met de fysiotherapeute gepraat?' vroeg ze voorzichtig.

'Natuurlijk', zei Annika. 'Ik ben hier de hele nacht geweest.'

Barbro ging staan en liep naar Annika toe, streelde haar haar.

'We moeten geen ruziemaken', fluisterde haar moeder. 'We moeten elkaar steunen nu mama ziek is.'

Annika zuchtte, aarzelde, legde haar armen om haar moeders brede taille, haar oor tegen haar maagstreek. Het rommelde zwak daarbinnen.

'Nee, natuurlijk moeten we dat niet', fluisterde ze terug.

'Ga naar huis en rust wat uit', zei Barbro. Ze voelde in de zak van haar bontjas, de sleutels rammelden. 'Ik blijf bij Sofia.'

Annika liet haar los.

'Dank je,' zei ze, 'maar ik ga liever naar Stockholm om te slapen. Ik kan hier in een mum van tijd terug zijn, de X2000 doet er maar achtenvijftig minuten over.'

Ze zocht haar spullen bij elkaar en omhelsde haar moeder.

'Je zult zien dat alles goed komt', zei Barbro.

Annika liep de ziekenhuisgang in, eindeloos en koud.

In de trein kwamen inderdaad de koude rillingen. Ze had de kranten gekocht, ze op schoot gelegd, maar kon er niet toe komen ze op te slaan.

Een borrel, dacht ze, dank je de koekoek.

Ze was niet van plan alcohol te gebruiken. Dat had haar vader in zo ruime mate gedaan dat de andere familieleden voor de rest van hun leven geen druppel meer hoefden te drinken. Hij dronk tot de dood erop volgde, smoorbezopen werd hij gevonden in een sloot langs de weg naar Granhed.

Ze maakte zich klein, trok haar jas om zich heen, het hielp niet. De kou kwam van binnenuit, uit haar hart.

Iedereen van wie ik hou gaat dood, dacht ze in een aanval van zelfmedelijden. Papa, Sven, misschien oma binnenkort.

Nee, dacht ze toen. Niet oma. Zij wordt weer bijna de oude. We regelen een plek voor haar waar ze haar weer op de been krijgen.

Ze friemelde aan de kranten, maar kon het niet opbrengen erin te lezen. In plaats daarvan leunde ze met gesloten ogen tegen de rugleuning, probeerde te ontspannen. Het lukte niet, haar lichaam schokte en beefde.

Ze ging weer verzitten, zuchtte. Reikte naar de krant en sloeg de zes-zeven op, het belangrijkste nieuwskatern. Een grote foto van een man, onscherp, opgeblazen tot de grens van wat nog publiceerbaar was, hij staarde haar vanaf de krantenpagina aan. Het duurde een seconde voor ze hem herkende. *Waar is Aida? Aida Begović. Ik weet dat ze hier is.*

De krantenkop was even groot en zwart als de man bij de hoteldeur de vorige avond.

De leider van de sigarettenmaffia, stond er, en onder de foto: 'Hij wordt Ratko genoemd, kwam in de jaren zeventig naar Zweden, is veroordeeld geweest wegens bankroof en kidnapping. Vandaag wordt hij in beschuldiging gesteld wegens oorlogsmisdaden in het voormalige Joegoslavië. De Zweedse politie heeft het vermoeden dat hij het brein is achter de georganiseerde sigarettensmokkel naar Zweden.'

Ze sloeg de krant dicht, klappertandde, haar vinger met de gehechte wond deed pijn. Ze was weer misselijk.

Anders Schyman liet de krant met een klap op het bureau van Ingvar Johansson terechtkomen.

'Leg me dit eens uit', zei hij.

De onscherpe man op de krantenpagina staarde beide mannen met niets ziende ogen aan. De nieuwschef wendde zijn blik af van de computermonitor.

'Wat bedoel je?'

'Mijn kamer. Nu.'

Sjölander was daar al, hij stond onrustig te wiebelen in de berg stof die de plaats van de bank had ingenomen. Schyman ging moeizaam zitten, zijn stoel kraakte onder zijn gewicht. Ingvar Johansson trok de deur dicht.

'Wie heeft het besluit genomen om naam en foto van Ratko te publiceren?' Dat was de vraag die de redactiechef de kamer in slingerde.

De mannen die daar stonden keken elkaar aan.

'Ik ga altijd naar huis na de overdracht, ik kan niet gaan speculeren over wat er...' begon Ingvar Johansson, maar Schyman onderbrak hem onmiddellijk.

'Bullshit', zei hij. 'Ik herken een drukproef van de dagredactie als ik er een zie. Bovendien heb ik al met Jansson en Torstensson gepraat. De hoofdredacteur was überhaupt niet geïnformeerd over het besluit te publiceren, Jansson was oprecht verbaasd en zei dat het hele pakket aan materiaal door de dagploeg aangeleverd is. Ga zitten.'

Sjölander en Ingvar Johansson gingen als één man op de bezoekersstoelen zitten. Niemand zei iets.

'Dit is niet acceptabel', zei Schyman zacht toen de stilte drukkend begon te worden. 'Besluiten over de publicatie van namen van nietveroordeelde misdadigers dienen genomen te worden door de verantwoordelijke uitgever, dat kan voor jullie beiden verdorie toch nauwelijks een verrassing zijn.'

Sjölander keek naar de vloer. Ingvar Johansson zat te draaien op zijn stoel.

'We hebben zijn naam wel vaker gepubliceerd. Dat hij een gangster is, is niets nieuws.'

Anders Schyman slaakte een diepe zucht.

'We schrijven niet alleen dat hij een gangster is. We brengen hem ook in verband met de dubbele moord in de Vrijhaven, wijzen hem indirect aan als een dubbele moordenaar. Ik heb al met onze juristen gepraat, als Ratko ons voor de rechter daagt, hangen we, om maar te zwijgen over wat de ombudsman voor de pers zou zeggen.'

'Hij deugt niet', zei Ingvar Johansson zelfverzekerd. 'Hij ziet dit puur als reclame voor zijn activiteiten. Bovendien hebben we geprobeerd hem te bereiken voor commentaar. Calle Wennergren is vannacht de Joegoslavische kroegen langs geweest om met allerlei mensen te praten...'

Anders Schyman sloeg met zijn handpalm op het bureau, de beide mannen tegenover hem schrokken op.

'Dat snap ik ook wel', bulderde hij. 'Daar heb ik het niet over. Ik heb het over een algemeen voorkomende eigengereidheid op deze redactie als het gaat om publicistische kwesties! Jullie tweeën zijn niet degenen die dit soort beslissingen nemen! Dat doet de verantwoordelijke uitgever! Hoe moeilijk is het godverdomme om dat te snappen?'

Sjölander kreeg een kleur, Ingvar Johansson werd bleek.

Anders Schyman zag hun reacties en wist dat hij eindelijk hun aandacht had. Hij onderdrukte zijn eigen verontwaardiging, dwong zichzelf ertoe zijn stem weer terug te brengen tot een normaal gespreksniveau.

'Ik ga ervan uit dat jullie meer te vertellen hebben dan er gedrukt is', zei hij. 'Wat weten we?'

Zo bracht hij de discussie op gang die eigenlijk exact vierentwintig uur eerder had moeten plaatsvinden.

'De politie heeft de hulzen en een van de kogels gevonden', zei Sjölander. 'De munitie is verrekte ongebruikelijk, kaliber 30.06, Amerikaans, type Federal, merk Trophy Bond. De hulzen zijn vernikkeld, glanzend dus, zien eruit als eekhoorntjesbrood. Haast alle andere hulzen zijn van messing.'

Schyman maakte aantekeningen, Sjölander ontspande wat.

'De kogel had zich in het asfalt tussen de silo's geboord', ging hij verder. 'Men is niet in staat conclusies te trekken over de positie van de moordenaar, aangezien de kogel in het hoofd van die jongen tegen van alles en nog wat aangebotst is en diverse keren van richting is veranderd. De hulzen zijn gevonden achter een lege loods.'

'Het wapen?' vroeg Schyman.

Sjölander zuchtte.

'Het is mogelijk dat de dienders het weten, maar tegen mij hebben ze niks gezegd', zei hij. 'Ze hebben echter een hele rits andere conclusies getrokken. De moordenaar was bijvoorbeeld verdomde pietluttig in de keuze van zijn uitrusting. Dit zijn ongelofelijk dodelijke spullen, waar je normaal gesproken groot wild mee schiet.'

'Dat is misschien niet zo vreemd', zei Schyman. 'Als je nou echt iemand van het leven wilt beroven, kun je het net zo goed grondig doen.'

Nu werd Sjölander enthousiast, hij boog zich over het bureau.

'Dat is nou juist het merkwaardige', zei hij. 'Waarom schoot hij de slachtoffers in het hoofd? Op iedere willekeurige plek in de borst of rug waren deze schoten binnen enkele seconden dodelijk geweest. Er zit een luchtje aan deze moordenaar. Hij wordt gedreven door iets anders dan een snelle en effectieve dood, een oneindig groot ego misschien, haat, wraak. Waarom inzetten op een meesterschot als ieder ander schot ook dodelijk is?'

'Waarom staat dat niet in de krant vandaag?' vroeg Schyman.

Sjölander leunde weer achterover.

'Dat zou het onderzoek saboteren', zei hij.

'En Ratko aanwijzen als dubbele moordenaar, wat voor effect heeft dat op het onderzoek?' vroeg de redactiechef.

Er viel weer een stilte.

'We moeten over deze dingen praten', zei Schyman. 'Dat is verdomde belangrijk voor de stabiliteit van de krant in de toekomst. Van wie hebben jullie die tip over Ratko?'

Ingvar Johansson schraapte zijn keel.

'We hebben een bron bij de recherche die vond dat we met een foto van hem naar buiten moesten komen. De dienders zijn ervan overtuigd dat hij hier op de een of andere manier mee te maken heeft, wat peper in zijn reet leek ze een goed idee.'

'En jullie stelden je daarvoor beschikbaar?' zei Anders Schyman met gesmoorde stem. 'Jullie zetten de geloofwaardigheid van de krant op het spel, jullie namen de verantwoordelijkheid van de hoofdredacteur op je en speelden de loopjongens van de politie? Eruit, wegwezen, nu.'

Hij draaide zich weg van de mannen in de bezoekersstoelen, klikte TT open en zag vanuit zijn ooghoek hoe ze snel en zwijgend afdropen en op de redactie verdwenen.

Hij haalde opgelucht adem, maar kon niet goed inschatten hoe de discussie eigenlijk afgelopen was. Eén ding was zeker, het was de allerhoogste tijd dat hij in actie kwam.

De misser op de raadsvergadering had de hele nacht als een baksteen vlak onder zijn borstbeen gelegen en wou maar niet weggaan. Thomas streek de voorkant van zijn colbertje glad, aarzelde even, maar klopte daarna op de deur van de directeur. Ze was er.

'Ik zal meteen maar terzake komen', zei hij. 'Er bestaat geen excuus voor mijn gedrag gisteren, maar ik wil het desondanks uitleggen.'

'Ga zitten', zei zijn chef.

Hij liet zich in een stoel zakken, haalde een paar keer snel adem.

'Het gaat niet zo goed met me', zei hij. 'Ben uit balans. Het is wat zwaar geweest de laatste tijd.'

De directeur bekeek de jongeman aandachtig en wachtte af. Toen hij verder niets meer zei, vroeg ze ten slotte met gedempte stem: 'Is het Eleonor?'

Zijn chef bevond zich in de periferie van hun kennissenkring. Ze had een keer of tien bij hen thuis gegeten.

'Nee, helemaal niet', zei Thomas snel. 'Ik ben het probleem. Ik... twijfel aan alles. Is dit alles? Wordt het niet leuker dan dit?'

De vrouw achter het bureau glimlachte weemoedig.

'Midlifecrisis', constateerde ze. 'Maar is dat niet een beetje vroeg? Hoe oud ben je?'

'Drieëndertig.'

Ze zuchtte.

'Jouw uitbarsting van gisteren valt niet te verdedigen, maar we zetten er nu een streep onder, vind ik. Ik hoop dat je het niet nog een keer doet.'

Hij schudde het hoofd, stond op en verliet de kamer. Op de gang, bij de deur, bleef hij even staan. Hij dacht na en liep toen naar de ambtenaar die het agendapunt over stichting Het Paradijs ter tafel had gebracht.

'Ik heb het een beetje druk', zei ze stuurs, nog kwaad om wat er de vorige dag gebeurd was.

Hij probeerde ontwapenend te glimlachen.

'Ja, dat begrijp ik', zei hij. 'Ik wou je alleen mijn excuses aanbieden vanwege gisteren. Dat ik zo opvloog was een ambtsovertreding.'

De ambtenaar gooide het hoofd in de nek en schreef iets op.

'Excuses geaccepteerd', zei ze stijfjes.

Hij begon wat breder te glimlachen.

'Wat goed. Verder wilde ik nog een paar dingen weten met betrekking tot deze kwestie. Het organisatienummer van de stichting bijvoorbeeld.'

'Dat heb ik niet.'

Hij keek haar zo lang aan dat haar wangen begonnen te gloeien. Ze wist blijkbaar helemaal niets van deze stichting.

'Ik kan het uitzoeken', zei ze.

'Dat is denk ik een goed idee', zei hij.

Weer een stilte.
'Waar gaat dit eigenlijk over?' vroeg hij ten slotte.
Ze keek hem aan, norse blik.
'Dat kan ik niet vertellen, dat weet je.'
Hij zuchtte.
'Toe nou. We werken toch voor hetzelfde doel. Ben je soms bang dat ik mijn mond voorbijpraat?'
De vrouw aarzelde even, schoof toen haar aantekeningen opzij.
'Dit is een acuut geval', zei ze. 'Een jonge vrouw, vluchteling uit Bosnië, die achterna wordt gezeten door een man. Hij dreigt haar te vermoorden. De aanvraag kwam gisteren binnen en er is haast bij. Het gaat werkelijk om leven en dood!'
Thomas keek haar recht in de ogen.
'Hoe weten we dat het waar is?'
Zijn collega slikte, haar ogen begonnen een beetje te glanzen.
'Je had haar moeten zien, zo jong en mooi en... verminkt. Ze had werkelijk over haar hele lichaam littekens, diverse schotwonden, littekens van messteken, een grote snee in haar hoofd, haar halve gezicht was blauw. Twee tenen waren afgesneden. Afgelopen zaterdag probeerde de man haar opnieuw te doden, ze overleefde door in het water te springen en kreeg een longontsteking op de koop toe. De politie kan haar geen bescherming bieden.'
'En stichting Het Paradijs kan dit wel?'
Nu werd de vrouw enthousiast, ze veegde discreet haar ooghoeken af, zij was ook maar een mens.
'Het is echt een fantastische organisatie. Ze hebben een manier ontwikkeld om mensen uit te wissen, wat inhoudt dat hun verblijfplaats niet meer voorkomt in de openbare registers. Stichting Het Paradijs neemt alle contacten met de buitenwereld voor haar rekening. Vierentwintig uur per dag zijn er contactpersonen paraat, verder is er medische hulp, er staan psychologen en juristen ter beschikking, ze helpen met scholen, huisvesting, werk en kinderopvang. Geloof me, dat de gemeente deze dienst inkoopt is een goede zaak.'
Thomas draaide wat heen en weer.
'En waar is Het Paradijs gevestigd? In Järfälla?'
De vrouw leunde naar voren.
'Dat is een deel van de clou', zei ze. 'Niemand weet waar Het

Paradijs zich bevindt. Iedereen die er werkt is uitgewist. De telefoons zijn doorgeschakeld via militaire nummers in andere provincies. De bescherming is werkelijk waterdicht. Noch ik noch de sectordirecteur heeft ooit zoiets gezien, het is een ongelofelijke organisatie.'

Thomas keek naar de vloer.

'Al die geheimzinnigdoenerij houdt zeker ook in dat niemand iets kan controleren, of zie ik dat verkeerd?'

'Soms moet je op mensen vertrouwen', zei de ambtenaar.

Het was koud in het appartement, de papieren draagtas die Annika over het kapotte ruitje had geplakt, hield de warmte niet binnen. De vermoeidheid overviel haar op het moment dat ze in de hal haar tas op de vloer liet vallen. Ze gooide haar jas, sjaal, muts en wanten op een hoop, kroop in haar onopgemaakte bed en viel met haar kleren aan in slaap.

Plotseling stonden de presentatoren van *Studio Sex* voor haar neus. Hun kille, onderzoekende kwaadwilligheid riep altijd weer dezelfde maagkramp op.

'Zo was het niet bedoeld!' riep ze.

De mannen kwamen dichterbij.

'Hoe kunnen jullie nou zeggen dat het mijn schuld was?' schreeuwde ze.

De mannen probeerden haar dood te schieten. Het geluid van hun wapens dreunde door haar hoofd.

'Ik heb het niet gedaan, ik heb haar alleen maar gevonden! Toen ik kwam lag ze op de grond! Help!'

Ze werd met een schok wakker, buiten adem. Er was nauwelijks een uur verstreken. Ze zuchtte een paar keer diep, in, uit, in, uit, en begon te huilen, oncontroleerbaar, krampachtig. Bleef een hele tijd liggen totdat het schokken langzaam maar zeker ophield.

O oma, lieve god, hoe zal dit aflopen? Wie moet er voor je zorgen?

Ze ging rechtop zitten, probeerde zich te vermannen. Iemand moest dit regelen, nu was het haar beurt om iets te doen.

Ze trok het telefoonboek naar zich toe, belde het informatienummer van de gemeente en vroeg of er misschien plaats was in een van de Stockholmse verpleeghuizen. Ze kreeg het advies contact op te nemen met haar stadsdeelraad en met een zorgadviseur te bespreken wat de meest geschikte instelling zou zijn.

Als ze wilde, kon ze informatie van het internet halen, of langsgaan bij Burgerzaken aan de Hantverkargatan 87. Ze schreef het adres in de marge van een oude krant, bedankte voor de inlichtingen en slaakte een zucht. Liep naar de keuken, probeerde een beetje yoghurt te eten, zette teletekst aan om te kijken of er iets gebeurd was, nee dus, merkte dat ze naar zweet rook, stopte haar kleren in de wasmand, vulde de gootsteen met koud water en waste haar oksels.

Waarom ben ik naar huis gegaan? Waarom ben ik niet bij oma gebleven?

Ze ging op de bank in de woonkamer zitten, liet haar hoofd in haar handen rusten en besloot eerlijk te zijn.

Ze kon het niet langer uithouden in het ziekenhuis. Ze wilde terug naar iets wat ze gekend had, iets wat van haar was geweest maar wat ze ook weer was kwijtgeraakt. Er was iets hier in Stockholm, in haar werk bij de *Kvällspressen*, in haar appartement, iets wat lokkend en levend zou moeten zijn, niet onverschillig en dood.

Ze stond plotseling op en haalde haar blocnote met aantekeningen uit haar tas. Zonder verder nog na te denken koos ze het nummer van Het Paradijs.

Deze keer nam Rebecka Björkstig zelf op.

'Ik heb over een paar dingen nagedacht', zei Annika.

'Je bent zeker wel bijna klaar met het artikel?'

De vrouw klonk gestrest.

Annika trok haar benen onder zich en liet haar hoofd in haar linkerhand rusten.

'Er ontbreken nog een paar details', zei ze. 'Ik hoop dat we dit zo snel mogelijk kunnen afsluiten, mijn oma is ziek geworden.'

Rebecka's stem was een en al medelijden.

'Ach, wat vervelend. Ik zal je natuurlijk zo goed mogelijk helpen. Waar gaat het om?'

Annika slikte, ging wat beter rechtop zitten, bladerde in haar blocnote.

'De medewerkers van Het Paradijs. Hoeveel zijn dat er?'

'We zijn met z'n vijven, allemaal fulltime.'

'Artsen, juristen, ambtenaren van de sociale dienst, psychologen?'

Rebecka klonk geamuseerd.

'Nee, nee, helemaal niet. Dat zijn dingen waar de Provinciale

Raad, de gemeenten en de Raad voor Rechtshulp voor staan.'
Annika streek haar haren naar achteren.
'De contactpersonen die vierentwintig uur per dag ter beschikking staan, wie zijn dat?'
'Onze werknemers, natuurlijk. Zij zijn hoog gekwalificeerd.'
'Wat verdienen ze, per maand?'
Nu was Rebecka enigszins beledigd.
'Ze verdienen veertienduizend kronen per maand, en niet om rijk van te worden, maar voor de goede zaak.'
Annika bladerde in haar blocnote, liep vluchtig haar aantekeningen door.
'Jullie panden, hoeveel zijn dat er?'
Nu aarzelde Rebecka.
'Waarom vraag je dat?'
'Om een indruk te krijgen van jullie activiteiten', zei Annika.
'We bezitten haast geen onroerend goed, we huren naar behoefte', zei Rebecka na enige aarzeling.
'Jullie geld', zei Annika. 'Voorzover jullie winst maken, waar komt dat terecht?'
Een lange stilte volgde, Annika dacht bijna dat de vrouw had neergelegd.
'Het kleine beetje winst dat we gemaakt hebben, is teruggevloeid naar de stichting, het geld is gebruikt om onze organisatie verder uit te bouwen. Ik vind deze insinuatie niet echt prettig', zei Rebecka Björkstig.
'Een laatste vraag,' zei Annika, 'die lijst met overheidspersonen met wie ik zou kunnen praten, heb je die al opgestuurd?'
'Dit is een beschermde lijn', zei de vrouw zacht in de hoorn. 'Ik kan vrijuit praten. Al het geld dat overblijft gaat naar de opbouw van een kanaal voor de werkelijk zware gevallen. Sinds enige tijd hebben we ook de mogelijkheid om cliënten te helpen die überhaupt niet in Zweden kunnen blijven wonen. We hebben contacten waardoor we in het buitenland werk bij de overheid en woonruimte kunnen regelen. Ook daar kan contact worden opgenomen met artsen en psychologen. Werk en taalcursussen worden via ons geregeld.'
Annika zette haar voeten op de vloer, maakte aantekeningen, dit was wel heel sterk.
'Maar hoe gaat dat dan?'

De vrouw klonk enorm tevreden.

'De procedures zijn al uitgewerkt, we hebben het uitgeprobeerd met twee gevallen die erg succesvol zijn gebleken.'

Annika realiseerde zich dat ze stomverbaasd was.

'Twee gevallen die een nieuw leven hebben gekregen in een ander land? Zonder een nieuwe identiteit aan te nemen? Uitsluitend met de hulp van Het Paradijs?'

'Twee complete gezinnen, dat is correct. Maar noch wij, noch enige andere organisatie kan mensen een nieuw persoonsnummer geven. Dat kan alleen de regering doen. Maar, zoals gezegd, dat is niet aan de orde geweest. Wat dat overzicht betreft, dat heb ik al gemaakt. Zeg maar waar ik het naartoe moet faxen, dan heb je het binnen een kwartier.'

Annika gaf haar het faxnummer van de misdaadredactie op de krant.

'Ik bel je nog om de ontvangst te bevestigen', zei Annika.

'Ja, dat is goed. Tot straks.'

Ze legde neer. De stilte was teruggekeerd, minder dreigend, de wanden waren wat helderder geworden. Ze had een taak, een verantwoordelijkheid, ze had een opdracht te vervullen.

De jogger verhoogde zijn snelheid, liet zijn voeten tegen de bodem trommelen. Zijn polsslag werd sneller maar zijn ademhaling niet, die werd alleen dieper, intenser, mooi! Hij was goed in vorm, zweefde voort ondanks het feit dat dit geen gemakkelijk terrein was. Veel jonge bomen en struiken, slecht onderhouden, grote breuken in het landschap. Hij wierp een blik op de kaart, schaal 1 op 15.000, samengesteld met behulp van luchtfoto's alsmede omvangrijke verkenningen ter plekke waarvan hijzelf vaak deel uitmaakte, fullcolour, een uitgave van de Zweedse Bond voor de Oriëntatiesport. Dit was aan de rand van het gebied dat hij kende, maar het was een goede omgeving om onder zware omstandigheden te trainen.

Om te oefenen probeerde hij tijdens het rennen de richting te bepalen, het kompas in de rechterhand, de kaart in de linkerhand, en hoewel hij besloten had alle symboolbeschrijvingen te identificeren – steenhopen, oneffenheden, bochten in de paden – minderde hij geen vaart. Daardoor zag hij de boomwortel niet. Plotseling was hij geveld, hij kwam met zijn hoofd tussen de kleine loofbomen terecht. Zijn voorhoofd sloeg tegen de bodem, een paar seconden zag hij sterretjes. Toen hij weer bij zijn positieven was gekomen, voelde hij de pijn in zijn voet. Nondeju! Nog maar één wedstrijd te gaan dit seizoen en dan dit! Dat was toch verdomme echt niet nodig geweest!

Hij kreunde en ging rechtop zitten, kneep in zijn enkel. Misschien viel het mee. Hij probeerde zijn voet af te rollen, nee, niets gebroken, mogelijk licht verstuikt. Hij ging voorzichtig staan en steunde even op de voet, ai! Hij moest het rustig aan doen, proberen zo voorzichtig mogelijk weer bij de auto te komen. Bestudeerde de kaart om de beste route te vinden.

Een paar minuten eerder was hij langs een modderig bospad gekomen dat een van de grotere breuken volgde. Op de kaart zag hij dat dat pad op de grote weg uitkwam, daarvandaan kon hij wel een lift krijgen naar zijn eigen auto. Zuchtte diep, stak kaart en kompas onder zijn jack en strompelde weg.

Nadat hij zo'n honderd meter over het modderige pad had geglibberd, ontwaarde hij geschroeide berkjes tussen de andere bomen. Hij bleef verbaasd staan. Bosbrand, met dit vochtige weer? Daarna de geur, scherp, metaalachtig.

De jogger controleerde of de kaart en het kompas onder zijn jack hingen zoals het hoorde en verliet daarna het kapot gereden pad. Hij deed het voorzichtig aan, volgde een paar bandensporen die tussen de bomen door naar een klein ravijn liepen. Aan de rand van het bos bleef hij staan, perplex.

Voor hem stond een skelet van verwrongen metaal, de uitgebrande resten van wat een vrachtwagen geweest moest zijn, een grote trailer. Hoe was die hier in godsnaam terechtgekomen? En hoe had hij zo compleet kunnen uitbranden?

Voorzichtig hinkte hij naar de overblijfselen van de wagen, zijn schoenen werden zwart van het roet dat op de grond lag. Toen hij dichterbij kwam, werd het warmer, de brand moest kortgeleden hebben gewoed.

De grond naast de cabine was bedekt met glassplinters, het knerpte onder zijn zolen. De resten van de portieren hingen op halfzeven, hij deed nog een paar stappen naar voren en keek in de cabine.

Er lag iets op de vloer en er zat iets op de bijrijdersstoel, vormeloos, beroet, onregelmatig. Hij boog naar voren en prikte in het voorwerp dat het dichtst bij hem lag. Iets raakte los. Hij trok zijn handschoen uit en veegde het roet weg. Op het moment dat de tanden hem toegrijnsden, begreep hij waarnaar hij stond te kijken.

De fax van de misdaadredactie stond bij de werkplek van researcher Eva-Britt Qvist. Eva-Britt ondersteunde de redactie met allerlei controlewerkzaamheden, met archiefonderzoek, met het bijhouden van registers, het catalogiseren van vonnissen en met andere research. Ze was er niet, Annika nam snel het stapeltje faxen door dat in de loop van de dag was binnengerold. Een communiqué van de persafdeling van de Stockholmse politie, informatie van het OM, een vonnis aangaande een drugsdelict.

'Wat doe je tussen mijn papieren?'

De compacte vrouw kwam aanstormen met een nijdige frons tussen de wenkbrauwen, ze was naar de cafetaria geweest. Annika deed een paar stappen achteruit.

'Ik verwacht een fax', zei ze. 'Ik wou alleen maar checken of die al binnen was.'

'Waarom geef je de mensen mijn nummer? Dit is de fax van de misdaadredactie.'

Eva-Britt Qvist griste Annika de papieren uit de handen en graaide de faxen die nog op haar bureau lagen bij elkaar. Annika keek de vrouw verbaasd aan. Ze hadden haast nog nooit met elkaar gepraat, Eva-Britt Qvist werkte overdag en Annika 's nachts.

'Pardon', zei ze verbaasd. 'Ik geef dit nummer 's nachts altijd. Ik wist niet dat dat niet mocht.'

De researcher keek Annika strak aan.

'En je vult nooit het papier bij.'

De kwaadwilligheid trof haar als een pijl, haar verdediging uitte zich als woede.

'Dat doe ik wel!' zei Annika. 'Mijn laatste werkperiode nog! Waar gaat dit in vredesnaam over? Dit is toch verdomme niet jouw eigen privé-fax? Is mijn lijst met overheidsmensen van stichting Het Paradijs al binnengekomen?'

'Wat is er aan de hand, meisjes?'

Anders Schyman stond achter hen.

'Meisjes?' zei Annika terwijl ze zich bliksemsnel omdraaide.

'Moet iedereen dat soms horen?'

De redactiechef schoot in de lach.

'Ik wist wel dat deze jou zou prikkelen. Hoe gaat het?'

'Rebecka gaat me een fax sturen, zodat ik de serie artikelen over stichting Het Paradijs kan afronden, maar Eva-Britt vindt het niet leuk dat ik haar faxnummer heb gegeven.'

Annika merkte dat ze verontwaardigd was, schaamde zich voor haar gebrek aan zelfbeheersing.

'Hij is nog niet binnengekomen', zei de researcher.

Schyman wendde zich tot Eva-Britt Qvist.

'In dat geval vind ik dat jij de fax voorlopig extra goed in de gaten moet houden', zei hij rustig en langzaam. 'Die lijst zal de basis leggen voor een belangrijke publicatie in onze krant.'

'Dit is feitelijk een misdaadredactie', zei Eva-Britt Qvist.

'En dit is een misdaadkwestie', zei Schyman. 'Hou nou eens op met dat hokjesdenken. Kom Annika, ik wil een update over deze geschiedenis.'

Annika volgde de redactiechef naar zijn kamer, zag niets anders dan zijn brede rug.

De bank was weg.

'Ik heb je raad opgevolgd', zei Schyman. 'Van nu af aan moeten al mijn gasten op de grond zitten. Neem plaats!'

Hij wees naar de hoek die vol lag met stof, Annika liet zich in een bezoekersstoel zakken.

'Ik geloof dat er schot in de zaak zit', zei ze terwijl ze over haar voorhoofd wreef. 'Rebecka Björkstig heeft beloofd dat ze de laatste gegevens zal faxen, en verder heb ik uitgelegd gekregen waar het geld naartoe gaat.'

Schyman keek op.

'Het geld? Vragen ze er geld voor?'

Annika bladerde in een groot schrijfblok dat ze uit haar tas had geschud.

'De winst wordt gebruikt voor het opbouwen van een kanaal voor mensen die niet in Zweden kunnen blijven wonen', las ze ratelend voor uit haar aantekeningen. 'Het Paradijs heeft contacten zodat ze overheidsbanen en woonruimte kunnen regelen in andere landen. Tot dusverre is dat met twee gevallen gelukt, twee gezinnen. Niemand heeft een nieuwe identiteit hoeven aannemen. Iemand een ander persoonsnummer geven kan noch Het Paradijs, noch enige andere organisatie, dat kan alleen de regering. Maar voor de cliënten van Het Paradijs is dat nooit aan de orde geweest.'

Ze keek op naar redactiechef, probeerde te glimlachen.

'Goed verhaal, niet?'

Anders Schyman keek haar aan.

'Het klopt niet', zei hij op rustige toon.

Ze sloeg haar blik neer, staarde naar het bureau, zei niets.

'Banen bij de overheid regelen in andere landen?' zei hij. 'Dat klinkt als je reinste indianenverhaal. Heeft ze daar bewijzen van?'

Annika bladerde in haar blocnote zonder op te kijken.

'Twee gevallen,' zei ze, 'twee complete gezinnen.'

'Heb je met ze gepraat?'

Ze slikte, sloeg haar benen over elkaar, besefte dat ze in een verdedigingshouding ging zitten.

'Rebecka weet waar ze over praat.'

De redactiechef tikte nadenkend met een pen op zijn bureau.

'Is dat zo? Het is niet de regering die beslist of mensen een nieuw persoonsnummer krijgen. De feitelijke wijziging wordt doorgevoerd door de Rijksdienst voor de Belastingen en dat gebeurt in opdracht van de Rijks Politieraad.'

De geluidsindrukken werden gedempt, ze merkte dat ze bleek werd.

'Is dat waar?'

Hij knikte. Annika rechtte haar rug, bladerde koortsachtig in haar blocnote.

'Maar ze zei regering, ik weet het zeker.'

'Jou vertrouw ik,' zei Schyman, 'maar niet de Paradijs-vrouw.'

Ze ontspande haar spieren weer, klapte de blocnote dicht.

'Dus ik heb alle werk voor niets gedaan.'

Anders Schyman ging staan.

'Integendeel', zei hij. 'Het werk begint nu pas. Als deze organisatie werkelijk bestaat, dan is dit een bijzonder interessant onderwerp, of de vrouw nu liegt of niet. Laat horen, wat zei ze allemaal?'

Annika vertelde in het kort hoe Het Paradijs functioneerde, hoe het uitwissen in zijn werk ging, ze deed verslag van Rebecka's wonderlijke verhaal over hoe ze in het verleden bedreigd werd en dat dat met de Joegoslavische maffia te maken had en ten slotte ventileerde ze haar eigen gedachten over waar het geld naartoe ging.

Schyman liep een rondje, knikte, ging weer zitten.

'Je bent een goed eind op weg,' zei hij, 'maar we moeten die lijst hebben. Als dit verlakkerij is, moeten we de hulp inroepen van een of andere overheidspersoon, zodat we achter de gegevens van die organisatie kunnen komen.'

'Het alternatief', zei Annika, 'is dat we een van de vrouwen te pakken krijgen die de organisatie van binnenuit kent. Of iemand die er werkt.'

'Als er überhaupt vrouwen zijn', zei Schyman. 'Of medewerkers.'

De lijst was niet gekomen. Met de fax was niets mis. Meer dan twee uur waren verstreken sinds ze met Rebecka gepraat had.

Annika ging op de plek van Berit Hamrin zitten en koos het nummer, het beschermde, geheime nummer. De telefoon ging over, de signalen echoden in het niets, ze belde nog een keer. Geen reactie. Geen antwoordapparaat. Geen doorschakeling.

'Kun je me waarschuwen als de lijst opduikt?' riep ze naar Eva-Britt Qvist.

De researcher zat te bellen en deed of ze niets hoorde.

Annika liep naar de computer met de modem en logde in op Dafa/Spar, het personen- en adresregister van de staat waar iedereen met een Zweeds persoonsnummer geregistreerd stond, drukte op F8 voor het invoeren van een naam en typte 'Björkstig Rebecka'. De computer kauwde en dacht na, spuugde ten slotte zijn antwoord uit.

Eén hit.

...persoonlijke gegevens beveiligd.

Dat was alles. Geen letterteken.

Annika staarde naar het beeldscherm, wel allemachtig.

Ze typte haar eigen naam in, Bengtzon Annika Stockholm, het gaasverband om haar vinger zat in de weg, kauw, denk, daar was ze. Persoonsnummer, adres, laatste wijziging in het bevolkingsregister twee jaar geleden. Ze probeerde een ander commando, koos F7 voor het oproepen van een historische lijst en vond haar oude adres aan de Tattarbacken in Hälleforsnäs. Technisch was alles in orde.

Begon opnieuw en typte nog een keer 'Björkstig Rebecka vrouw', maar het resultaat was hetzelfde.

...persoonlijke gegevens beveiligd.

Rebecka was er werkelijk in geslaagd zichzelf uit te wissen.

Annika staarde peinzend naar het scherm. Een van haar taken 's nachts was om aan foto's van mensen te komen, meestal pasfoto's, en om die te vinden had ze een persoonsnummer nodig, en om achter dat persoonsnummer te komen zocht ze de persoon in kwestie altijd op in Dafa. Tijdens haar jaren in de nachtdienst had ze waarschijnlijk wel duizend personen opgezocht, maar deze uitkomst had ze nog nooit bij de hand gehad. Ze printte de gegevens uit, aarzelde, typte 'Aida Begović' in, kreeg acht hits. Een van de vrouwen woonde aan de Frediksbergsvägen in Vaxholm, dat moest haar Aida zijn. Ze gaf nog een printopdracht en liep terug naar de werkplek van Berit.

'Geen lijst?'

Eva-Britt Qvist schudde het hoofd. Ze belde Het Paradijs nog een keer, geen reactie. Smeet de hoorn op de haak, godverdomme.

Wat moest ze nu doen? Haar vinger deed pijn. Teruggaan naar het ziekenhuis? Proberen een verpleeghuis in Stockholm te vinden? Haar appartement schoonmaken?

Ze wroette tussen haar papieren, vond de folder over stichtingen van de Rijksdienst voor de Belastingen die ze uit het archief had laten komen.

Vanaf 1 januari 1996 bestond er een wet voor stichtingen, las ze. De wet bevatte bepalingen over het oprichten van een stichting, over het beheer, de boekhouding en accountantscontrole, over toezicht, registratie, enzovoorts.

Ze las de tekst vluchtig door. Er waren blijkbaar verschillende soorten stichtingen waarvoor verschillende belastingtarieven golden. Stichtingen die een 'gekwalificeerde doelstelling voor het algemeen nut' hadden, betaalden minder, las ze.

Met alleen prachtige statuten om maar minder belasting te hoeven betalen, kwam je er niet, stond er, je moest je ook aan de statuten houden.

Ze legde de folder neer, wat betekende dit? Dit was toch allemaal gelul, waarom hield ze zich hiermee bezig? Hier had ze toch niets aan?

Ja, toch wel, dacht ze plotseling, het betekent dat ook Het Paradijs op de een of andere manier statuten moet hebben. En een boekhouding. Er moeten accountants bij betrokken zijn. En ze zijn de een of andere belasting verschuldigd. Zo uitgewist kunnen ze nou ook weer niet zijn.

Ze pakte de papieren die ze van Rebecka had gekregen, keek naar het postadres boven in de hoek. Belde het postkantoor in Järfälla en vroeg wie de postbus in kwestie huurde.

'Dat kan ik niet zeggen', zei een gestreste ambtenaar.

'Maar is het niet zo dat aan iedere postbus een straatadres gekoppeld moet zijn?' zei Annika. 'Ik wil weten wie nummer 259 huurt.'

'Dat is als vertrouwelijk aangemerkt', zei de baliemedewerkster. 'Die informatie geven we alleen aan overheidspersonen.'

Annika dacht een paar seconden diep na.

'Maar misschien ben ik wel een overheidspersoon', zei ze. 'Dat kun jij niet weten, want ik heb me niet bekendgemaakt en jij hebt er niet naar gevraagd.'

Het werd een poosje stil.

'Ik moet het bij Disa checken', zei de medewerkster.

'Wie?' vroeg Annika.

'Het Disa-systeem, wij kunnen inloggen op Disa, daar staan onze bevoegdheden omschreven. Een ogenblikje...'

Het duurde een eeuwigheid, minuten.

Toen de medewerkster terugkwam, klonk haar stem zo mogelijk nog kouder dan eerst.

'Sinds de post geprivatiseerd is, zijn alle overeenkomsten tussen ons en onze klanten geheim. Als de politie het vermoeden heeft dat er een misdaad gepleegd is waar meer dan twee jaar gevangenisstraf op staat, kunnen we de gegevens verstrekken, anders niet.'

Annika bedankte haar en smeet de hoorn op de haak. Ze liep een onrustig rondje over de redactie, mensen praatten, riepen, lachten, telefoons gingen, computerschermen flikkerden.

Overheidspersoon, ze moest een overheidspersoon te pakken zien te krijgen die hier iets vanaf wist. Aangezien ze geen enkel exemplaar kende, moest ze het maar op goed geluk proberen. Ging terug, sloeg het telefoonboek open en belde de gemeente Stockholm.

'Om welke stadsdeelraad gaat het?'

Ze koos die van haarzelf, Kungsholmen en werd in de wacht gezet. Na twaalf minuten intense stilte legde ze neer.

Järfälla dan?

De sector Zorg voor Individu en Gezin hield tussen 8.30 en 9.30 uur telefonisch spreekuur, op donderdag tevens van 17.00 tot 17.30 uur.

Ze kreunde. Het was zinloos lukraak rond te bellen. Ook al zou ze, tegen alle verwachtingen in, iemand treffen die iets wist, dan nog zouden ze niet praten. Dergelijke kwesties werden allemaal als vertrouwelijk beschouwd. Ze moest een ingang hebben, een geval waarvan ze wist dat de gemeente erbij betrokken was.

Ze haalde koffie, op de terugweg blies ze in het bekertje, ze passeerde een groepje lachende vrouwen op de afdeling ditjes en datjes, keek naar de vloer zonder te groeten. Ze verbeeldde zich dat de stemmen wegstierven toen ze langsliep, dat het gesprek stokte, dat ze het over haar hadden.

Hersenspinsels, dacht ze, maar ze overtuigde niemand.

Ze morste toen ze het plastic bekertje op Berits bureau zette, probeerde zich vervolgens op haar werk te concentreren. Het heeft geen zin het bij de medewerkers van de sociale dienst te proberen, dacht ze. Die raken al in paniek voordat je ook maar een vraag gesteld hebt, bovendien geven ze nergens antwoord op, zelfs niet als het gaat om kwesties die openbaar zijn.

Waar zou ze aan informatie kunnen komen?

Op het moment dat het tot haar doordrong, brandde ze haar tong.

De facturen. Natuurlijk!

Op de rekeningen van Het Paradijs moesten een heleboel gegevens staan, organisatienummer en adres, bankrekeningnummer of postgiro. Een financieel verantwoordelijke bij een gemeente zou misschien informatie kunnen verschaffen over belastingen, statuten en accountants.

Ze bladerde de groene pagina's van de telefoongids door, de pagina's met informatie over gemeenten. Welke zou ze nemen?

Legde het telefoonboek weg en pakte de geprinte Dafa-resultaten. In welke gemeente Rebecka woonde, wist ze niet, maar Aida stond ingeschreven in Vaxholm.

Vaxholm.

Annika was daar nog nooit geweest, wist alleen maar dat het aan de kust lag, ten noorden van Stockholm.

Het is een slag in de lucht, dacht Annika. Het is niet zeker dat

Aida contact heeft opgenomen met Het Paradijs. Het is niet zeker dat haar gemeente erbij betrokken is. Misschien is het nog te kort geleden.

Aan de andere kant, je wist maar nooit. Ze koos het nummer, moest een eeuwigheid wachten. Haar gedachten dwaalden af, ze moest nodig bellen hoe het met oma was. Toen de telefoniste van de centrale eindelijk reageerde, wist ze niet meer waar ze naartoe gebeld had. Vroeg naar iemand bij de sociale dienst met financiële verantwoordelijkheid, maar die waren allemaal in gesprek en er stonden meer lijnen in de wacht, kon ze misschien terugbellen?

Ze legde neer, deed haar jas aan, stopte de blocnote in haar tas en zette koers naar de receptie en de dienstauto's.

'Geen lijst?'

Eva-Britt Qvist gaf geen antwoord.

De E18 richting Roslagen stond erom bekend dat er iedere middag files stonden. In Berghamra stond ze bijna een kwartier stil, daarna begon het verkeer weer op gang te komen.

Ze genoot van het autorijden. Ze reed te snel, haalde in, het was een tamelijk pittige wagen. Ze bereikte het centrum van Vaxholm sneller dan verwacht. Vrolijke vlaggetjes boven een straat met granieten steentjes, aan weerszijden van de straat aardige torenhuizen. Een bank, een bloemist. Een Konsum. Annika realiseerde zich dat ze geen kaart had.

Het gemeentehuis, dacht ze. Het Raadhuis, aan het Plein. Het is vast niet bijzonder moeilijk te vinden.

Ze volgde de straat totdat ze bij het water kwam, sloeg bij een verkeerspleintje rechts af en kwam terecht bij een aanlegplaats voor een veerboot. Een lange rij auto's stond te wachten op de viesgele boot die op Rindö voer.

Ze sloeg links af. De Östra Ekuddsgatan. Tuurde naar de parelketting van vrijstaande koopmanshuizen met tuin aan het water.

De goudkust, dacht ze. *The hot shit people.*

De auto gleed langzaam een steile helling op met zanderig asfalt, ieder huis had een ijzeren of houten omheining.

'Triest', zei ze hardop, en op dat moment ontdekte ze dat ze terug was op de plek waar ze begonnen was. Reed opnieuw door de vrolijke straat met de vlaggetjes en sloeg links in plaats van rechts af. Kwam ten slotte uit bij een politiebureau aan een pleintje. Recht voor haar lag een groot, oranje gebouw met op het dak een Russisch koepeltje in de vorm van een ui. De dubbele deuren waren beschilderd met een marmertechniek, evenals de beide lantaarnpalen die ze flankeerden. Op een kleine brievenbus las ze: 'Vaxholm stad, Raadhuis'.

Het weer werd er niet beter op. De grijsheid had zich in Thomas' brein geboord, hij had zin om te huilen. De nauwe straat onder zijn raam zag eruit als een sloot vol modder. De stapels werk op zijn bureau dreigden hem te verstikken en die klotetelefoon hield zich geen seconde stil. Hij staarde naar het rinkelende apparaat.

Ik neem niet op, dacht hij. Het is ongetwijfeld weer een kinderdagverblijf dat zichzelf wijsmaakt dat het nog geld over heeft op het jaarbudget.

Hij trok de hoorn met een ruk naar zich toe.

'Ja, receptie beneden. Ik heb hier een verslaggeefster staan die wil praten met iemand die zich bezighoudt met de financiën van de sociale dienst en met de contracten die afgesloten worden, dus ik dacht dat jij misschien...'

O mijn god, hield het nou nooit op?

'Ik ben geen politicus. Stuur haar maar naar de wethouder.'

De receptioniste zette hem in de wacht, toen ze terugkwam klonk haar stem enigszins afgemeten.

'Ze wil niet met een politicus praten, ze wil alleen maar wat... wat zei je ook alweer dat je wilde vragen?'

Kreunend legde hij zijn voorhoofd tegen zijn handpalm. Geef mij kracht!

Het gemompel op de achtergrond werd luider.

'Kan ik zelf niet met hem praten?' hoorde hij iemand zeggen, daarna een vragend hallo.

'Waar gaat het om?' zei hij, kortaf, vermoeid.

'Dag, mijn naam is Annika Bengtzon en ik ben journalist. Ik vroeg mij af of ik even boven zou kunnen komen om een paar korte vragen te stellen over hoe gemeenten contracten afsluiten en diensten aankopen.'

Waarom nou net die van mij? dacht hij.

'Ik heb geen tijd', zei hij.

'Waarom niet?' vroeg ze snel. 'Heb je soms een burn-out?'

Hij liet een korte lach horen, wat een idiote vraag.

'Je hebt geen afspraak,' zei hij, 'en ik heb op dit moment ongelofelijk veel te doen.'

'Het kost je een kwartiertje', zei de journaliste. 'Je hoeft je geen centimeter te verplaatsen, ik kom naar je kamer.'

Hij zuchtte zacht.

'Eerlijk gezegd...'

'Ik sta bij de receptie. Het gaat razendsnel. Toe nou.'

Het laatste smekend.

Hij wreef in zijn ogen, ze waren branderig. Haar afpoeieren zou meer tijd kosten.

'Kom maar boven dan.'

Ze was mager en had een woeste haardos, er zat een licht manische trek om haar mond en ze had iets te prominente schaduwen onder de ogen om mooi te zijn.

'Het spijt me heel verschrikkelijk dat ik hier zomaar binnen kom stormen', zei ze terwijl ze haar grote tas onder zijn bezoekersstoel duwde. Jas en sjaal drapeerde ze nonchalant over de rugleuning van de stoel, de ene mouw gleed op de grond, daarna stak ze hem glimlachend haar hand toe. Thomas beantwoordde het gebaar, slikte, merkte dat zijn rechterhand een beetje vochtig was. Hij was niet gewend aan de media.

'Je moet het maar zeggen als ik te ver ga', zei de vrouw. 'De kwesties waar een sociale dienst mee te maken heeft liggen natuurlijk gevoelig, dat besef ik.'

Ze liet zich in de stoel zakken, haar blik vastgenageld aan die van hem, volkomen geconcentreerd, pen in de aanslag.

Hij schraapte zijn keel.

'Wat heb je met je hand gedaan?'

Ze liet zijn blik niet los.

'Is bekneld geraakt. Heb je ooit gehoord van een stichting die Het Paradijs heet?'

Zijn reactie was puur fysiek. Hij stond paf.

'Wat weet jij daar in vredesnaam van?'

De vrouw had zijn reactie opgemerkt, dat zag hij aan de tevreden uitdrukking op haar gezicht.

'Ik weet het een en ander', zei ze. 'Maar niet genoeg. Ik vraag me af of jij misschien meer weet dan ik.'

'Alles wat te maken heeft met de sociale dienst wordt als vertrouwelijk aangemerkt', zei hij kort.

'Helemaal niet', zei de journaliste, ze klonk nu bijna geamuseerd. 'Er zijn ontzettend veel dingen die openbaar zijn. Maar ik weet niet hoe alles functioneert, en daar wou ik jou graag een paar vragen over stellen.'

Hij was stomverbaasd. Hoe moest hij dit in vredesnaam aanpakken? Hij kon niets loslaten over het geval, de vrouw uit Bosnië, hij hoorde haar überhaupt niet te kennen. Hij wilde absoluut niet dat de pers zou schrijven dat de gemeente Vaxholm dure diensten inkocht van eigenaardige stichtingen.

'Ik kan je niet helpen' zei hij kort en ging staan.

'Ze liegt', zei de journaliste zacht. 'De directeur van stichting Het Paradijs is een leugenaarster. Wisten jullie dat?'

Hij reageerde niet, ze keek hem aan, donkere ogen, enigszins voorover gebogen, benen gekruist. Grote borsten.

Hij ging weer zitten, staarde naar zijn bureau.

'Ik weet niet waar je het over hebt. Het spijt me, maar ik kan je niet helpen. Als je me excuseert, ik heb veel te...'

Ze bladerde in een groot en onhandig schrijfblok, maakte geen aanstalten op te staan.

'Heb je er iets op tegen als ik een paar algemene vragen stel over de aanbesteding van dit soort activiteiten?'

'Zoals ik al zei, eigenlijk heb ik geen...'

'Hoe heeft het uitbesteden van overheidsactiviteiten het werk van de gemeente beïnvloed?'

Ze keek hem diep in de ogen, gefocust op hem, op zijn antwoord. Hij slikte, schraapte zijn keel nog een keer.

'Na de decentralisatie die plaatshad nadat de gewijzigde wet op de sociale voorzieningen uit 1982 in werking was getreden, kregen we te maken met een enorme hoeveelheid cijfers. Alle afzonderlijke kinderdagverblijven, verzorgingsflats, alle sectoren moesten hun eigen budget hebben. Nu, na de privatisering, is het aantal details afgenomen. Iedere post staat als één kostensoort op het budget.'

Ze luisterde met een uitdrukkingsloos gezicht, had haar pen niet aangeraakt.

'Wat betekent dat, op z'n Zweeds?'

Hij voelde hoe het bloed naar zijn wangen schoot, geërgerd,

terechtgewezen. Besloot het niet te laten merken.

'In zekere zin is het gemakkelijker geworden', zei hij. 'De gemeente betaalt alleen maar een lumpsum, vervolgens mogen de onderaannemers met het geld doen wat ze willen.'

Nu schreef ze iets in haar blocnote, hij hield op met praten.

'Wat doe jij?' vroeg ze. 'Hoe word je genoemd?'

'Ik ben administrateur, ben verantwoordelijk voor de financiën en het beleidsplan van de sociale dienst, en ik houd mij bezig met het opstellen van het budget. Geef intern leiding aan de werkzaamheden, ben verantwoordelijk voor de financiële randvoorwaarden, de behoeften en wensen van het personeel binnen de verschillende sectoren, ik verzorg de kwartaalverslagen en de jaarafsluiting. Je zou kunnen zeggen dat ik met drie jaren tegelijkertijd werk; het voorgaande, het huidige en het volgende...'

'Ongelofelijk', zei de vrouw. 'Praat je altijd zo?'

Thomas raakte van zijn apropos, verbaasd.

'Het heeft heel wat tijd gekost om het te leren', zei hij.

Ze schoot in de lach, gelijkmatige witte tanden.

'Hoe is dit ontvangen binnen de dienst?' vroeg ze. 'Zijn de mensen tevreden over de nieuwe ontwikkelingen?'

Toen ze zich bewoog, schommelden haar borsten onder haar trui. Hij sloeg zijn ogen neer en richtte zijn blik op het bureau.

'Ja en nee', zei hij. 'De directeuren van de diverse werkgebieden zijn een deel van hun macht kwijtgeraakt. Daar zijn ze niet zo blij mee. Ze kunnen geen invloed meer uitoefenen op de details, zoals toen alle kinderdagverblijven en bejaardentehuizen nog gemeentelijke instellingen waren. Aan de andere kant dragen ze nu niet meer zo'n zware verantwoordelijkheid.'

Hij verbaasde zich over zijn eigen oprechtheid. Ze schreef zonder op te kijken. Mooie, sterke handen.

'Mensen hebben recht op een eigen mening', ging hij verder. 'Ook ambtenaren hebben natuurlijk een politieke visie op de veranderingen, ze hangen verschillende ideologieën aan.'

'Kun je precies vertellen wat jij doet en waarom?' vroeg ze.

Hij knikte en stak van wal. Bepaalde dingen moest hij een paar keer herhalen, soms moest hij nieuwe woorden zoeken, zich op een andere manier uitdrukken. Ze leek niet bijzonder hoog opgeleid, maar was vlug van begrip. Hij legde uit wat zijn rol was in de stuurgroep van de sociale dienst, waarvan hij samen met de algemeen directeur en de sectordirecteuren deel uitmaakte, dat wilde zeggen de directeuren van de sectoren kinderopvang, scholen, ouderenzorg, en de zorg voor individu en gezin... Hij nam de besluitvormingsprocedures binnen de sociale dienst met haar door, het feit dat de Raad voor Sociale Aangelegenheden de besluiten nam, dat de algemeen directeur er altijd bij was, de financieel verantwoordelijke bijna altijd, dat dat ook gold voor de ambtenaar die het onderwerp in kwestie presenteerde, en dat de sectordirecteuren soms van de partij waren.

'En wie heeft de macht?' vroeg ze.

Hij bestudeerde haar vanuit zijn ooghoek, smalle dijen, strakke broek.

'Hangt af van het type onderwerp', antwoordde hij. 'Veel beslissingen worden genomen op het niveau van de ambtenaren. Andere worden natuurlijk in de Raad besproken. Sommige onderwerpen gaan helemaal tot aan de bestuursrechter of het centrale beroepscollege voordat er spijkers met koppen worden geslagen'

Ze dacht even na, tikte met haar pen tegen haar voorhoofd.

'Als jullie een voorstel met betrekking tot een compleet nieuwe activiteit voorgelegd krijgen,' zei ze terwijl ze hem bleef aankijken, 'een stichting bijvoorbeeld, die mensen in nood wil helpen. Wie zou dan de beslissing nemen om ze in te huren?'

Plotseling besefte hij waar ze op uit was geweest met die kleine ondervraging van haar. Om de een of andere reden vond hij het niet erg.

'In eerste instantie zal het besluit om een dergelijke dienst in te kopen genomen worden door de Raad,' zei hij langzaam, 'maar als dat eenmaal gebeurd is, kunnen aanvullende besluiten door individuele ambtenaren genomen worden.'

'Krijgen jullie veel van dat soort aanbiedingen? Van stichtingen en of particuliere ondernemingen?'

'Niet zoveel', zei hij. 'Meestal neemt de gemeente de concurrerende offertes in ontvangst als er voor bepaalde activiteiten aanbestedingen worden uitgezet.'

Ze bladerde wat in haar blocnote.

'Als de gemeente Vaxholm het besluit had genomen gebruik te maken van de diensten van een dergelijke stichting, zou jij daar dan vanaf weten?'

Thomas slaakte een diepe zucht.
'Ja', zei hij.
'En is dat gebeurd?'
Hij zuchtte nog een keer.
'Ja', zei hij. 'De Raad voor Sociale Aangelegenheden heeft gisteravond tijdens een vergadering het besluit genomen de diensten in te kopen van een stichting genaamd Het Paradijs. De notulen zijn vermoedelijk nog niet klaar, maar de goedkeuring van het contract zal daarin genoemd worden, onder agendapunt zeventien, en de notulen zijn een openbaar document. Daarom vertel ik je dit.'
Het gezicht van de jonge vrouw had wat kleur gekregen.
'Wat weet je van de vrouw om wie het ging, Aida Begović uit Bijeljina?'
Hij schrok opnieuw, werd plotseling kwaad.
'Wat wil jij eigenlijk?' bulderde hij. 'Hier maar naartoe komen met een hoop loos geklets en daarna insinueren...'
'Rustig maar', zei de journaliste scherp. 'Ik denk dat we elkaar kunnen helpen.'
Hij was van zijn stuk, besefte dat hij weer was opgestaan, verontwaardigd, het bloed kookte in zijn gezicht, hij had zijn rechtervuist geheven en gebald, waar was hij godverdomme mee bezig? Jezus! Beheers je, man!
Hij ging pardoes zitten, zijn haar viel voor zijn gezicht, hij trok het met beide handen naar achteren.
'Sorry', zei hij. 'O mijn god, het spijt me, het was niet mijn bedoeling uit mijn slof te schieten...'
Ze begon te glimlachen, breed.
'Leuk', zei ze. 'Ik ben blijkbaar niet de enige die agressief is.'
Hij staarde haar aan, haar dat niet echt stil op haar hoofd wilde blijven liggen, ogen die dwars door hem heen keken.
Hij sloeg zijn blik neer.
'Wat wil je nou eigenlijk?'
Ze werd ernstig, klonk eindelijk oprecht.
'Ik ben vastgelopen', zei ze. 'Ik ben bezig deze organisatie te checken, en het gaat niet fantastisch. Volgens Rebecka Björkstig zou Het Paradijs gedurende de afgelopen drie jaar meer dan achttien miljoen kronen aan inkomsten ontvangen hebben, en als mijn schattingen juist zijn, blijven de uitgaven rond de zeven miljoen

steken. Ik weet niet wat voor soort stichting Het Paradijs eigenlijk is, dus ik kan niet beoordelen welke belastingregels van toepassing zijn, maar het lijkt me allemaal een beetje duister.'

'Weet jij of ze inderdaad doen wat ze beweren?' vroeg hij.

Ze schudde het hoofd, leek oprecht bezorgd.

'Njet. Ik heb Rebecka ontmoet, en ik heb Aida ontmoet, maar ik weet niet of het systeem werkt.'

'Rebecka, is zij degene die de touwtjes in handen heeft?'

De journaliste knikte.

'Dat beweert ze zelf, en ik geloof haar. Jij hebt haar niet ontmoet? Ze maakt een geloofwaardige indruk, maar we hebben haar op een leugen betrapt, of misschien moet je het een onjuistheid noemen. Ze weet niet zoveel als ze wil doen geloven, en als je doorvraagt, ontglipt ze je. Wat weet jij eigenlijk?'

Hij aarzelde, heel even maar.

'Bijna niets. Niemand lijkt iets te weten. Het besluit is gisteren in de Raad genomen, ondanks het feit dat de informatie zeer gebrekkig was. Ik heb niet eens een organisatienummer.'

'Maar dat kun je wel achterhalen?'

Hij knikte.

'Houdt dit verhaal stand, puur juridisch gezien, bedoel ik?'

'Die vraag hebben we gisteren aan onze juristen voorgelegd.'

Annika Bengtzon sloeg haar blik naar hem op, intens.

'Wat weet je van stichtingen, zo in het algemeen? Waarom denk je dat Rebecka Björkstig deze rechtsvorm heeft gekozen voor haar activiteiten?'

Hij boog naar voren.

'Een stichting heeft geen eigenaar of leden. Er zijn veel minder regels dan bij een NV of een handelsvennootschap.'

Annika maakte aantekeningen.

'Meer!'

'Voorzover ik weet, fungeren stichtingen soms als laatste schakel voor mensen die na een faillissement geld willen wegstoppen. Stichtingen kunnen gebruikt worden voor allerlei vormen van oplichting, en verder wordt er misbruik gemaakt van het gebrek aan toezicht op stichtingen.'

De vrouw keek op.

'Waarom is er geen toezicht?'

'Wanneer een stichting geregistreerd wordt, hoeven de mensen die de stichting vertegenwoordigen hun persoonsnummers niet op te geven. Het is voorgekomen dat de vertegenwoordigers fictieve personen bleken te zijn, pure verzinsels.'

Ze knikte, krabde op haar hoofd, dacht na.

'Aan de ene kant', zei ze, 'maakt dit de hele geschiedenis alleen nog maar meer verdacht. Rebecka kan de stichting opgericht hebben met als enig doel mensen geld af te troggelen. Aan de andere kant, als de organisatie inderdaad functioneert zoals ze zegt, dan is een stichting natuurlijk de beste vorm om de activiteiten in te gieten.'

Ze zwegen een poosje. Thomas merkte dat het stil was geworden in het raadhuis, hij keek op zijn horloge.

'Jezus', barstte hij uit. 'Is het al zo laat?'

Ze glimlachte.

'Time flies when you're having fun.'

Hij ging meteen staan.

'Ik moet weg', zei hij.

Ze verzamelde haar spullen, stopte ze in haar grote tas. Trok haar jas aan, deed haar sjaal om en gaf hem een hand.

'Bedankt dat ik beslag mocht leggen op je tijd.'

Rechte blik, rechte rug. Niet zo lang, en dan die borsten. Hij merkte dat zijn hand weer klam werd.

'Ik ga hier mee door', zei ze en ze schudde zijn vuist en hield die vast. 'Er is iets waar ik mijn vraagtekens bij heb', zei ze, zijn hand nog steeds in de hare. 'Wil je het weten als ik iets ontdek?'

Hij slikte, droge keel, knikte.

Ze glimlachte.

'Mooi. Hoor ik het van jou als jij iets boven water krijgt?

Hij liet haar hand los.

'We zullen wel zien...'

'Tot ziens.'

Het volgende moment was ze verdwenen. Hij staarde naar de gesloten deur en hoorde haar voetstappen op de gang verdwijnen, liep naar de bezoekersstoel, ging erop zitten, de zitting nog lauw van haar warmte. Van haar schoot.

Hij ging gauw weer staan, pakte een map en sloeg het personeelsbudget van de dienst op, de cijfers dansten voor zijn ogen. Geërgerd sloeg hij de map weer dicht en liep naar het raam. De pittoreske uithangborden van de winkels beneden lachten hem spottend toe, Tussen Scheren & Meren, Vaxholms Thee- & Kruidenhandel.

Hij moest naar huis. Eleonor had het eten klaar.

De verkeersstroom richting Stockholm was aanzienlijk minder intensief dan de stroom die de stad verliet. Annika tuurde door de voorruit, de Zweedse buitenwijktriestheid omsloot de auto. Zodra ze de stadskern van Vaxholm achter zich gelaten had, begonnen de huurkazernes. Het had Flen kunnen zijn, dacht ze. Een bord links van de weg wees naar Fredriksberg, daar had Aida gewoond. Ze minderde vaart, overwoog even of ze de afslag zou nemen en Aida's adres zou opzoeken, maar zag ervan af.

Op de autoradio werd gewaarschuwd voor gladheid door ijzel.

Ik leef tenminste, dacht ze. Ik mag nog een poosje meedoen.

Ze probeerde naar boven te kijken, maar de wolken waren ondoordringbaar. Geen ster te bekennen. Niemand kon haar zien vanuit de hemel.

Ze reed langzaam terug, deze keer haalde ze niet in maar werd ze zelf ingehaald. Een gevoel van rust nestelde zich in haar maagstreek, maar helemaal binnenin haar bevond zich een steen van verdriet vanwege haar grootmoeder.

Het landschap tussen Vaxholm en Stockholm was zeldzaam alledaags, rijksweg 274 had evengoed de weg tussen Hälleforsnäs en Katrineholm kunnen zijn. Ze zette de autoradio aan, vond een station dat een Boney M-medley draaide. *Brown girl in the ring, tjalalalala. Ma Baker, she taught her four sons, mamamama, Ma Baker, to handle their guns. Run run Rasputin, lover of the Russian queen.*

Toen ze bij Arninge was en de E18 weer opdraaide begon het een beetje te miezeren, maar de regen zette niet door, het water bleef in de wolken hangen. De hele weg terug naar het gebouw van de krant in Marieberg luisterde ze naar Duitse disco.

De receptie was leeg, ze legde de autosleutels op de balie. Wandelde daarna via het Rålambshovspark en de Norr Mälarkade naar de Hantverkargatan. Het was koud en vochtig, de duisternis werd versplinterd door straatlantaarns en neonverlichting maar was tegelijkertijd compact en zwaar. Haar gedachten dwaalden af naar haar oma, hoe moesten ze dit nu aanpakken?

De kramp in haar middenrif werd heviger, de angst bonkte in haar lichaam.

Ze klappertandde toen ze thuiskwam, verkleumd tot op het bot. De telefoon ging, ze rende met modderige schoenen naar binnen.

Oma! O god, er is iets met oma gebeurd!

Schaamte om haar bedrieglijke kalmte, schuldgevoel omdat ze niet daar was.

'Ik ga langs de Thai, ik haal een geroerbakte kip met cashewnoten', zei Anne. 'Wil je ook?'

Annika liet zich op de vloer zakken.

'Ja graag.'

Anne Snapphane dook een halfuur later op met twee aluminium bakjes in een draagtas.

'Jezus wat is het koud', zei ze nadat ze haar schoenen had afgestampt. 'Die koude, vochtige lucht is de dood voor mijn luchtwegen. De bronchitis komt alweer aanhollen, ik voel het.'

Anne had een ernstige neiging tot hypochondrie.

'Trek een paar geitenwollen sokken aan. Wie warme voeten heeft, rooit het altijd, zegt mijn grootmoeder altijd', zei Annika, en op dat moment begon ze te huilen.

'Hé, wat is er gebeurd?'

Anne liep naar Annika toe en ging naast haar op de bank zitten, wachtte af. Annika bleef huilen, voelde hoe de steen in haar maag warmer werd, zachter, langzaam begon op te lossen.

'Het is oma', zei ze. 'Ze heeft een attaque gehad en ligt in het Kullbergska in Katrineholm. Ze wordt nooit meer beter.'

'Wat klote', zei Anne medelijdend. 'Wat gaat er nu met haar gebeuren?'

Annika snoot haar neus in een servet, veegde haar gezicht af en blies voor zich uit.

'Dat weet niemand. Er is nergens plaats voor haar en niemand heeft tijd om voor haar te zorgen, en ze heeft heel veel steun en revalidatie nodig. Het zal er wel op neerkomen dat ik mijn baan moet opzeggen en haar hiernaartoe haal.'

Anne hield haar hoofd scheef.

'Drie trappen en geen lift, zonder toilet of warm water?'

Annika formuleerde de gedachten waarmee ze de hele middag in haar maag had gezeten.

'Ik zal wel moeten verhuizen naar een woning in Katrineholm. Het is niet het einde van de wereld. Denk eens even na, wat doe ik nu eigenlijk? Zit een beetje de teksten van andere verslaggevers te herschrijven voor een klotekrant met een twijfelachtig imago. Is dat belangrijker dan het zorgen voor de enige persoon van wie ik hou?'

Anne zei niets, liet Annika uitsnotteren. Ze ging naar de keuken en haalde glazen en bestek. Annika zette de tv aan, ze keken naar *Rapport* en aten de geroerbakte kip rechtstreeks uit de verpakking. De beursindex was weer gestegen. Nieuwe ongeregeldheden in Mitrovića. De sociaal-democraten aan de vooravond van het congres.

'Wil je er echt mee ophouden?' vroeg Anne Snapphane toen ze zich tegen de rugleuning had laten vallen, te vol om zich nog te kunnen bewegen.

Annika streek een hand over haar voorhoofd en zuchtte diep.

'Als het echt niet anders kan. Ik wil niet met mijn werk stoppen, maar wat doet een mens als er geen andere opties zijn?'

'Van de wereldkampioenschappen martelaarschap wordt niemand vrolijk', zei Anne. 'Jij hebt ook een verantwoordelijkheid tegenover jezelf, je moet je leven nooit ophangen aan iemand anders. Wil je wijn?'

'De dokter raadde mij aan alcohol te drinken', zei Annika. 'Wit als het kan.'

'Wat dacht je? Van rode wijn krijg ik bulten in mijn gezicht. Wat is het hier trouwens godvergeten koud, heb je een raam openstaan?'

Anne ging staan en liep naar de keuken.

'Het is kapotgewaaid', riep Annika haar na.

Anne kwam terug met een pak chardonnay, ze dronken van de wijn met ieder een plaid over zich heen.

'En verder?' vroeg ze.

Annika zuchtte, deed haar ogen dicht, leunde met haar hoofd in de nek tegen de rug van de bank.

'Ik heb ruzie gehad met mijn moeder. Ze houdt niet van me. Ik heb dat altijd geweten, maar het voelde verrekt klote om het haar te horen zeggen.'

Ze merkte hoe de pijn opsteeg in haar lichaam, liefdeloosheid had een eigen, unieke pijn.

Anne Snapphane keek sceptisch.

'Ik ken niemand die goed met zijn of haar moeder kan opschieten.'

Annika schudde het hoofd, ontdekte dat ze kon glimlachen, keek in haar wijnglas.

'Ik denk echt dat ze niet van me houdt. Eerlijk gezegd denk ik ook niet dat ik van haar hou. Is dat verplicht?'

Anne dacht na.

'Eigenlijk niet. Het hangt er natuurlijk van af hoe moeders zich gedraagt. Als ze het verdient, kun je van haar houden, als je het wilt. Van een verplichting kan nimmer sprake zijn. Anderzijds', zei Anne terwijl ze een vinger in de lucht stak, 'is men altijd verplicht van zijn kinderen te houden. Dat is een verantwoordelijkheid waar je nooit onderuit komt.'

'Ze vindt dat ik geen liefde verdien', zei Annika.

Anne Snapphane haalde haar schouders op.

'Ze heeft het mis. Dat toont aan dat ze niet goed bij haar hoofd is. Nu wil ik iets leuks horen. Is er niet iets grappigs gebeurd?'

De last werd lichter, Annika haalde opgelucht adem, glimlachte.

'Ik ben met een goed onderwerp bezig op het werk. Een extreem duistere stichting die mensen uitwist die met de dood bedreigd worden.'

Anne Snapphane nam een slok en trok haar wenkbrauwen op, Annika ging verder.

'Ik heb vandaag een gemeentevent ontmoet die zaken doet met die stichting. Als ik mij gedraag, zou ik daar een ingang kunnen hebben.'

'Was het een stuk?'

Anne Snapphane sloeg de wijn achterover en schonk haar glas opnieuw vol.

'Een echte droogkloot,' zei Annika, 'stortte een vloed aan ambtelijke blabla over me heen. Ik heb een poging gedaan hem wat te laten ontspannen, heb er een beetje omheen gebabbeld, maar het lukte voor geen meter. Het kan zijn dat hij nog nooit een journalist had ontmoet, hij was zo vreselijk gestrest...'

Anne draaide haar glas rond. 'O,' zei ze, 'ik durf er gif op in te nemen dat hij het warm kreeg van jouw tieten.'

Annika staarde haar vriendin aan.

'Jij bent niet goed wijs', zei ze. 'Een administrateur bij de sociale dienst?'

'Hij zal toch ook wel een penis hebben? En wat deed hij in de Vrijhaven?'

Annika kreunde, zette haar glas neer en ging staan.

'Je bent er niet helemaal bij. De Vrijhaven was eergisteren. Hij zit in Vaxholm. Wil je water?'

Ze haalde een kan en twee schone glazen. Per, het langharige stuk, was klaar met het weerbericht en een nieuw programma begon, een clubje vrouwen van middelbare leeftijd met enorme cultuurpretenties begon te discussiëren over iets volkomen zinloos. Annika zette de tv uit.

'Hoe is het met *Vrouwen op de bank*?'

Nu was het Anne's beurt om te kreunen.

'Michelle Carlsson, het nieuwe meisje, wil alleen maar de hele tijd in beeld. Ze doet bij iedere klus live commentaar en dat weigert ze eruit te knippen. Ze heeft voorgesteld dat we een panel laten opdraven in het programma waarin vrouwen dan over allerlei onderwerpen kunnen discussiëren, seks en zo, en daar moet zij natuurlijk ook bij zitten.'

'Heeft ze dat gezegd?' vroeg ze. 'Dat ze erbij moet zitten?'

Anne Snapphane kreunde weer.

'Nee, maar dat is wel duidelijk, dat is de reden dat ze het voorstelt.'

'Het is toch wel fijn dat er iemand is die in beeld wil', zei Annika. 'Ik zou het pertinent weigeren, 'k zou nog liever doodgaan.'

'Voor de meesten is het andersom', zei Anne Snapphane. 'Velen zouden over lijken gaan om een plekje in de ether te krijgen.'

Het tv-debat ging over de positie van de kunst, een vraag die bijna altijd actueel was.

'Mag ik het panel vragen,' zei de presentator, 'wat houdt het begrip kunst in voor jou?'

De eerste spreekster vormde onder het praten een cirkel met haar rechterhand.

'Een ononderbroken gesprek', zei ze zwaaiend.

'Goede kunst is kunst die urgent is, vernieuwing en substantie omvat, en het vermogen veel mensen te raken', zei de tweede vrouw terwijl ze haar linkerhand zijwaarts bewoog.

'Serieuze kunstenaars weerspiegelen hun tijd. Persoonlijk vind ik het goed dat er een discussie ontstaat, en het debat heeft aangetoond dat de kunst belangrijk is geweest', zei de derde met opgetrokken wenkbrauwen.

'Maar betekent dat dat kunst alleen maar belangrijk is omdat ze discussies uitlokt?' vroeg de presentator.

'Er zijn grenzen,' zette de derde uiteen, 'en je moet het van geval tot geval beoordelen. Als je de scheppers kent, weet je meestal hoe serieus ze zijn, maar je mag je ook niet vastbijten in je eigen oordelen. De conceptuele kunst, waarbij de ideeën achter de expositie de feitelijke essentie zijn, is...'

Thomas stond op van de bank.

'Ik haal een biertje, wil je ook?'

Eleonor antwoordde niet, liet met een geërgerde plooi in haar voorhoofd merken dat ze niet gestoord wilde worden. Met de culturele stemmen nog nagalmend in zijn oren liep hij de trap op.

'...actuele kunst heeft het in alle perioden wel een beetje moeilijk gehad. Misschien zaten de toeschouwers wel met kromme tenen toe te kijken toen Giotto di Bondone de religieuze schilderkunst van zijn tijd moderniseerde...'

Hij liep naar de koelkast, geen koud bier, zuchtte, ging naar de provisiekast en maakte een lauw pilsje open. Zocht de avondkranten maar kon ze niet vinden.

'Wil je niet kijken?' riep Eleonor.

Hij bleef een paar seconden op de keukenstoel zitten, nam een grote slok, kreeg prik in zijn neus, zuchtte, ging weer naar beneden.

'Het feminisme heeft het literatuurdebat en de condities van de literatuurgeschiedschrijving beïnvloed', zei de presentator. 'Heeft het ook de literatuur beïnvloed? En zo ja, op welke manier?'

Thomas ging weer op de bank zitten. De vrouw die het woord nam zag eruit als een peer, ze was de uitgeefster van een literatuurtijdschrift en braakte zo veel onzin uit dat Thomas in lachen uitbarstte.

'...bevorderden ze literair werk geschreven door vrouwen,' zei de peer, 'door er op een speciale manier aandacht aan te besteden. Ik herinner me een uitspraak van de Deense auteur...'

'Over jezelf serieus nemen gesproken!' riep hij uit.

'Stil, ik zit te luisteren, hoor.'

Hij stond gauw op en ging weer naar de keuken.

'Thomas, wat is er?' riep Eleonor hem na.

Hij kreunde zacht, graaide in zijn aktetas op zoek naar de avondkranten.

'Niets.'

Hier. Hij haalde ze eruit, verkreukeld, al bijna oud nieuws en niet meer interessant.

'Wil je het debat niet zien? Zaterdag, op de cultuurvereniging, gaan we erover praten.'

Hij gaf geen antwoord, begon met de *Kvällspressen.* Daar werkte ze. Hij had haar niet herkend, waarschijnlijk schreef ze geen reportages met van die fotootjes eronder.

'Thomas!'

'Wat?'

'Je hoeft niet tegen me te schreeuwen. Hebben we lege videobanden? Ik wil dit opnemen!'

Hij liet de krant zakken, kneep zijn ogen stijf dicht.

'Thomas?'

'Ik weet het niet! Jezus! Laat me nou even rustig lezen!'

Demonstratief sloeg hij de krant weer open. Een donker geklede, grote man staarde hem aan vanaf de krantenpagina, de leider van de een of andere sigarettenmaffia. Hij hoorde Eleonor beneden rommelen met de video en wist wat er zou gebeuren. Nog even en ze zou gaan schreeuwen en op het apparaat slaan, eisen dat hij het repareerde.

'Thomas!'

Hij smeet de krant weg en was in drie stappen beneden.

'Ja', zei hij. 'Ik ben hier. Zeg godverdomme wat je wilt dat ik doe, dan kan ik weer naar boven om even rustig die klotekrant te lezen!'

Ze staarde hem aan alsof ze een geest zag.

'Wat is er met jou? Je gezicht is helemaal rood. Ik heb alleen maar een beetje hulp nodig met de video, is dat misschien te veel gevraagd?'

'Je kunt ook zelf leren de knop in te drukken.'

'Nu moet je niet zo raar doen', zei ze onzeker. 'Zo mis ik het debat nog!'

'Een stelletje pretentieuze burgertrutten die elkaar bevredigen op tv, is dat iets om niet te missen?!'

Ze staarde hem met halfopen mond aan.

'Jij bent niet goed wijs', zei ze. 'Heel Zweden zou wegzinken in een eeuwigdurend cultureel schemerduister als deze vrouwen er niet zouden zijn! Ze representeren onze cultuur en formuleren die voor ons, formuleren ons hedendaagse maatschappijbeeld!'

Hij keek naar haar, zo geformuleerd, zo gerepresenteerd.

Maakte rechtsomkeert, pakte zijn jas en verliet het huis.

Op het moment dat Aida haar ogen opendeed, wist ze dat de koorts verdwenen was. Haar gedachten waren helder en puur, alle pijn was weg. Ze had dorst.

De vrouw van vanmorgen zat op een krukje naast haar.

'Wil je iets drinken?'

Ze knikte, de vrouw gaf haar een glas sinaasappelsap. Haar hand beefde toen ze het aanpakte, ze was nog steeds verzwakt.

'Hoe voel je je?'

Ze slikte en knikte, keek om zich heen. Een ziekenhuiskamer, een licht gevoel van onbehagen in haar rechterarm, een infuus. Ze was naakt.

'Veel beter, dank je.'

De vrouw stond op van haar kruk en boog zich over haar heen.

'Mijn naam is Mia', zei ze. 'Ik ga je helpen. We rijden vannacht al weg, dus probeer zo goed mogelijk uit te rusten. Wil je iets eten, heb je honger?'

Ze schudde het hoofd.

'Wat is dit?' vroeg ze terwijl ze met haar rechterarm zwaaide.

'Intraveneuze antibiotica', zei Mia. 'Je had een zware, dubbelzijdige longontsteking. Je moet nog tien dagen antibiotica slikken.'

Aida deed haar ogen dicht, veegde met haar linkerhand over haar voorhoofd.

'Waar ben ik?' fluisterde ze.

'In een ziekenhuis ver van Stockholm', zei Mia. 'Mijn man en ik hebben je hiernaartoe gereden.'

'Ben ik hier veilig?'

'Volkomen. De artsen zijn oude vrienden van mij. Je bent nergens geregistreerd, jouw dossier krijgen we mee als we weggaan. De man die achter je aan zit, vindt je hier nooit.'

Ze keek op.

'Dus je weet…?'

'Rebecka heeft het verteld', zei Mia en ze boog zich over haar heen. 'Aida', fluisterde ze. 'Vertrouw niet op Rebecka.'

DEEL TWEE

November

Geen mens is vrij van schuld.

Ook ik kan mijzelf niet vrijpleiten van de consequenties van mijn handelingen.

De verantwoordelijkheid in ogenschouw genomen, is het schuldgevoel niet op de juiste wijze verdeeld. Op het moment dat de last wordt toegewezen, bestaat er geen goddelijke rechtvaardigheid. Degene die het meest zou moeten voelen, kan zich meestal verdedigen, het onmenselijk zware laten dragen door hen met het grootste vermogen tot empathie. Ik doe daar niet aan mee.

Ik weet wat ik gedaan heb en ben niet van plan mij te schikken in de rol die mij wordt opgedrongen. Integendeel. Ik ben van plan mijn gereedschap te blijven gebruiken totdat ik mijn doel heb bereikt. Het geweld is een deel van mij geworden, het vernietigt mij, maar ik heb mijn destructie geaccepteerd.

Mijn schuld zit dieper, heeft dat deel van mijn ziel in bezit genomen waarover ik nog steeds beschik. Nooit kan ik het goedmaken, nooit kan ik mij verzoenen met mijn eigen fout.

Ik zal nooit absolutie kunnen ontvangen. Mijn verraad is even groot als de dood.

Ik heb geprobeerd ermee te leven. Dat is niet mogelijk, want in de gedachte zelf ligt de paradox.

Ik leef, daar ligt mijn schuld.

Er is maar één manier om daarvoor te boeten.

Donderdag 1 november

Het sneeuwde. Annika's voorkant en haren werden wit, vlokken bleven aan haar jas plakken. Op de grond losten ze snel op tot een brij van zout en water. Ze stapte in een plas en ontdekte dat haar schoenen lekten.

Burgerzaken van de stadsdeelraad lag in haar eigen straat, helemaal aan het eind, bij het Fridhemsplein, in het Tegeltraven-gebouw. Ze zag zichzelf gereflecteerd in de etalageruiten van het kantoor, zag eruit als een sneeuwpop. Achter de ruiten bevond zich een kleine expositie over een nieuw hotel dat zou worden gebouwd in het Rålambshovspark, halverwege de toerit naar de Essingeleden, standpunten met betrekking tot de bouw konden bij de gemeente worden ingediend.

Ze belde aan en werd binnengelaten, informatie overal. Ze verzamelde alle brochures over bejaardenzorg en bejaardenhuisvesting die ze maar kon vinden. Toen ze weer wegging, zag ze dat in het belendende pand een begrafenisonderneming gevestigd was.

Tussen de sneeuwvlokken door was de lucht helder en schoon. De geluiden werden gedempt, alsof ze in katoen waren gewikkeld. Ze nam de tijd om te luisteren, adem te halen, te voelen. Ze was uitgeslapen, haar gedachten waren helder en kalm.

Er was een uitweg. Alles zou goed komen.

Langzaam liep ze de trappen op naar haar appartement, haar blik gefixeerd op de treden. Daarom zag ze de vrouw niet die voor haar deur stond te wachten.

'Ben jij Annika Bengtzon?'

Ze hapte naar lucht, deed een stap opzij en viel bijna achterover van de trap.

'Wie ben jij?'

De vrouw kwam op haar af, stak haar hand uit.

'Mijn naam is Maria Eriksson. Het was niet mijn bedoeling je aan het schrikken te maken.'

Een lichte vorm van tunnelvisie maakte zich van Annika meester, instinctief nam ze een afwachtende houding aan.

'Wat wil je? En hoe heb je me gevonden?'

De vrouw lachte een beetje bedroefd.

'Je nummer staat in het telefoonboek, je adres ook. Er is iets waar ik met je over zou willen praten.'

'Wat dan?'

Irritatie.

'Het liefst niet in het trappenhuis.'

Annika slikte. Ze wilde niet, niet nu. Ze wilde op de bank zitten, onder een deken, theedrinken en de brochures over bejaardenhuisvesting bestuderen, de oplossing vinden, weer tot rust komen. Wat deze vrouw ook voor boodschap mocht hebben, het was niet haar probleem, daarvan was ze overtuigd.

'Ik heb geen tijd', zei Annika. 'Mijn oma is ziek, ik moet een plek vinden waar ze na haar beroerte kan revalideren.'

'Het is erg belangrijk', zei de vrouw ernstig.

Ze maakte geen aanstalten bij de deur weg te gaan.

Irritatie ging over in kwaadheid om daarna bliksemsnel om te slaan in angst. De vrouw die voor haar stond was niet van plan op te geven, ze boezemde respect in.

Aida, dacht Annika en ze deed een stap achteruit.

'Wie heeft je gestuurd?'

'Niemand', zei ze. 'Ik kom uit eigen beweging. Het gaat over stichting Het Paradijs.'

Annika staarde de vrouw aan, Maria Eriksson bleef kalm en beantwoordde haar blik, het wantrouwen bleef doormalen.

'Ik weet niet waar je het over hebt', zei ze.

Plotseling tekende zich wanhoop af op het gezicht van de vrouw.

'Vertrouw niet op Rebecka!' zei ze.

De nieuwsgierigheid sloeg toe, glashelder. Annika wilde er niet langer onderuit komen. Dit was haar probleem, een probleem dat ze zelf gekozen had.

'Kom binnen', zei ze. Ze liep naar de deur en draaide de sleutel om. Hing haar natte jas over de radiator in de slaapkamer, sloot de deur weer en trok haar broek en sokken uit. Pakte droge en schone spullen uit de kast, droogde haar haar met een handdoek en ging naar de keuken om water op te zetten.

'Wil je koffie, Maria? Of thee?'

'Je mag me Mia noemen. Nee, dank je.'

De vrouw ging op de bank in de woonkamer zitten. Annika zette een grote pot citroenthee en liep met het dienblad naar de woonkamer.

Maria Eriksson was geconcentreerd en gespannen.

'Jij hebt Rebecka Björkstig ontmoet, of niet?' zei ze.

Annika knikte en schonk zichzelf thee in.

'Weet je zeker dat je niets wilt?'

De vrouw hoorde haar niet.

'Rebecka loopt te verkondigen dat jij voor de *Kvällspressen* een groot artikel gaat schrijven over hoe goed haar organisatie is. Klopt dat?'

Annika roerde in haar thee, ergens achter de nieuwsgierigheid signaleerde ze een malend gevoel van onrust.

'Ik kan niets onthullen over wat de krant wel of niet zal publiceren.'

Plotseling begon de onbekende vrouw op de bank te huilen. Annika zette haar kopje op het schoteltje, onzeker.

'Alsjeblieft, schrijf niets voordat je weet hoe het in elkaar steekt', smeekte Maria Eriksson. 'Wacht met schrijven tot je alle feiten kent.'

'Dat doe ik natuurlijk ook', zei Annika. 'Maar de organisatie is extreem moeilijk te controleren. De stichting is namelijk zo geheim dat alle informatie via Rebecka loopt.'

'Ze heet geen Rebecka.'

Annika liet haar lepeltje in het kopje vallen, plotseling sprakeloos.

'Tot heel kort geleden heette ze anders, zoveel weet ik wel', ging Maria Eriksson verder. Ze pakte een papieren zakdoekje en droogde haar tranen. 'Maar ik weet niet precies hoe, Agneta nog wat geloof ik.'

'Hoe weet je dat dan?' vroeg Annika.

Maria snoot haar neus.

'Rebecka zegt dat ik uitgewist ben', zei ze.

Annika staarde naar de jonge vrouw op de bank, zo werkelijk en met zulke scherpe contouren. Uitgewist!

'Dus het werkt?' vroeg ze.

De vrouw stopte het zakdoekje in haar handtas.

'Nee', zei ze. 'Ik geloof helemaal niet dat het werkt. Dat is het probleem.'

'Maar jij bent uitgewist?'

Maria begon te lachen.

'Ik heb al een aantal jaren adresbeveiliging', zei ze. 'Ik sta al in geen eeuwen meer vermeld in bepaalde registers, maar dat heeft niets met Rebecka of Het Paradijs te maken. Ik heb de bescherming voor mijzelf en mijn gezin zelf geregeld. Het probleem is dat dat niet goed genoeg is, en daarom heb ik bij Het Paradijs aangeklopt.'

'Dus jij zit nog niet in de organisatie?'

'Over mijn geval is nog niet beslist, de sociale dienst in mijn gemeente heeft het contract nog niet goedgekeurd', antwoordde Maria Eriksson. 'Daarom zit ik nog niet echt in het systeem, maar door er een beetje buiten te staan, heb ik veel meer inzicht gekregen in hun activiteiten dan wanneer ik er echt bij betrokken was geweest.'

Annika reikte naar haar kopje, blies in de thee en probeerde haar indrukken op een rijtje te krijgen; angst, scepsis, spanning, verbazing. De vrouw was zo echt, zo blond, zo ernstig, haar ogen keken dwars door de dingen heen. Maar sprak ze de waarheid?

Ze merkte dat de verwarring de overhand kreeg.

'Sinds wanneer heb je contact met Het Paradijs?'

'Sinds vijf weken.'

'En je bent niet geaccepteerd?'

Maria Eriksson zuchtte.

'Dat komt door de sociale dienst. Ze onderzoeken of ze moeten betalen voor onze vestiging in het buitenland.'

'En dat gaat via Het Paradijs?'

De vrouw knikte.

'Rebecka wil zes miljoen om ons te helpen naar het buitenland te verhuizen. Ons geval is eigenlijk zonneklaar. De bestuursrechter heeft vastgesteld dat we in Zweden geen normaal leven kunnen leiden, je mag het vonnis lezen.'

Annika greep naar haar hoofd.

'Ik moet dit opschrijven. Is dat oké?'

'Zeker.'

Ze liep naar de hal, haar tas was nat, ze kiepte de inhoud op de grond, een doosje Tenor mintpastilles, maandverband, een verfrommeld treinkaartje, blocnote en pen, een zware gouden ketting.

De gouden ketting. Annika pakte het sieraad op, het cadeau van Aida. Ze was het vergeten.

Snel stopte ze alles weer in de tas, behalve haar blocnote en pen.

'Waarom word jij bedreigd?' vroeg ze toen ze weer plaatsnam op de bank.

Maria Eriksson glimlachte zwakjes.

'Ik neem denk ik toch maar een beetje thee, die ziet er zo lekker uit. Dank je. Het oude liedje, verliefd op de verkeerde vent. Ik had wel gedacht dat je ernaar zou vragen, ik heb m'n stukken meegenomen.'

Ze pakte een map met een pak papieren.

'Dit zijn kopieën. Je mag ze houden als je wilt, maar ik zou het waarderen als je ze op een veilige plek bewaart.'

Annika nam de map van haar aan. 'Vertel', zei ze.

'Poging tot wurging', zei Maria Eriksson terwijl ze suiker in haar thee deed. 'Bedreiging met een mes. Mishandeling. Verkrachting. Poging tot ontvoering van onze dochter. Vernieling van het huis, alles wat je maar kunt bedenken. Brandstichting. Zo kan ik nog wel een poosje doorgaan, en er is gewoon niemand die het iets kan schelen.'

Ze nam voorzichtig een slok. Annika voelde in haar binnenste een oude woede ontwaken.

'Ik weet hoe het kan zijn', zei ze. 'Waarom deed de politie niets?'

Maria glimlachte weer.

'Mijn ouders wonen nog in mijn oude woonplaats. Hij vermoordt ze als ik praat.'

'Hoe weet je dat hij niet bluft?'

'Hij heeft geprobeerd mijn vader dood te rijden.'

'Ik zal je papieren straks doornemen', zei Annika en legde ze op de vloer.

Ze wist niets meer te zeggen. Ze zou de stukken nauwgezet bestuderen, maar ze vermoedde dat ze zouden bevestigen wat Maria al verteld had. Ze geloofde deze vrouw. Er was iets echts aan haar. Misschien was het de angst.

Ze zaten een poosje in gedachten verzonken, het porselein rinkelde.

'Doet de organisatie überhaupt iets?' vroeg Annika.

Maria Eriksson knikte.

'Rebecka neemt betalingen in ontvangst, maar dat is in grote lijnen alles wat ze doet. Voorzover ik begrepen heb, is er geen sprake van uitwissen, het enige wat er gebeurt is dat Rebecka af en toe een gegevensblokkering in het bevolkingsregister aanvraagt voor een cliënt.'

'Wat is dat?' vroeg Annika.

Maria ging verzitten.

'Er bestaan een paar verschillende soorten bescherming voor bedreigde personen', zei ze. 'De eenvoudigste is een gegevensblokkering. In dat geval worden iemands persoonsnummer, adres en familierelaties in alle overheidsregisters als vertrouwelijk aangemerkt. Het enige wat in al die registers blijft staan, is de mededeling "persoonlijke gegevens beveiligd".'

Annika knikte, het datavenster van Rebecka.

'Dat is tamelijk ongebruikelijk, of niet?'

'Minder dan tienduizend personen in Zweden', zei Maria Eriksson. 'De beslissing om iemands gegevens te blokkeren wordt genomen door de directeur van het belastingkantoor in de plaats waar je staat ingeschreven. Om een gegevensblokkering te krijgen, moet er sprake zijn van een concrete bedreiging.'

'Heb jij een gegevensblokkering?'

'Nee, mijn gezin en ik hebben adresbeveiliging, dat is een omvangrijker en meer gecompliceerde bescherming. In dergelijke gevallen is er maar één persoon die weet in welk bevolkingsregister je staat geregistreerd, namelijk de chef van het belastingkantoor in de plaats waar je oorspronkelijk stond ingeschreven. Aan adresbeveiliging worden ook strengere eisen gesteld dan aan een gegevensblokkering, de bedreiging moet ongeveer even ernstig zijn als bij een straatverbod.'

'Hoeveel mensen in Zweden hebben adresbeveiliging?'

'Minder dan honderd', zei Maria.

Ze was inderdaad uitgewist, echt uitgewist.

'Zijn er nog andere manieren?'

'Je kunt natuurlijk een andere naam en een ander persoonsnummer nemen. Het laatste krijg je via de Rijks Politieraad die de Rijksdienst voor de Belastingen een nieuw persoonsnummer laat uitrekenen.'

Dit is iemand die weet waar ze het over heeft, dacht Annika.

'Heb jij een nieuwe identiteit aangenomen?'

Maria aarzelde, daarna knikte ze.

'Ik heb verscheidene namen gehad en een tijd lang ook een ander persoonsnummer, van maagd werd ik plotseling ram!'

Daar moesten ze beiden om lachen.

'Wat doet Rebecka nog meer?'

Maria Eriksson werd weer ernstig.

'Wat heeft ze gezegd dat ze doet?'

Annika dronk haar kopje leeg. Nu moest ze een beslissing nemen. Of ze vertrouwde deze vrouw, of ze schopte haar de deur uit. Ze koos voor de eerste optie.

'Zestig gevallen in drie jaar', zei ze. 'Twee keer vestiging in het buitenland, twee complete gezinnen, vijf fulltime medewerkers met een maandsalaris van veertienduizend kronen, alle contacten met de buitenwereld lopen via een systeem met referentienummers die verwijzen naar Het Paradijs, vierentwintig uur per dag contactpersonen, doorgeschakelde telefoons, panden in heel Zweden, de mogelijkheid overheidsbanen in andere landen te regelen, volledige medische verzorging, juridische bijstand, een allesomvattende hulpverlening.'

Maria slaakte een zucht en knikte.

'Dat is ongeveer hetzelfde als wat ze altijd vertelt. Ik verbaas me over de vestigingen in het buitenland, dat houdt ze meestal voor zich.'

'Dat deed ze ook, zo lang mogelijk.'

'Oké', zei Maria. 'De vijf medewerkers, dat zijn zijzelf, haar broer, zuster en ouders. Dat ze een salaris ontvangen staat vast, maar werken doen ze niet. Bij stichting Het Paradijs wordt überhaupt geen steek uitgevoerd. Haar moeder neemt soms de telefoon op, dat is alles.'

Er viel een stilte.

'De panden dan?'

Maria schoot in de lach.

'Ze hebben een bouwval in Järfälla, dat is waar wij wonen. Daar staat ook de telefoon. Die gaat soms over wanneer Rebecka een nieuwe zaak heeft gekregen. Er zit dan ergens een stakker eindeloos en wanhopig te bellen zonder dat er iemand opneemt...'

Annika schudde het hoofd.

'Dus het is allemaal gelogen, ieder woord?'

Maria Eriksson knipperde met haar ogen, ze stonden vol tranen.

'Ik weet het niet', zei ze. 'Ik weet niet wat er met de anderen gebeurt.'

'De anderen?'

De vrouw boog naar voren, begon te fluisteren.

'De anderen die bij Het Paradijs aankloppen, ik weet niet wat er van hen terechtkomt! Ze komen, zijn er even en verdwijnen weer!'

'Wonen ze niet in het huis?'

Maria Eriksson begon weer te lachen.

'Nee, alleen wij wonen daar, we huren een kamer van haar, betalen zwart. Ze denkt dat ze bakken met geld aan ons gaat verdienen, omdat onze zaak zo helder als glas is, dat is ook de reden dat wij daar mogen wonen. Maar inmiddels heb ik wel door hoe ze is. Als onze sociale dienst het geld uitbetaalt, neem ze het in ontvangst en gaat ze ermee vandoor. Wij zouden er geen öre van krijgen.'

Ze liet haar hoofd op haar handen rusten.

'En ik geloofde haar! Ik ben van de regen in de drup gekomen!'

Annika dacht plotseling aan de gemeenteman in Vaxholm gisteren, Thomas.

'Je moet het tegen je gemeente zeggen', zei ze.

De vrouw pakte een schoon zakdoekje.

'Ik weet het. We moeten andere woonruimte vinden, mijn man heeft een zomerhuisje op het oog. Zodra we het groene licht hebben gekregen, gaan we ervandoor, en dan vertel ik mijn verhaal aan de gemeente. Ik kan niets zeggen zolang we in het huis van de stichting wonen.'

'Hoelang denk je dat het gaat duren?'

'Een paar dagen, uiterlijk tegen het weekend.'

Annika dacht na.

'Dat Rebecka zelf bedreigd is, heb je daar iets over gehoord?'

Maria zuchtte.

'Rebecka beweert dat de maffia jacht op haar maakt, ik zou niet weten waarom. Het lijkt me een beetje vergezocht. Wat zou ze gedaan moeten hebben?'

Annika haalde haar schouders op.

'Weet jij wat er met al dat geld gebeurt?'

Maria schudde haar hoofd.

'Ik kom het kantoor niet in. Ze heeft haar papieren in een van kamers op de benedenverdieping, de deur zit altijd op slot. Maar ze krijgt een hoog salaris, eind vorige week vond ik een loonstrookje bij de vuilnis.'

Annika rechtte haar rug. Loonstrookjes, dat betekende rekeningnummer, persoonsnummer, een heleboel informatie.

'Heb je dat bij je?'

'Ja, inderdaad, ik geloof het wel...'

Ze rommelde wat in haar handtas en vond een verkreukeld stuk papier, verkleurd door koffiedik.

'Het is niet al te fris', zei ze verontschuldigend toen Annika het aanpakte.

Alles stond erop. Bankrekeningnummer, persoonsnummer, adres, belasting, alles, behalve het organisatienummer van stichting Het Paradijs. Ze werd goed betaald, vijfenvijftigduizend kronen per maand.

'Het bankrekeningnummer is van de Förenings-spaarbank,' zei Maria, 'het adres is hetzelfde als dat van Het Paradijs, de postbus in Järfälla.'

'Wat is het straatadres?' vroeg Annika.

Maria vertelde het haar.

De vergadering van elf uur ging zoals gebruikelijk te weinig over de dag daarvoor en te veel over wat er in de toekomst moest gebeuren. De visioenen die de nieuwschefs hadden van de krant van de volgende dag waren vaak regelrechte luchtkastelen, eenzijdige en vergezochte invalshoeken die ervan uitgingen dat mensen zouden praten, dat ze schandalen zouden bevestigen of ontkennen, zouden vertellen over het verdriet, de pijn, de slechte behandeling of het onrecht dat hun was overkomen. Catastrofes werden erger afgeschilderd dan ze waren, uiteenzettingen versterkten de al bekende feiten over het privé-leven van beroemdheden. De consequenties van nieuwe politieke voorstellen werden versimpeld en het publiek werd steevast als 'winnaar' of als 'verliezer' gekarakteriseerd.

Anders Schyman zuchtte, zo ging dat nu eenmaal in deze branche. Overenthousiaste nieuwschefs waren niet alleen een kenmerk van de *Kvällspressen*. Hij kende het fenomeen van de publieke omroep waar hij zo lang gewerkt had, hoewel ze daar een iets andere invalshoek hadden. Degene die de werkzaamheden plande, moest altijd uitgaan van het best mogelijke resultaat. Wat de *Kvällspressen* betreft kon dat een tv-persoonlijkheid zijn die zijn enkels brak bij de *Ontsnapping uit Fort Boyard*, voor een actualiteitenprogramma op tv was dat een machthebber die zich stotterend belachelijk maakte. Op dit moment zette Ingvar Johansson uiteen hoe hij zich het vervolg voorstelde op de geslaagde campagne met de gehandicapte jongen die tegenover de gemeente in het gelijk was gesteld. Taart en bloemen, geen champagne, een grote foto met in het midden de jongen die door al zijn familieleden omhelsd werd. Een middenblad, hadden ze gedacht, de slagzin 'Wanneer de *Kvällspressen* ingrijpt!' was al op de pagina geplaatst.

'Weten we of de familie mee wil doen?' vroeg Schyman.

'Nee,' zei Ingvar Johansson, 'maar dat regelt de verslaggever. Dat is Calle Wennergren, dus daar hoeven we ons geen zorgen over te maken.'

Iedereen knikte waarderend.

'Het verhaal over de moorden in de Vrijhaven krijgt een staartje', zei Sjölander. 'Een bejaarde man, een oriëntatieloper in de klasse oudere old boys, heeft gisteren de vrachtwagen gevonden waar de lading sigaretten in gezeten heeft. De wagen was compleet uitgebrand, stond in een soort ravijn op de grens van Östergötland, Södermanland en Närke.'

'Misschien een nicotineverslaafde', zei Foto-Pelle, gelach hier en daar.

'Er zaten twee lijken in de cabine', zei Sjölander zonder een spier te vertrekken. 'Het forensisch-geneeskundig onderzoek is nog niet afgerond, maar de politie is inmiddels verrekte zenuwachtig. Het lijkt erop dat de slachtoffers gemarteld zijn voordat ze stierven. Alle botten in hun lichaam zijn kapotgeslagen. De commissaris waar ik mee gesproken heb, had nog nooit zoiets vreselijks gezien.'

Het werd stil in de kamer. De airconditioning suisde.

'Waar kan de politie mee naar buiten komen?' vroeg Schyman.

Sjölander bladerde in zijn aantekeningen.

'De exacte vindplaats ligt in een ontoegankelijk bosgebied ten noorden van Hävla, in de gemeente Finspång. Er is daar een bedroevend slecht bospad dat langs de breuk loopt waar de vrachtwagen gevonden is. Ze hebben interessante vondsten gedaan. Afgezien van die van de trailer hebben ze wat bandensporen gevonden die verrekte bijzonder zijn. Van een type winterband dat geen spikes nodig heeft. Brede, Amerikaanse zijn het, ze worden slechts door een klein aantal automerken gebruikt, we hebben het dan over personenauto's die tevens geschikt zijn voor zwaar terrein, van het type Range Rover of de grootste modellen van de Toyota Land Cruiser. De politie heeft het wrak inmiddels weggehaald, dat was blijkbaar nog niet eenvoudig, en ze willen graag dat we de mensen oproepen om zich te melden als ze iets gezien hebben.'

'Hoe hebben ze die vrachtwagen in dat ravijn gekregen?' vroeg Ingvar Johansson.

Sjölander slaakte een zucht.

'Ze hebben hem er natuurlijk naartoe gereden, ze hebben er een dag voor geprikt dat de grond bevroren was. De eigenaar van het land is er vast niet zo gelukkig mee, ze hebben zo'n honderd boompjes langs de weg verpletterd.'

'Wie zitten erachter?' vroeg Schyman.

'De Joegoslavische maffia', zei Sjölander. 'Zo klaar als een klontje. En het eind van dit verhaal is nog niet in zicht. De mannen in de auto kunnen niet gepraat hebben, als ze dat gedaan hadden, waren ongetwijfeld een paar botten heel gebleven. Die types van wie de sigaretten zijn, zullen hersens blijven inslaan totdat ze de lading terugvinden. Wie daar iets vanaf weet, is per definitie de sigaar.'

'Wat weten jullie nog meer van de Joegoslavische maffia?' vroeg Schyman. 'Dingen die we niet kunnen publiceren, bedoel ik.'

'Men denkt dat de Servische regering erachter zit,' zei Sjölander, 'maar dat heeft nog nooit iemand kunnen bewijzen. Aangezien er met al hun operaties zulke enorme bedragen gemoeid zijn, denkt men dat de staat ze gesanctioneerd heeft. Daarom zijn er ook geen verraders die een bepaalde mate van overzicht hebben, een totaalbeeld. Iedereen die alles weet, bevindt zich binnen de gelederen van óf vlak in de buurt van de regering in Belgrado, het zijn de politiechefs, de hoogste militairen.'

'Is het gevaarlijk om hierin te wroeten?' vroeg Schyman.

Sjölander aarzelde.

'Niet direct', zei hij. 'Schrijven over de moorden zelf is tamelijk onschuldig. Daar zijn ze op voorbereid. Je moet niet vergeten dat dit business is, voor die oplichters is dit een gewone kantoordag. Je moet ze alleen geen loer draaien. Je moet hun smokkelwaar niet stelen, en je moet niet weten wie het gedaan heeft.'

Ze gingen ongemerkt over op de andere onderwerpen, maar Anders Schyman was er niet helemaal bij met zijn hoofd. Een discussie als deze hadden ze nog maar zelden gehad. Opluchting en tevredenheid vulden zijn maagstreek. Hij had zich zorgen gemaakt na de confrontatie van gisteren, maar nu wist hij het zeker.

Hij had gewonnen.

De overgang van oktober naar november was altijd hectisch. Het gemeentebestuur behandelde het budget in oktober, de gemeenteraad deed dat in november. Nou ja, als hij eerlijk was, meestal was het al een paar dagen december. Letterlijk ieder kinderdagverblijf in de gemeente had gebeld om te vragen of het klopte dat er nog drieduizend kronen op hun rekening stond, en ondertussen probeerde hij het laatste kwartaalverslag af te ronden.

Toch kon hij zich niet concentreren. Hij maakte zich oprecht zorgen over zijn eigen uitbarstingen. De journaliste gisteren had gevraagd of hij misschien een burn-out had en sindsdien had hij verschillende keren aan die opmerking gedacht. Maar hij had helemaal geen reden om afgebrand te zijn, hij deed precies hetzelfde als wat hij de afgelopen zeven jaar had gedaan, hij woonde met dezelfde vrouw in hetzelfde huis, ging naar hetzelfde werk.

Het was iets anders. Hij wilde het niet voor zichzelf formuleren omdat het zulke ingrijpende consequenties zou hebben.

De waarheid was dat hij meer met zijn leven wilde. Zo was het, daar had je het dan toch. Hij wilde verder, dit werk had hij nu wel onder de knie. Hij wilde naar de stad, hij wilde naar de bioscoop en het theater zonder zich een ongeluk te hoeven plannen, wilde naar huis wandelen door straten met hoge huizen en Indiase restaurants en mensen die hij niet kende.

Gisteravond had hij uren door Vaxholm gewandeld, straat in straat uit. Hij kon iedere straatsteen dromen. Hij had een poosje bier zitten drinken in een groezelig restaurant, maar was weggegaan toen een groepje zestienjarigen met veel kabaal was komen binnenstormen. Toen hij thuiskwam, was het al middernacht geweest. Hij had gehoopt dat Eleonor wakker zou zijn, zodat ze konden praten, maar ze sliep met het laatste nummer van *Moderne Tijden* naast zich op het nachtkastje.

De telefoon ging weer. Hij weerstond een impuls het snoer kapot

te trekken en het apparaat tegen de muur te smijten.
'Ja?!' brulde hij.
'Thomas Samuelsson? Je spreekt met Annika Bengtzon, de journaliste van gisteren. Ik heb het een en ander ontdekt over stichting Het Paradijs. Heb jij het organisatienummer boven water gekregen?'
Hij kreunde.
'Ik ben eerlijk gezegd met andere dingen bezig geweest', zei hij.
'Wat goed', zei ze, 'dat je doet wat je hoort te doen. Dan ben je er misschien ook achter gekomen dat Rebecka Björkstig vroeger heel anders heette, dat de stichting haar hoofdkwartier heeft in een bouwval in Järfälla, dat er geen medewerkers zijn, en dat er überhaupt niets gebeurt, behalve dan dat er geld binnenkomt?'
Hij zocht naar iets om te zeggen.
'Is dat waar?'
De journaliste zuchtte aan de andere kant van de lijn.
'Daar lijkt het op. Ik weet het nog niet voor de volle honderd procent, maar ik heb Rebecka's persoonsnummer te pakken gekregen, en ik wou haar nachecken bij de Dienst Beslagleggingen in Sollentuna. Over een kwartier stap ik op de pendeltrein. Als je geïnteresseerd bent in wat ik weet, kun je daar naartoe komen.'
Hij keek hoe laat het was, hij zou drie vergaderingen moeten afzeggen.
'Ik weet niet of het lukt', zei hij.
'Je moet het zelf weten', zei de journaliste. 'Als je komt, neem dan het organisatienummer van Het Paradijs mee.'
Ze legde neer. Hij sloeg de map die voor hem lag dicht en liep naar de kamer van de medewerkster die ging over de kwestie met de vrouw uit Bosnië, Aida Begović. Zijn collega had een cliënt op bezoek, een jongeman met een kaalgeschoren hoofd die aan zijn pukkels zat te friemelen. Desondanks stapte Thomas het kantoor binnen.
'Ik heb het nummer van Het Paradijs nodig', zei hij.
De vrouw achter het bureau deed haar best zich te beheersen.
'Ik ben bezig', zei ze met nadruk op ieder woord. 'Wil je alsjeblieft mijn kamer verlaten?'
'Nee', zei Thomas. 'Ik heb het nummer nodig. Nu.'
De ambtenaar kreeg een kleur.
'Nu moet je werkelijk...'

'Meteen!' bulderde Thomas.

Ze ging verschrikt staan, pakte een map en reikte hem die aan, opengeslagen.

'Helemaal rechts bovenaan', zei ze kortaf.

'Waarschuw me zodra je een factuur binnenkrijgt', zei Thomas. 'Sorry dat ik stoorde.'

Nam de map aan en ging. Schreef het nummer op een Post-it-plakkertje, deed dat in zijn portefeuille, pakte zijn jas en verliet zijn kamer. Hij had de auto niet bij zich, moest naar huis om hem te halen.

'Ik ben de rest van de dag weg', riep hij op weg naar buiten tegen de vrouw bij de receptie.

Toen hij de helling van de Östra Ekuddsvägen opliep, besefte hij plotseling dat hij niet wist waar de Dienst Beslagleggingen in Sollentuna gevestigd was. Hij moest naar binnen om het op te zoeken in het telefoonboek, Tingsvägen 7, jezus, waar was dat? Hij scheurde bladzijde 20 met het kaartje uit de Gouden Gids en rende naar zijn auto.

Zodra hij de E18 opreed, werd het een stuk drukker, en op rijksweg 262 stond het verkeer bij Edsberg helemaal stil, een of ander ongeluk, van frustratie gaf hij een klap op het stuur. Ten slotte bereikte hij via de Sollentunavägen het centrum, de dienst lag vlak achter het jaarbeursgebouw, was gevestigd in een geelachtige flat die gedeeld werd met de politie en andere gerechtelijke instanties. Hij zette zijn auto op een gereserveerde plaats en nam de lift naar de vijfde verdieping.

Ze was er al, zat aan een tafel in een bezoekersruimte achter grote stapels computeruitdraaien, het haar in golven, alsof ze het had laten drogen zonder het te kammen. Wees met een snelle beweging op de stoel naast haar.

'Moet je kijken', zei ze. 'Als het persoonsnummer klopt, dan heeft onze vriendin de afgelopen vijf jaar niet één rekening betaald. Vermoedelijk daarvoor ook niet, maar die schulden staan niet meer in de computer. Die staan op microfiche.'

Hij staarde naar de bergen papier.

'Wat is dit?'

Annika Bengtzon ging staan.

'De akten van Rebecka Björkstig in het invorderingenregister van de dienst', zei ze. 'Honderdzeven stuks. Wil je koffie?'

Hij knikte en ontdeed zich van zijn jas en sjaal.

'Met melk graag.'

Ging zitten en begon lukraak door de uitdraaien te bladeren. Het werd niet duidelijk wie zich deze ellende op de hals had gehaald, het enige wat er stond was 'Persoonsgegevens geblokkeerd', maar de schulden zelf waren niet vertrouwelijk, ze waren gecatalogiseerd in rubrieken, algemeen en specifiek, enorme aantallen schulden bij overheidsinstanties, particuliere ondernemingen, privé-personen. Onbetaalde naheffingen van de Belastingdienst. Parkeerboetes. Boetes voor overtreding van de rijbewijswet. Onbetaalde Ikea-meubels, huurauto, vakantiereis, lening bij een bank, schulden op haar Konsum-kaart, Visa-kaart, Ellos-kaart, Eurocard...

Jezus! Hij bladerde verder.

...niet afbetaalde studieschuld, kijk- en luistergeld niet betaald, lening van een particulier genaamd Andersson, schulden vanwege een gehuurde tv van Thorn...

'Er is geen melk', zei ze. Ze zette een bruin plastic bekertje op de uitdraai die hij op dat moment zat te lezen. Ze had het witte verband van haar vinger gehaald en het vervangen door een pleister.

'Mijn god', zei hij. 'Wanneer ben je hierachter gekomen?'

Ze ging naast hem zitten en slaakte een zucht.

'Vanmorgen. Een bron gaf mij een persoonsnummer dat vermoedelijk het nummer van Rebecka is. Ik durf er geen gif op in te nemen dat het juist is, aangezien Rebecka gegevensblokkering heeft in het bevolkingsregister, maar voorlopig ga ik ervan uit dat het klopt. Hoewel ze nog maar dertig is, heeft ze zich al flink in de schulden gestoken. En dit is nog maar het begin. De receptionist is bezig navraag te doen bij de Rijksdienst voor Patenten en Registraties om te kijken of er misschien ook faillissementen zijn. Heb je het organisatienummer?'

Hij pakte zijn portefeuille en gaf haar het Post-it-plakkertje.

'Ik ben zo terug', zei ze.

Hij nam een slokje koffie, tamelijk slap, was te drinken zonder melk. Probeerde zijn gedachten op een rij te krijgen.

Wat betekende dit eigenlijk?

Dat die dame een ramp was voor wat betreft het betalen van rekeningen, had eigenlijk niets met de kwestie te maken. Ze kon desondanks natuurlijk goed zijn in het uitwissen van mensen. Maar de hoeveelheid, de enorme aantallen, de consequent doorgevoerde strategie om nooit maar dan ook nooit iets te betalen, was een aanwijzing voor wat er ging komen.

Hij dronk zijn koffie op, smeet het bekertje in de prullenmand, bladerde verder.

...schulden bij American Express, lening bij geldverstrekker Finax, onbetaalde boetes voor te hard rijden, schulden bij een verzekeraar, onbetaalde elektriciteitsrekeningen, telefoonrekeningen, wegenbelasting...

De meeste schulden waren afgeschreven, wat inhield dat ze op een bepaalde manier waren afgehandeld, door loonbeslag, beslag op activa of door faillissement.

Waar bleef Annika Bengtzon?

Hij liep de kamer uit. Toen hij de hoek omging op weg naar de receptie, botste hij tegen haar op. Hij voelde haar borsten.

'Shit', zei ze en ze struikelde, liet een stapel papieren op de grond vallen.

Hij ving haar op, hielp haar overeind. Kreeg een kleur.

'Sorry', zei hij. 'Dat was niet de bedoeling.'

Ze bukte zich en graaide de papieren bij elkaar.

'Moet je eens kijken', zei ze. 'Die meid is al op alle mogelijke manieren failliet gegaan, twee persoonlijke faillissementen in vier jaar, faillissement van NV, faillissement van handelsvennootschap, faillissement van een commanditaire vennootschap. Stichting Het Paradijs heeft enorme schulden, auto's, tv's, twee panden op afbetaling waar nooit een öre voor gedokt is...'

Ze liep de kamer weer in en hij volgde haar.

'De vraag is wat dit betekent', zei ze terwijl ze ging zitten. 'Het hoeft natuurlijk niet in te houden dat Rebecka Björkstig een schurk is, maar je krijgt er ook niet meteen een lekker gevoel bij.'

Hij staarde haar aan, precies hetzelfde had hij een paar minuten geleden gedacht. Ging naast haar zitten en pakte de uitdraaien van de Rijksdienst voor Patenten en Registraties, noteerde de data van schulden en faillissementen, wanneer nieuwe ondernemingen geregistreerd werden en wanneer ze ophielden te bestaan.

'Volgens mij zit er een patroon in', zei hij. 'Kijk maar. Ze begint een onderneming, koopt een hoop spullen, sluit grote leningen af en gaat vervolgens failliet. Steeds maar weer opnieuw. Gaat dan persoonlijk failliet en daarna nog een keer. Ten slotte lukt het niet meer. Niemand leent haar nog een öre. In plaats daarvan begint ze een stichting. Die kan op geen enkele manier met haar in verband worden gebracht. De oprichters zijn compleet andere personen, misschien bestaan ze niet eens.'

Annika volgde zijn vinger die de ene post na de andere aanwees.

'Daarna was het weer hoog tijd om te gaan shoppen', zei ze en ze hield de schulden van Het Paradijs omhoog. 'Kijk maar, vier maanden geleden begon ze weer leningen af te sluiten.'

'Vermoedelijk is de stichting niet ouder dan dat', zei Thomas.

'Daar gaan onze drie jaar en zestig gevallen', zei Annika.

Ze zaten een poosje zwijgend naast elkaar, lazen, bladerden. Toen ging de journaliste staan en begon de paperassen te verzamelen.

'Ik moet praten met de inspecteur beslagleggingen voordat hij straks naar huis gaat', zei ze. 'Heb je tijd om nog even te blijven?'

Hij keek op zijn horloge. Zijn derde vergadering zou net beginnen.

'Ja, dat is geen probleem.'

Ze liepen door een lange rijksdienstgang, op de grond donkerblauwe vloerbedekking die de geluiden en het stof opzoog. Annika Bengtzon liep voor hem uit naar de op een na laatste deur.

'Hallo,' zei ze toen ze binnenstapte, 'hier ben ik weer. Dit is Thomas Samuelsson, administrateur van de sociale dienst in Vaxholm.'

De inspecteur had zijn mappen voor zich liggen.

'Heb je gevonden wat je zocht?' vroeg hij.

Annika zuchtte.

'En meer dan dat. Je kunt je niet herinneren of je die naam wel eens bent tegengekomen, Rebecka Björkstig?'

Hij schudde zijn hoofd.

'Ik heb erover nagedacht,' zei hij, 'maar er gaat geen belletje rinkelen.'

'Dit dan?' vroeg ze en ze schoof hem de uitdraaien toe die betrekking hadden op de schulden van stichting Het Paradijs.

De man zette zijn bril op en liet zijn blik over de pagina gaan.

'Jawel,' zei hij terwijl hij wees naar iets wat ergens onderaan de pagina stond, 'dit herken ik. Ik heb vorige week met de eigenaar van deze voertuigen gepraat, dat was een autobedrijf, ze waren nogal wanhopig. Ze krijgen de persoon die de auto's geleast heeft maar niet te pakken, ze hebben zelfs nog geen öre aanbetaling ontvangen.'

'Hoe kan het dat ze auto's meegeven zonder aanbetaling?' vroeg Thomas.

De inspecteur keek hem aan over de rand van zijn bril.

'Ze zeiden dat de vrouw zo geloofwaardig overkwam. Weet jij waar deze tante uithangt?'

Het laatste vroeg hij aan Annika.

'Nee', zei ze naar waarheid. 'Ik heb het adres van een van de panden van de stichting, maar daar woont ze niet. Die gegevens zouden te vinden moeten zijn bij de hypotheekbank die haar geld geleend heeft voor de huizen.'

Annika Bengtzon gaf hem de uitdraaien.

'Wat kun jij voor conclusies trekken op grond van al deze schulden?'

De inspecteur zuchtte.

'De mensen hebben het slechter gekregen,' zei hij, 'we krijgen steeds meer werk, dat verricht moet worden met steeds minder medewerkers. Maar bij deze dame is er geen sprake van nieuwe armoede, ze is geen Jannie Modaal die achter geraakt is met haar afbetalingen, ze is een notoire, pathologische schuldenmaakster.'

'Je herkent het type?' vroeg Annika.

De man zuchtte nog een keer. Ze bedankten hem en verlieten de kamer.

'Nu ben ik het zat voor vandaag', zei de journaliste toen ze op weg waren naar de receptie. Ze geeuwde, rekte zich uit, stak haar armen in de lucht. 'Ik moet naar huis, ik moet m'n oma bellen.'

Thomas keek naar haar, zachte lokken, intelligent voorhoofd.

'Nu al?'

Ze glimlachte.

'Time flies', zei ze. 'Zullen we kopieën maken voor jou?'

Ze liep naar de receptie. Hij bleef staan, zijn hoofd was leeg, zijn penis stijf.

'Kan ik je ergens naartoe rijden?' riep hij haar na.

Ze keek hem over haar schouder aan.

'Graag', zei ze.

Hij ging naar de wc, waste zijn handen en spoelde zijn gezicht af, probeerde te ontspannen.

Ze wachtte op hem bij de entree, zijn kopieën zaten in een plastic map.

'Jeetje', zei hij. 'Wat ben jij efficiënt!'

'Ik niet, hoor', zei ze. 'Mijn nieuwe vriend.'

Hij volgde het niet.

'Wie?'

'De receptionist! Waar heb je je auto?'

Het was een tamelijk nieuwe Toyota Corolla, een groene, hij zat goed in de was, had alarm en centrale vergrendeling, bliep, bliep. Thomas had de wagen op de plaats van iemand anders neergezet en deze persoon had een geërgerd briefje achtergelaten, hij trok het weg, verfrommelde het en smeet het in een papierbak die drie meter verderop stond, raak. Zijn haar viel in zijn gezicht, hij veegde het naar achteren met een gebaar waarvan hij zich niet bewust was. Donkergrijze overjas, duur pak, stropdas.

Annika bestudeerde hem uit haar ooghoek, breed in de schouders, snelle en soepele bewegingen. Het was haar nog niet eerder opgevallen hoe hij bewoog, ze had hem alleen nog maar achter bureaus en in stoelen zien zitten, had niet gezien dat hij zo helder en concreet was.

Ex-sportman, dacht ze. Genoeg geld. Gewend om ruimte in te nemen.

Hij smeet zijn aktetas op de achterbank.

'Het portier is open', zei hij.

Ze ging op de passagiersstoel zitten en wierp een blik naar achteren, ondanks de trouwring geen kinderzitjes. Propte haar tas naast haar voeten. Hij startte de auto, de blower begon te zoemen.

'Waar woon je?'

'Midden in de stad. Hantverkargatan.'

Toen hij achteruit het parkeervak uitdraaide, legde hij zijn arm achter haar hoofd langs. Haar mond werd een beetje droog.

'De Klarastrandsleden is op deze tijd van de middag één grote ramp', zei ze. 'Via Hornsberg rijden is over het algemeen de enige optie...'

Terwijl ze zwijgend naast elkaar zaten, ontdekte ze een nieuw gevoel, een ander soort stilte. Hij had smalle, sterke handen, schakelde vaak, reed tamelijk snel. Zijn haar wilde maar niet blijven zitten, viel naar voren, licht en glanzend.

'Woon je al lang in Kungsholmen?' vroeg hij en hij gluurde naar haar, er was iets in zijn blik, ze zag het, voelde het.

'Twee jaar', zei ze en ze keek recht vooruit, haar wangen begonnen plotseling te gloeien. 'Een driekamerappartement op de bovenste verdieping. In het gedeelte achter de binnenplaats.'

'Duur?' vroeg hij.

Ze begon te lachen, in zijn wereld kocht je je huis.

'Ik heb een huurcontract dat loopt totdat ze met de renovatie beginnen', zei ze. 'Ik heb geen centrale verwarming, warm water, lift of toilet.'

Hij wierp een snelle blik op haar.

'Echt?'

Ze lachte weer, warm vanbinnen.

'Maar je hebt wel tv?'

'Natuurlijk', zei ze. 'Maar geen kabel.'

'Heb je gisteren het cultuurdebat op 2 gezien?'

Ze keek aandachtig naar hem, waarom had zijn stem plotseling die scherpe toon?

'Een paar minuten', zei ze aarzelend. 'Om eerlijk te zijn, ik heb het afgezet. Ik weet dat het belangrijk is wat die vrouwen doen, maar ik vind ze zo verschrikkelijk categorisch. Alles wat geen cultuurelitarisme of megapretentie is, is waardeloos. Ik word zo moe van die instelling, van het feit dat ze zichzelf beter vinden dan de rest van de wereld.'

Hij knikte enthousiast.

'Heb je haar gezien, die met dat literatuurtijdschrift? Dat mens dat praatte als een kip zonder kop?'

'Het perenhoofd? Haar heb ik vooral gehoord.'

Ze lachten wat.

'Dus jij bent geen lid van een culturele vereniging?' vroeg hij en hij gluurde naar haar, het haar weer in zijn ogen.

'Ik ga naar de hockeywedstrijden van Djurgården,' zei ze, 'als dat tenminste tot de cultuur gerekend mag worden.'

Hij vergat de rijbaan even en keek haar verbaasd aan.

'Dus je houdt van ijshockey?'

Ze keek naar haar handen.

'Gedurende een groot aantal jaren ging ik iedere week naar bandy kijken, dat was leuk, maar je krijgt het zo verrekte koud. Hockey is beter, het is er wat warmer. Het is gemakkelijk om kaartjes te krijgen voor de series, alleen met de play-offs pleegt de Globe stampvol te zitten.'

'Heb je de finales van afgelopen voorjaar gezien?' vroeg hij.

'Stond bij de trouwe supporters', zei ze en ze hief haar linkervuist, scandeerde tegen het autodak: 'Hardy Nilssons ijzervreters! Hardy Nilssons ijzervreters!'

Hij lachte, een lach die algauw wegstierf en een weemoedige toon in zijn stem achterliet. Ze keek hem aan, zijn melancholie verbaasde haar.

'Ben jij Djurgård-fan?'

Hij haalde een luchthavenbus in.

'Ik heb gehockeyd tot ik achttien was, in Österskär', zei hij. 'Ben gestopt omdat ik het aan de stok kreeg met de trainer, bovendien wilde ik me op mijn studie concentreren.'

Zijn profiel tekende zich scherp af tegen de zijruit van de auto, Annika slikte, draaide haar hoofd weg en keek de andere kant op. Voelde haar wangen gloeien, een tinteling tussen haar benen. Rechts zweefde het Karolinska Instituut voorbij, een licht gevoel van paniek overviel haar, ze waren er bijna, nog even en hij was weg, misschien zou ze nooit meer met hem praten.

'Hoelang woon jij al in Vaxholm?' vroeg ze, een beetje te ademloos.

Hij zuchtte diep, om de een of andere reden maakte haar dat blij.

'Eeuwig', zei hij.

Ze keek hem van opzij aan, zag ze daar niet een grimmige trek bij zijn mondhoeken?

'Ben je het zat?' vroeg ze.

Hij wierp haar een aarzelende blik toe.

'Hoezo?'

Ze keek recht voor zich uit.

'Het dorp lijkt me niet meteen te bruisen van de rock-'n-roll', zei ze. 'Het doet me denken aan de plaats waar ik vandaan kom, Hälleforsnäs.'

'Ook weinig rock daar?'

Ze deed een voorzichtige poging.
'Ben je getrouwd?'
'Twaalf jaar inmiddels.'
Ze bestudeerde opnieuw zijn profiel.
'Dat moet kinderroof geweest zijn', zei ze.
Hij lachte.
'De verdenking is naar voren gebracht. Moet je er hier uit?'
Ze slikte. Shit.
'Ja, dat is prima.'
Hij remde krachtig af en wierp daarbij een blik in de achteruitkijkspiegel, Annika begreep dat hij lette op de bus achter hen. Ze stapte uit, pakte haar tas, leunde weer naar binnen.
'Bedankt voor de lift.'
Maar hij zag haar niet meer, zijn gedachten waren ergens anders.
'Graag gedaan.'

Het klikte en knetterde toen de verpleegster de telefoon in de kamer van haar grootmoeder rolde.
'Hallo?' zei Annika.
Gesuis.
'Oma?'
'Nee, met Barbro.'
Niet mama. Barbro.
'Hoe is het met haar?'
'Niet zo goed. Ze slaapt nu.'
Stilte. Afstand. Een intense wil bruggen te bouwen.
'Ik heb informatie gehaald over verpleeghuizen in Stockholm', zei Annika. 'Kungsholmen heeft er verschillende...'
'Dat is niet aan de orde', zei haar moeder beslist, koude stem, wilde geen bruggen. 'Het moet binnen de gemeente opgelost worden. Ik heb met een eh... een persoon gepraat vandaag, hij zei dat.'
Een vloedgolf van nieuwe gevoelens. Onrecht. Irritatie. Berusting.
'Heb je met een zorgadviseur gepraat? Mama? Ik heb toch gezegd dat ik erbij wilde zijn!'
'Jij zit toch alleen maar in Stockholm. Dit moet nu opgelost worden.'

‘Ik kom morgen thuis. Ik moet alleen ’s morgens iets regelen, daarna kom ik.’

‘Nee, dat hoeft niet. Birgitta is hier vandaag geweest. Je zult zien dat we dit wel oplossen.’

Ze deed haar ogen dicht, hand tegen haar voorhoofd, vocht tegen de uitsluiting, het onrechtvaardige, onderdrukte haar woede, haar stem verstikt.

‘Tot morgen.’

Vrijdag 2 november

Thomas trok de plastic hoes die om zijn pak zat in één ruk kapot, prikte zich aan de scherpe haak van het hangertje en vloekte, klotestomerij. Eleonor zuchtte op hetzelfde moment om een kapotte panty.

'Negenenzeventig kronen', zei ze terwijl ze hem in de prullenmand smeet die naast het bed stond.

'Zijn er geen goedkopere?' vroeg Thomas. Hij zoog op zijn vinger om geen bloed op zijn kleren te krijgen.

'Niet met vormgevend broekje', zei zijn vrouw en ze maakte een nieuwe verpakking open. 'Je weet dat Nisse en Ulrica komen vanavond?'

Hij draaide zich om en liep naar de badkamer om een pleister te halen. Staarde een paar seconden naar zijn spiegelbeeld, het achterover gestreken haar, zijn overhemd, de stropdas, de manchetknopen. Drukte een kleine pleister op zijn vingertop en ging terug naar de slaapkamer. Eleonor was net bezig zich in de nieuwe panty te wurmen, ze kreeg hem haast niet over haar heupen, hij slikte.

'Is het echt nodig dat we vanavond gasten hebben?' zei hij. 'Ik wil veel liever met jou praten. We hebben het een en ander op te helderen.'

'Niet nu, Thomas', zei zijn vrouw. Ze hees de kousen op, buik en heupen in een bankschroef.

Hij liep om haar heen, omhelsde haar van achteren, in iedere hand een behacup met vulling, blies in haar nek.

'Laten we de avond samen doorbrengen,' mompelde hij, 'alleen wij tweeën. Wat wijn drinken, naar een film kijken, met elkaar praten.'

Ze nam zijn handen weg, liep naar de kleerkast, trok een witte bloes aan, nam een hangertje met een zwarte rok van de stang.

'Dit etentje staat de hele week al op de planning. Nisse en ik moeten een paar aspecten van het nieuwe project doornemen. Je weet dat we er op de bank niet over kunnen praten.'

Hij keek naar haar, wat kende hij haar toch goed, het was zo vanzelfsprekend dat ze zou protesteren.

'Eleonor,' zei hij, 'ik wil het echt niet. Ik ben momenteel moe en ik ben alles een beetje zat, ik vind dat we met elkaar moeten praten.'

Ze deed nog steeds of ze zijn argumenten niet hoorde, kwam naar hem toe zonder hem in de ogen te kijken.

'Kun je deze dichtdoen? Dank je.'

Hij pakte het slotje van de ketting, deed het dicht. Verplaatste zijn handen daarna naar haar schouders en streelde die, hield ze vast.

'Ik meen het', zei hij. 'Als jij vanavond weer een etentje organiseert voor je collega's, kom ik niet thuis. Dan rij ik naar Stockholm en dan eet ik daar.'

Ze rukte zich los en liep met vinnige passen naar de kast, trok er een paar zwarte pumps uit en stopte ze in een tas. Ze keek naar hem op, haar kapsel was in de war geraakt, haar gezicht gloeide en er zaten kleine vlekjes op haar jukbeenderen.

'Nu moet je eens even goed luisteren', zei ze. 'Je kunt dit huis niet zo maar in- en uitlopen op de momenten dat jou dat uitkomt, snap je dat nou echt niet? We zijn hier met zijn tweeën, we hebben een gemeenschappelijke verantwoordelijkheid.'

'Exact', zei Thomas verontwaardigd. 'We zijn met z'n tweeën, maar hoe komt het dan dat jij de macht hebt en ik de verantwoordelijkheid?'

Eleonor trok haar jasje aan en liep naar de hal.

'Dat was ontzettend unfair', zei ze kortaf.

Thomas stond nog in de slaapkamer, hun slaapkamer, de slaapkamer van haar ouders.

Godverdomme, hij was deze keer niet van plan op te geven.

'Hou verdorie eens op met dat superieure gedoe', schreeuwde hij en hij stormde achter haar aan, haalde haar in de hal in, trok aan haar arm.

'Laat me los', schreeuwde ze terwijl ze haar arm uit zijn greep rukte. 'Ben je niet goed bij je hoofd?'

Hij ademde snel, het haar in de ogen.

'Ik wil dat we gaan verhuizen', zei hij. 'Ik wil niet meer in dit huis wonen.'

Ze keek hem aan, eerder bang dan kwaad.

'Jij weet niet wat je wilt', zei ze en ze probeerde weg te lopen.

'Jawel', zei hij enthousiast. 'Ik weet precies wat ik wil! Ik wil samen met jou een appartement in Stockholm kopen, of een vrijstaand huis in Äppelviken of in Stocksund. Dat zou je leuk vinden!'

Hij liep naar haar toe, omhelsde haar, duwde zijn neus in haar haren en snoof haar parfum op.

'Ik wil een nieuwe baan, misschien bij de Provinciale Raad of bij de VZG, een of ander adviesbureau, een departement. Ik begrijp dat jij hier wilt blijven, maar ik stik, Eleonor, ik ga hier dood...'

Ze duwde hem weg, gekwetst, op het punt in tranen uit te barsten.

'Je kijkt op mij neer omdat ik het hier naar m'n zin heb. Je vindt me niet ambitieus genoeg en je vindt dat ik lui ben.'

Hij streek zijn haar met beide handen naar achteren.

'Nee,' zei hij, 'integendeel, ik benijd jou! Ik wou dat ik dezelfde rust had als jij, ik wou dat ik tevreden was met wat we hebben!'

Ze veegde haar ooghoeken af, haar stem verstikt.

'Jij bent zo ontzettend kinderlijk en verwend dat je alles weg moet gooien wat we hebben samen, alles waar we al die jaren voor gewerkt hebben.'

Ze draaide zich om, liep naar de voordeur, hij ging door met praten, tegen haar rug, zwart Armani.

'Nee! Ik wil niets weggooien, ik wil verder! We kunnen in de binnenstad van Stockholm wonen, ik neem een nieuwe baan. Jij kunt eerst pendelen, en misschien wil je later ook wel een andere baan...'

Ze trok haar jas aan, hij zag dat haar handen trilden toen ze de knopen dichtdeed.

'Dit is mijn leven. Ik hou van deze stad. Ga zelf pendelen naar je nieuwe baan, als je nou zo nodig iets anders moet gaan doen.'

Hij verstarde, verbaasd dat de gedachte nooit in hem was opgekomen.

Natuurlijk kon hij een andere baan nemen, ergens anders. Hij hoefde niet te verhuizen. Hij kon pendelen, misschien een pied-à-terre in Stockholm nemen.

De deur viel achter haar dicht met een goed gesmeerd klikje. De eenzaamheid viel over hem heen als een stoffige deken, zwaar en verstikkend.

Grote god, waar was hij mee bezig?

Het gerinkel van de telefoon sneed door Annika's brein, haar ogen zaten vol gruis. Ze nam de hoorn op zonder haar hoofd van het kussen te tillen.

'Er is iets vreselijks gebeurd!'

Een schreeuwende stem in de hoorn.

Annika ging met een ruk rechtop zitten, haar hart bonkte ogenblikkelijk in haar keel.

'Oma? Is er iets met oma?'

'Je spreekt met Mia, Mia Eriksson. Er is een vrouw verdwenen. Ze zei dat ze alles aan de gemeente zou vertellen en Rebecka werd helemaal wild!'

Annika streek met haar hand over haar voorhoofd, zonk terug in de kussens, de paniek ebde weg, het was niets, alles komt goed.

'Wat is er gebeurd?'

'Er was hier gisteren een enorme ruzie, ik wou je bellen om het je te vertellen, het is belangrijk dat je het weet.'

De irritatie landde in haar frontale kwab.

'Wat gaat mij dat aan?'

'De vrouw zei dat ze jou kende, dat jij haar Het Paradijs hebt aanbevolen. Ze heet Aida Begović, ze komt uit Bijeljina in Bosnië.'

Annika deed haar ogen dicht, voelde hoe een warme golf naar haar gezicht schoot, het gebeurt niet, het gebeurt niet.

'Wat is er met Aida gebeurd?' Ze kon de woorden slechts met moeite uitbrengen, het bloed klopte in haar gloeiende wangen.

'Ze zei dat ze de gemeente zou vertellen hoe Rebecka de zaak belazert, en toen schreeuwde Rebecka dat ze verdomd goed op moest passen, want zij wist precies wie Aida achterna zat. Dat was gisteravond, en nu is Aida weg!'

De vrouw in de hoorn begon te huilen, Annika schudde met haar hoofd om haar gedachten op de juiste plaats te laten vallen.

'Wacht even,' zei ze, 'kalmeer eens een beetje. Misschien is er wel helemaal niets aan de hand. Misschien doet Aida alleen maar een boodschap of zo.'

'Jij kent Rebecka niet', hijgde Mia Eriksson. 'Ze heeft het eerder gezegd, in vertrouwen. Wie haar verraadt, vermoordt ze.'

Annika verstarde.

'Onzin', zei ze. 'Dat is alleen maar geklets. Rebecka kraamt een hoop onzin uit, maar een moordenares is ze niet. Je moet oppassen dat je niet paranoïde wordt.'

'Ze heeft een wapen', zei Mia. 'Ik heb het gezien. Een pistool.'
Ze merkte dat ze kwaad werd en ging weer rechtop in bed zitten.
'Ze probeert je alleen maar bang te maken, snap je dat dan niet? Ze wil er alleen maar zeker van zijn dat niemand over haar activiteiten uit de school klapt.'
Mia Eriksson was verre van overtuigd.
'We gaan hier weg, vandaag. Ik ben niet van plan hier ooit nog een voet over de drempel te zetten.'
'Waar gaan jullie heen?'
De vrouw in de hoorn aarzelde.
'Weg, we gaan weg. We hebben de hand kunnen leggen op een zomerhuisje ergens in het bos.'
Annika begreep het, ze had gisteravond Mia Erikssons papieren doorgelezen en wist waarom zij en haar man nooit vertelden waar ze zich bevonden.
Ze zwegen even, ieder aan hun kant van de telefoonlijn.
'Ik ga verder met mijn onderzoek naar Het Paradijs', beloofde Annika.
'Vertrouw nooit op Rebecka', antwoordde Mia.
Annika slaakte een zucht.
'Succes.'
'Schrijf alleen maar wat je werkelijk met feiten kunt staven', zei Mia Eriksson.
Toen Annika de hoorn had neergelegd, overviel de stilte haar, de gordijnen zwaaiden, de schaduwen dansten. Het Paradijs wilde haar maar niet loslaten.
Met een bons viel de post op de vloer van de hal. Dankbaar stond ze op uit bed, ze nam de enveloppen mee naar de wc en maakte ze daar open. Een gasrekening. Een aanbieding van een boekenclub. Een uitnodiging voor een bijeenkomst met haar oude klas van de middelbare school.
'Nog liever dood', mompelde ze en ze smeet alles, behalve de rekening, in de bak voor het maandverband.
Ze moest naar de krant.

Eva-Britt Qvist zat op haar plaats, sorteerde haar stapels papier.
'Is er al een fax gekomen?'
De redactiesecretaresse sloeg haar blik op naar Annika.

'Jouw bronnen lijken niet erg betrouwbaar te zijn', zei ze.

Annika slikte een venijnige reactie in en toverde een glimlach te voorschijn.

'Misschien wil je hem in mijn postbakje leggen, als hij mocht opduiken?'

Ze draaide zich om zonder een antwoord af te wachten. Blijf jij maar mooi op dat stomme faxapparaat van je zitten broeden, achterlijke trut. Ging achter de computer met modem zitten en logde in op Dafa/Spar.

'Je weet dat iedere zoekopdracht geld kost?' zei Eva-Britt Qvist vanaf haar plaats.

Annika ging staan en liep terug naar de secretaresse, plaatste haar handen op de stapels papier en boog zich naar de vrouw toe.

'Denk je nou werkelijk dat ik hier ben om ruzie met jou te maken?' vroeg ze. 'Of denk je misschien dat ik probeer mijn werk te doen, net als jij?'

Eva-Britt leunde achterover, knipperde niet-begrijpend met haar ogen, verongelijkt.

'Dafa is mijn verantwoordelijkheid, ik wou je er alleen maar aan herinneren.'

'Jij hebt toch geen budgetverantwoordelijkheid, die heeft Sjölander toch?'

Twee rode vlekken begonnen op te gloeien in het ronde gezicht van de vrouw.

'Ik heb het een beetje druk', zei ze. 'Ik moet nu een telefoontje plegen.'

Annika ging terug naar de computer, kneep haar handen stevig dicht zodat ze zouden ophouden met beven. Waarom moest ze ook altijd het laatste woord hebben? Waarom kon ze nou nooit eens een beetje flexibel zijn?

Ze ging zitten, met haar rug naar de secretaresse, pakte haar aantekeningen, deed haar ogen dicht en concentreerde zich. Waar zou ze beginnen?

Ze gaf het commando F8, het invoeren van de naam, checkte Rebecka nog een keer, persoonlijke gegevens beveiligd.

Diepe zucht. Waarom probeerde ze het überhaupt nog?

Besloot toen tot een andere zoekstrategie en drukte op F2, zoeken op persoonsnummer, voerde de cijfercombinatie van Rebecka in, kauw, denk: hetzelfde, persoonlijke gegevens beveiligd.

Gaf het commando F7, historische lijst, typte nog een keer het persoonsnummer, kauw, denk: Nordin, Ingrid Agneta.

Annika staarde naar de gegevens, wel allema...?

Checkte het persoonsnummer, voerde de zoekopdracht nog een keer uit.

Hetzelfde resultaat.

Ingrid Agneta Nordin, ingeschreven op het adres Kungsvägen in Sollentuna. Wijziging een halfjaar geleden doorgevoerd. Ging terug naar het scherm voor het zoeken op naam en voerde de nieuwe gegevens in, kauw, denk: ja, verdomme!

Annika staarde naar de monitor.

Het werkte. De gegevens verschenen op het scherm, en er was nog een andere historische verwijzing in het register, een verwijzing naar drie jaar geleden.

Ze logde snel uit, pakte de telefoon en draaide het rechtstreekse nummer van de inspecteur beslagleggingen die ze de dag ervoor had gesproken.

'Ik vroeg me af', zei ze, 'of de naam Ingrid Agneta Nordin jou iets zegt?'

De man dacht na, Annika hield de adem in.

'Jaa,' zei hij, 'hier in Sollentuna, kan dat kloppen? Ik heb een paar jaar lang veel met een vrouw met die naam te schaften gehad.'

Snelle uitademing, yes!

'Ze heeft een andere naam aangenomen en heet nu Rebecka Björkstig, maar er is nog een historische verwijzing over haar in Dafa waar ik niet bij kan. Zou jij kunnen checken of die gegevens bij jullie in het systeem staan?'

De inspecteur ritselde met wat papieren.

'Wat denk je dat dat voor gegevens zouden kunnen zijn?'

'Misschien alleen maar een oud adres,' zei Annika, 'maar het kan ook weer een andere identiteit zijn.'

De man schreef Rebecka's persoonsnummer op.

'Wanneer zou dat geweest moeten zijn?'

'Drie en een half jaar geleden.'

Hij liep ergens naartoe, bleef vijf minuten weg.

'Ja zeg,' zei hij en hij schraapte zijn keel, 'ze heette vroeger anders. Haar naam was Eva Ingrid Charlotta Andersson, ingeschreven in Märsta.'

Annika sloot haar ogen, wat een voltreffer.
Bedankte hem snel en legde neer.

Anders Schyman deed de deur achter zich dicht en keek om zich heen in zijn stoffige hok. Hij ging achter zijn bureau zitten, keek door de glazen wanden heen de redactie op. Annika Bengtzon huppelde langs zijn aquarium, vol energie, ze verdween in de richting van de cafetaria. Wanneer ze terugkwam zou hij haar binnenroepen, vragen of ze nog iets had kunnen ontdekken.

De managementvergadering van die dag had de horizon aanzienlijk doen opklaren. Hoofdredacteur Torstensson had besloten klare taal te spreken en over het aanbod van de EU te vertellen. De partij wilde dat hij zich ter plaatse, dat wou zeggen Brussel, namens haar zou gaan bezighouden met publiciteitskwesties. Hij was op een ingehouden manier trots toen hij het vertelde, Schyman had een vermoeden hoe dat kwam. Torstensson had eigenlijk geen relatie met de *Kvällspressen*. Hij was benoemd op politieke gronden, Schyman betwijfelde of Torstensson de krant überhaupt wel met enige regelmaat gelezen had voordat hij hoofdredacteur werd.

Ondanks zijn mooie titel was Torstensson niet bijzonder gelukkig met zijn positie. Hij snapte nooit waar de krant mee bezig was en slaagde er keer op keer weer in zijn gebrek aan kennis tentoon te spreiden wanneer hij tijdens discussies op tv zijn mond opendeed. Dat laatste deed hij door uitsluitend zinnen uit te braken die opgebouwd waren uit politiek correcte, holle frasen.

Anders Schyman had zich afgevraagd waarom het aanbod vanuit de politiek juist op dit moment actueel was geworden. Voorzover hij had begrepen, had geen enkele politieke partij momenteel een schreeuwende behoefte aan weer een lobbyist voor publiciteitskwesties in Brussel. Zijn inschatting was dat het bestuur de rode cijfers in de jaarstukken beu was en naar een manier zocht om aan het mediadebat te ontkomen dat als gevolg van een openbare terechtstelling van de hoofdredacteur zou ontstaan. Waarschijnlijk was er een zekere druk uitgeoefend op het partijbestuur hetgeen vervolgens had geresulteerd in een schitterende post met geheel nieuwe perspectieven.

De vraag was alleen wat er hierna zou gebeuren. Wanneer Torstensson werkelijk die baan kreeg, als hij die zou accepteren, als hij zijn reorganisatie erdoor zou krijgen voordat hij verdween, wie zou dan zijn opvolger worden? Een scheut van nervositeit doorkliefde zijn maag, een gevoel dat hij meteen onderdrukte.

Aan de andere kant van het raam verscheen Annika Bengtzon met een bekertje koffie in de hand, Schyman ging staan, trok de deur open en vroeg haar naar zijn bunker te komen.

'Hoe gaat het met Het Paradijs?'

De jonge vrouw ging op zijn bezoekersstoel zitten.

'Je zou iemand moeten vragen hier eens te stofzuigen. Het gaat goed. Ik heb een heleboel informatie bemachtigd over onze vriendin Evita Perón.'

De redactiechef knipperde met zijn ogen, Annika Bengtzon zwaaide energiek met haar handen.

'Rebecka Björkstig', zei ze. 'Of Ingrid Agneta Nordin, of Eva Ingrid Charlotta Anderssson, zoals ze zichzelf ook genoemd heeft. Ze heeft honderdzeven persoonlijke schulden bij de Dienst Beslagleggingen en een twintigtal uitsluitend in relatie tot Het Paradijs. Ze heeft elk type faillissement ten minste één keer meegemaakt. Ik heb een bron die zegt dat Het Paradijs niets anders doet dan geld innen, maar dat heb ik nog niet kunnen staven.'

Schyman maakte aantekeningen, hij was niet verbaasd.

'Als dit klopt, lijkt ze het prototype van de economische boef.'

Annika knikte enthousiast.

'Yep. Ik heb een belrondje gedaan langs de politie in de gemeenten waar ze, hoe ze ook heten mag, ingeschreven is geweest. Ik kreeg een rechercheur te pakken die een halfjaar naar haar op zoek geweest is. In al haar faillissementen wordt Evita verdacht van strafbare feiten.'

Schyman keek nadenkend naar de jonge journaliste. Ze was verrekte goed in het boven water krijgen van informatie. Dat vond ze leuk, dat kon je zien.

'Wat doen we hiermee? Wanneer kun je met schrijven beginnen?'

Annika Bengtzon bladerde in haar blocnote.

'Ik heb het geraamte duidelijk voor ogen, maar vlees en bloed ontbreken nog. Ik heb met een vrouw gepraat die de organisatie van binnenuit heeft meegemaakt, en daarnaast ken ik er nog een. Verder heb ik in Vaxholm een vogel van de sociale dienst gevonden die praat, én ik ben van plan eens een kijkje te nemen in het huis in

Järfälla, ik moet een betere grip zien te krijgen op de feitelijke activiteiten, of het gebrek daaraan. En dan moet ik natuurlijk nog een keer met Rebecka praten, haar vragen uit te leggen waarom ze gelogen heeft.'

Hij knikte, het klonk aannemelijk.

'We moeten denk ik rekening houden met een kettingreactie', zei ze. 'Als we eenmaal begonnen zijn met het publiceren van de informatie, kruipen er misschien meer monsters uit hun holen te voorschijn, mensen die zich melden omdat ze iets toe te voegen hebben.'

'Dat kunnen we niet plannen', zei hij.

'Nee,' zei Annika, 'maar als er reacties komen, moeten we bereid zijn om de informatie in ontvangst te nemen.'

'Dan hebben we nog de gemeenten die haar geld betaald hebben', zei hij. 'Die willen misschien aangifte doen.'

'Verhoor, aanklacht, rechtszaak, gevangenis', zei Annika.

Hij glimlachte wat tegen de jonge vrouw.

'Wat goed', zei hij, 'dat je al zover bent en dat je alles zo goed gestructureerd hebt.'

'Ik ben van plan mijn aantekeningen uit te werken,' zei ze, 'daarna heb ik vrij en ga ik naar mijn oma. Ze heeft een beroerte gehad.'

Annika Bengtzon ging staan, hing haar tas over haar schouder.

'Je moet hier stofzuigen, anders krijg je astma.'

De blubber op het trottoir was inmiddels bevroren, lopen ging moeilijk. De zon scheen, een koud, wit novemberlicht dat de contouren deed glanzen.

Annika liet de schuine stralen op haar gezicht vallen. Het had haar meer tijd gekost dan ze verwacht had om alle gegevens uit te schrijven, de zon stond al laag.

Ze zuchtte. Ze had Anders Schyman niet alles verteld. Ze had niet gezegd dat zij een vrouw had overgehaald zich bij Het Paradijs te melden, dat die vrouw verdwenen was en dat Rebecka haar met de dood bedreigd had.

Als het tenminste waar was.

Ze schudde het onbehagen van zich af en sprong op lijn 62. Reed mee tot aan de Tegelbacken en liep het laatste stuk naar het Centraal Station. De volgende trein naar Katrineholm vertrok over vijfendertig minuten, ze kocht een broodje en ging met haar rug naar de hal gekeerd zitten. Het geroezemoes lag als een mist achter haar en ze liet haar gedachten de vrije loop.

Rebecka Agneta Charlotta, ontwijkend en gevaarlijk.

Thomas Samuelsson, leuk en rijk.

Eigenlijk moest ze hem vertellen wat ze ontdekt had, Rebecka's verschillende identiteiten, het feit dat ze van strafbare feiten verdacht werd. Ze at haar broodje op, pakte haar spullen bij elkaar en liep naar de openbare telefoons.

De administrateur was de rest van de dag buiten kantoor, wilde ze een boodschap achterlaten?

De rest van de dag buiten kantoor, thuis, bij zijn vrouw.

Nee, dank je, geen boodschap.

Haar grootmoeder had een andere kamer gekregen. De elektronische apparatuur was niet meer zo prominent aanwezig, verder zag het er hetzelfde uit. Ze was wakker toen Annika kwam.

'Sorry dat ik niet eerder gekomen ben', zei Annika. Ze deed haar jas en handschoenen uit, liet ze in een hoek achter de deur vallen en liep naar de oude vrouw toe.

Sofia Katarina keek haar enigszins verward aan.

'Barbro?'

'Nee, Annika, Barbro's meisje.'

De oude vrouw probeerde te glimlachen.

'Mijn zonnetje', zei ze, haar stem gebroken, hijgend, als een fluistering, de woorden onduidelijk, de ogen troebel.

Annika's borstkas werd samengetrokken, de tranen als een gordijn achter haar oogleden.

'Hebben jij en mama al besloten waar je gaat wonen?' vroeg ze.

De ogen van haar grootmoeder dwaalden door de kamer, ze zag niets, alleen visioenen van vroeger tijden.

'Wonen? We woonden in Hästskon,' zei ze, 'we kregen een kamer met het fornuis in het midden van de wand...'

Annika nam de verlamde hand van haar oma tussen haar eigen gezonde handen, streek voorzichtig over de oude vingers, de moed zonk haar in de schoenen.

'Hebben jullie een zorgadviseur gesproken? Weet je of ze een of ander tehuis voor je hebben gevonden?'

'We hadden maar één kamer', hijgde de oude vrouw. 'Moeder kookte voor vijftien kerels, ze bereidde al het eten op het fornuis dat halverwege de wand stond, en ze waste ook, tien öre voor een zakdoek, vijftig öre voor een overall...'

Annika likte haar lippen, ze wist niet hoe ze moest reageren, wat ze moest antwoorden, streelde langzaam de arm van de vrouw. Toen hield haar grootmoeder op met praten, haar borstkas bewoog op en neer, snel, licht, haar ogen zochten in haar herinnering.

'We werden wakker van het brandalarm, moeder en ik', fluisterde ze. 'Het was nog donker buiten, het loeide en het loeide maar, de hele gieterij stond in lichterlaaie. We renden het huis uit, buiten was het warm, ik had alleen mijn nachthemd aan. Het brandde zo verschrikkelijk hevig, de vlammen sloegen uit tot aan de hemel, het brandde en het brandde maar...'

Annika wist waar haar grootmoeder het over had, de grote brand in de fabriek, de nacht van 20 op 21 augustus 1934. Sofia Katarina was toen vijftien jaar.

'We hebben geholpen, moeder en ik, we hebben papieren uit het kantoor gehaald, belangrijke papieren voor de fabriek. Vader stond in de keten en reikte water aan uit het riviertje, de brandweerauto uit Flen kwam, daarna begon het te regenen...'

'Ik weet het', zei Annika zacht. 'Jullie hebben met zijn allen Hälleforsnäs gered.'

Haar grootmoeder knikte.

'Toen het licht werd kwam de motorspuit uit Eskilstuna, Arvid heeft ook meegeholpen met blussen. Direct na school kon hij beginnen op de fabriek. Eenentwintig öre per uur, tien kronen en tien öre in de week, het eerste wat hij kocht was een fiets.'

Ze probeerde te glimlachen, de ene kant van haar mond kon niet meedoen.

'Hij nam mij mee op de fiets, via Fjellskäfte reden we helemaal tot aan de grote kerk in Floda. Daar gaan we trouwen, zei hij, maar dat ging niet door, het werd natuurlijk de kerk in Mellösa...'

Annika boog het hoofd, streelde de koude hand, liet de tranen komen. Ze had haar grootvader nooit ontmoet. Hij stierf de herfst voordat ze geboren werd, versleten longen. Haar hele kindertijd was hij op de achtergrond aanwezig geweest als een beroet spook, altijd vuil na het werk, altijd vol grappen en anekdotes. Ze groeide op met de verhalen van grootvader Arvid, de verhalen die bleven leven na zijn dood en een beeld van hem vormden dat ze nooit zou kunnen controleren. Annika keek in het verwarde gezicht van haar grootmoeder, zag hoe zij Arvid opnieuw zag toen hij jong was, op zijn fiets.

'Verlang je naar Arvid?' fluisterde Annika.

Haar grootmoeder werd helderder en beantwoordde haar blik.

'Ik mis de jonge Arvid,' zei ze, 'de sterke en gezonde jongeman, niet de drammerige en bezopen Arvid.'

Annika schrok, ze had nog nooit gehoord dat haar grootvader zoop.

'Zijn eigen geld mocht hij opdrinken, maar dat van mij, daar kwam hij niet aan, met mijn loon onderhield ik zowel mijzelf als het meisje en zorgde ik dat er eten op tafel stond voor die man...'

Plotseling begon de vrouw te huilen. De tranen biggelden over haar wangen en belandden in haar oren, Annika veegde ze weg met een papieren zakdoekje.

'Het was sneu voor Barbro', mompelde Sofia Katarina. 'Ze moest te vaak alleen zijn als kind. Ik kon haar niet altijd meenemen naar het werk, daar waren immers ministers en presidenten en parlementsleden, dan kon er geen jong meisje rondrennen. Het was niet goed, dat werd een verdriet in haar borst dat nooit meer weggaat.'

Haar grootmoeder legde haar gezonde hand op die van Annika, keek haar recht in de ogen.

'Wees niet te hard tegen Barbro', fluisterde ze. 'Jij bent veel sterker dan zij.'

Annika knipperde haar tranen weg, probeerde te glimlachen.

'Nee hoor', zei ze. 'We zullen geen ruzie maken, en jij wordt weer helemaal beter.'

Haar grootmoeder sloot haar ogen even, rustte uit. Daarna deed ze ze weer open.

'Annika', mompelde ze. 'Van jou hield ik het meest. Dat was waarschijnlijk niet goed, meer van de een houden dan van de ander.'

'Daarom ben ik ook zo sterk geworden', fluisterde Annika.

Uit de stilte die daarna viel concludeerde ze dat haar grootmoeder weer in slaap gevallen was.

De sparrentakken waren zwaar van de sneeuw en vormden een tunnel in de winternacht. De auto waarin Maria Eriksson en haar man en kinderen zaten, rolde langzaam voort over de bevroren wegen. De noordenwind sloeg fluitend tegen de voorruit, bedolf hen onder een stortvloed van stuifsneeuw.

'We moeten tanken', zei Anders.

De vrouw op de voorbank antwoordde niet, staarde alleen maar naar het bos, oneindig, ondoordringbaar. Ze wist wat hun wachtte. Weer een ijskoud, tochtig houten huisje met ratten onder de vloer en een walmend fornuis dat op hout werd gestookt. De zoveelste keuken zonder stromend water, met ongelijk, beschadigd serviesgoed en aangebrande pannen. De plee buiten. Ze had gedacht dat ze dat achter zich had gelaten, dat Het Paradijs de oplossing was.

'Ik weet wat je denkt', zei de man en hij legde zijn hand op die van haar. 'Het zal niet lang meer duren.'

Ze bereikten een dorp, een gesloten tabakswinkel die agent was van Kansspelen Zweden, een pizzeria, een benzinepomp met tankautomaat.

'Heb je geld?' vroeg ze.

Hij knikte en stapte uit. Ze aarzelde even, maar besloot haar benen te strekken. Ze waren al eeuwen onderweg, de kinderen waren uren geleden op de achterbank in slaap gevallen. Stapte in de ijskoude buitenlucht, dit was onmiskenbaar Norrland. Liep een rondje om de kleine benzinepomp heen, overwoog te gaan plassen in de schaduwen achter het gebouw, maar zag ervan af, stopte haar handen in haar zakken, voelde het koude metaal, verstijfde.

Ze haalde het voorwerp uit haar zak, de twee sleutels van de bijzetsloten, een Assa-sleutel en een plastic schildje met Mickey Mouse. Rebecka zou razend worden.

Nou ja, het zou haar ook worst wezen. Haar zouden ze nooit meer terugzien. Ze liep naar de vuilnisbak naast de pomp om de sleutels weg te gooien.

'Mia, kom je?' vroeg de man. 'De kinderen zijn wakker.'

Ze bleef staan. Waarom zou ze ze weggooien? Ze dacht een paar seconden na, *ik ga verder met mijn onderzoek naar Het Paradijs.* Keek haar man aan.

'Hebben we ergens een envelop?'

Hij wilde net het portier dichttrekken.

'Hier? Waarvoor?'

'De papieren van de autokeuring, liggen die niet in het handschoenenkastje? Geef mij die envelop eens, en de kauwgom van de kinderen.'

De man zuchtte en gaf haar de spullen waar ze om gevraagd had. Vlug stak ze de sleutelbos in de opengescheurde envelop en stopte het stukje Bugg-kauwgom in haar mond. Ze kauwde er een halve minuut koortsachtig op en plakte de envelop er daarna zo goed en zo kwaad als het ging mee dicht. Ten slotte viste ze een pen uit haar binnenzak.

'Mijn portefeuille ook', zei ze.

Ze plakte vier postzegels in de rechterbovenhoek van de envelop en schreef de naam en het adres erop, Hantverkargatan 32, drie hoog, achter binnenpl., en links onder: 'De sleutels van Het Paradijs, gr., Mia.'

'Ben je klaar?' vroeg hij.

'Alleen even dit posten', zei ze en ze liep naar de gele brievenbus.

Zaterdag 3 november

Voordat hij ook maar iets zag, hoorde hij de demonstratie al, een bruisen van stemmen die iets scandeerden, ritmisch, maatvast. Auto's bleven staan, er ontstond verwarring, de situatie was enigszins chaotisch. Zijn zintuigen werden scherper, nog even en het was zover. Hij keek om zich heen, liet zijn blik vliegensvlug over de gevels gaan, glas en metaal, baksteen en pleisterkalk, zag toen het patroon van driehoeken recht voor hem. Ze zou komen. Vroeg of laat zou ze opduiken. Het was belangrijk er als eerste te zijn, de overhand te hebben. Hij huiverde, jezus, wat was het koud, wat een kloteland.

Nu zag hij de optocht, zes vrouwen op kop met een spandoek en een portret van een gevangengenomen leider. Achter hen verscheen een zee van mensen, vooral mannen, maar ook vrouwen en kinderen, duizenden mensen die zich verzameld hadden om ergens tegen te protesteren. Hij stampte met zijn voeten, had het koud in zijn dunne jasje. Een paar jongelui beneden hem staken een Turkse vlag aan die snel opbrandde. Daarna leken de tieners hun belangstelling voor de actie te verliezen.

De mensen overspoelden het Sergels Torg, vulden het plein met de driehoeken. Nu hoorde hij wat ze riepen. Turkije terrorist, Turkije terrorist. Vlaggen, spandoeken en het portret zwaaiden in de wind. Een soort geïmproviseerd spreekgestoelte werd opgesteld, een luidsprekerinstallatie te voorschijn getoverd. Een Zweedse man, vermoedelijk een politicus, nam het woord.

'De PKK heeft een militaire strijd gevoerd', riep hij. 'Dat heeft geleid tot democratische missers en terroristische acties die niet te verdedigen zijn. Maar het is gebeurd in een oorlogssituatie tijdens een door Turkije uitgevoerde aanvalsoorlog...'

Het was zover.

Hij begon zich snel en discreet in de mensenmassa te bewegen, stopte zijn hand in zijn jasje en liefkoosde het wapen, een Beretta 92, negen millimeter munitie, vijftien patronen in het magazijn en één exemplaar in de loop. Geluiddemper.

Bleef aan de zijkant, onder de rijbaan, licht ineengedoken.

'Hé, man, heb je speed?'

Hij wuifde de junk die plotseling voor hem stond weg, overwoog even zijn verrekijker te pakken, maar bedacht zich. Zonder had hij een beter overzicht.

Toen zag hij haar. Twintig meter verderop, met de rug naar hem toe. Ze werd langzaam door de demonstranten naar voren geduwd, weg van hem. Perfect.

Hij versnelde zijn pas, glipte tussen kinderwagens en spandoeken door, zag haar aarzelen en om zich heen kijken. De adrenaline zong in zijn aderen, een lied dat hij herkende.

Toen hij een meter achter haar was, trok hij zijn wapen, nam de laatste stap, draaide haar arm op haar rug, duwde de loop in haar nek, onder haar haargrens.

'Nu is het genoeg', fluisterde hij. 'Je hebt verloren.'

Alle geluiden waren verdwenen, de mensen om hem heen scandeerden stille leuzen, de tijd was blijven stilstaan. De vrouw stond roerloos, vastgevroren, ademde niet.

'Ik weet dat jij het bent', siste hij, de woorden echoden in zijn hoofd.

Hij kwam nog een stap dichterbij, staarde naar haar haar, glanzende blauwe nuances, hij wilde dat hij haar gezicht kon zien. Het wapen rustte perfect in het knikje dat de overgang vormde tussen haar achterhoofd en nek.

'Bijeljina,' fluisterde hij, 'weet je nog, Bijeljina?'

Plotseling verdween de druk tegen de loop van het wapen. De vrouw trok haar arm los en schoot naar voren in de mensenzee, het duurde een ogenblik voordat hij het besefte, maar daarna stormde hij haar achterna, viel bijna over een kinderwagen, haalde haar in, de adrenaline kolkte in zijn lijf, hij kreeg haar arm weer omhoog, ze stribbelde tegen, was voorbereid nu, had een pistool in de hand, mensen duwden tegen hen aan, ze werden naar achteren gedreven, hij sloeg haar vingers kapot met de kolf, ze liet het wapen los, een vrouw staarde verschrikt naar hen, hij probeerde te glimlachen, wist het pistool weer naar dat plekje in haar nek te brengen, zag dat haar mond bewoog, boog zich naar voren.

'Wat zei je?'

'Jij kunt nooit winnen', fluisterde ze. 'Ik heb jouw leven verwoest.'

Hij keek haar van opzij aan, ontmoette haar blik.

Ze glimlachte.

Iets ontspande in zijn hoofd en broek. Hij haalde de trekker over en ze landde zacht in zijn armen, de ogen wijd opengesperd. Hij legde haar op de grond, stopte het wapen onder zijn trui, zijn ooghoeken registreerden verbaasde blikken, de geluiden kwamen terug, Turkije terrorist, hij liep snel naar de ondergrondse, rukte zijn jasje en handschoenen uit zodra hij de deuren gepasseerd was, stopte alles in een prullenbak, ging naar de eerstvolgende opgang.

De auto reed voor op hetzelfde moment dat hij bij Åhléns van de roltrap stapte. Hij ging op de achterbank zitten, sloeg het portier dicht, beefde over zijn hele lichaam. De chauffeur reed weg bij oranje licht, sloeg rechts af, de Klara Norra Kyrkogata in, ze hadden niet veel tijd, spoedig zouden de versperringen neergezet worden. Verderop, bij Olof Palmes Gata sloegen ze links af, daarna vlug rechts de Dalagatan in, reden plankgas tot aan de Vanadisvägen. Daar reden ze de binnenplaats op, de garage in, parkeerden de auto. Geen mens te zien.

'Ging het goed?' vroeg de chauffeur.

Hij deed het portier open en stapte uit, stak een sigaret op, sloeg de deur met een klap dicht.

'Zorg dat je de auto kwijtraakt', zei hij en hij liep naar de liften. Moest andere kleren aandoen voordat de stank ondraaglijk werd.

Het was een rustige nacht geweest. Annika had op een brits naast haar grootmoeder geslapen, als een blok, ze was niet één keer wakker geworden. 's Morgens sliep de oude vrouw nog steeds, ze moesten haar wekken omdat ze moest ontbijten. Na het eten viel ze weer in slaap.

Annika nam een douche en keerde haar slipje binnenstebuiten. Ging daarna weer bij haar grootmoeder zitten en bleef naar haar kijken, het vredige gezicht, rimpels als riviertjes, lichte, haast onzichtbare haartjes op haar wangen. Haar mondhoek hing slap, Annika veegde af en toe wat speeksel weg.

Daarna liep ze onrustig de gang op en neer. Belde haar moeder, geen gehoor, haar zuster, daar ook niet. Dronk koffie. Dronk warme rozenbottelddrank uit de automaat, in een plastic bekertje.

Je moet zorgen voor de mensen van wie je houdt.

Bij de lunch probeerde Annika haar grootmoeder opnieuw te voeren, maar de oude vrouw zei dat ze geen honger had.

De middag sleepte zich voort. Ze vond een paar kranten, was niet geconcentreerd genoeg om te lezen. De *Kvällspressen* opende met een stuk van Calle Wennergren, hij had een kwitantie gevonden die aantoonde dat een vrouwelijke minister een stuk chocola had gekocht met een creditcard van de regering.

Jezus, dacht Annika, over strategisch gelekte informatie gesproken. Iemand was van mening dat de minister op weg was te veel macht te krijgen, dat ze te jong, te knap, te slim was. Een leuk schandaaltje leidde de aandacht af van het belangrijkste onderwerp op het congres van de socialisten, namelijk de vraag wie binnen de beweging de nieuwe partijsecretaris zou worden en daarmee de nieuwe belofte voor de toekomst.

Ze legde de krant weg, liep de kamer uit en ging in het dagverblijf zitten, zette de tv aan, een programma in het Turks. Een mens hoeft niet in Stockholm te wonen, dacht ze. Je kunt ook in Istanbul wonen, bij Nese in het hotel werken. En je kunt in Katrineholm wonen en voor oma zorgen.

Die gedachte liet ze vorm krijgen, wortel schieten.

Waarom niet? Welke argumenten vielen in te brengen tegen de gedachte dat ze de belangrijkste persoon in haar leven ook inderdaad die plaats moest laten innemen?

Haar werk. Haar carrière, alles waarin ze geloofd en waarvoor ze gevochten had binnen de journalistiek. Haar vrienden, maar die bleven natuurlijk, ook als ze verhuisde. Haar woning, haar appartement, maar dat zou eerlijk gezegd geen groot verlies zijn.

Plotseling begon ze te huilen. Ze werd vervuld van een verlangen, ze miste het gevoel dat ze had toen ze er net ingetrokken was, herinnerde zich hoe het licht door de kamers stroomde, wanden en plafond liet leven en ademen, dacht aan de stilte, de rust, het verlangen door te gaan. Eigenlijk had ze alles, en waar had het haar gebracht?

Een oudere heer met een rollator kwam de tv-kamer binnen, samen met twee luidruchtige vrouwen, Annika droogde gauw haar tranen.

'Kijk je hiernaar?' vroeg de ene vrouw sceptisch.

Annika schudde het hoofd, stond op en ging. De vrouwen namen bezit van de kamer.

'Om vijf uur begint er een middagconcert, dat wil je zien, hè, papa?'

De gang lag in het halfdonker, de tl-buizen aan het plafond waren uit, het daglicht sloop door geopende deuren naar binnen, weerkaatste in de boenwas op de vloer. Ze liep langzaam naar de kamer van haar grootmoeder, de band om haar borstkas was er weer. Het verlangen bleef hangen, de herinnering aan de momenten dat ademhalen iets lichts en vluchtigs was, de hete dagen in het hotel van Nese, de warme momenten met Sven. Ze leunde met haar voorhoofd tegen de deurpost van haar grootmoeders kamer, verlangde naar liefde, naar samenhang. Ze slikte, voelde in haar achterzak, had kleingeld. Ging naar de kleine telefoonkamer buiten de afdeling en zocht het nummer op in het telefoonboek, zijn privénummer. Östra Ekuddsgatan. Koos de eerste zeven cijfers, aarzelde met het laatste, drukte dat ten slotte ook in. De telefoon ging over, een keer, twee keer, drie keer.

'Samuelsson.'

Een vrouw. Ze hadden dezelfde achternaam.

'Hallo?'

Had ze die van hem aangenomen, of hij die van haar?

'Wie is daar? Hallo?'

Ze legde neer zonder iets te zeggen, de vergissing lag als een blok op haar maag. Liep terug en keek hoe het met haar grootmoeder was, ze sliep, ging weer naar de tv-kamer, leeg. Probeerde adem te halen, probeerde te lezen.

Het komt in orde. Het komt allemaal goed.

'Wie was dat?' vroeg Thomas.

Hij stond met zijn rug naar haar toe en toen ze geen antwoord gaf, keek hij haar over zijn schouder aan. Eleonors blik was vorsend, afwachtend.

'Niemand. Verwacht jij misschien een telefoontje?'

Hij draaide zich weer om, zijn aandacht bij het mes.

'Nee, ik zou het niet weten, moet dat dan?'

'Het is zo raar als ze niets zeggen.'

'Zeker verkeerd verbonden', zei Thomas terwijl hij het laatste stukje ui snipperde. 'Kun je mij de olie aangeven?'

Ze reikte hem de fles aan, maïsolie, die verdroeg hogere temperaturen. Thomas schonk de vloeistof in de pan, een dunne, kronkelende straal.

'Eigenlijk zouden we een gasfornuis moeten hebben', zei Eleonor. 'Dat is veel beter voor roerbakken. Misschien kunnen we er een laten plaatsen als we de keuken gaan verbouwen, wat vind jij?'

'Dit gaat prima zo', zei Thomas, die als een bezetene door de ui roerde.

Eleonor ging naast hem staan, kuste hem op de wang.

'Je bent een goede kok', zei ze.

Hij antwoordde niet, gooide de fijngesneden kipfilet in de pan en bleef roeren. Goot de vissaus erbij, zoals gebruikelijk werd hij bevangen door de geslachtsgeur die vrijkwam, voegde een likje chilipasta toe, daarna de gedroogde koriander en de verse basilicum.

'Kun je de kokosmelk openmaken?'

Eleonor reikte hem het blikje aan, het was al open.

'Zo', zei Thomas toen het mengsel begon in te dikken.

'De rijst is klaar', zei Eleonor.

Hij draaide zich om naar haar, naar zijn vrouw, keek in haar onopgemaakte gezicht. Zo was ze op haar mooist. Hij legde de roerspatel weg, deed een stap in haar richting en legde zijn armen achter haar rug. Ze beantwoordde het gebaar met het strelen van zijn schouders, het kussen van zijn hals.

'Sorry', mompelde ze.

'Nee, ik ben degene die niet zo slim bezig was.'

Het antwoord was een fluistering in haar haar.

'Je zit al een hele tijd niet lekker in je vel', zei ze zacht en ze kuste hem op de mond.

Hij ontmoette haar lippen, zout, een beetje droog, de vertrouwde opwinding kwam, het oprichten van zijn penis.

'We gaan liggen', zei ze.

Hij liep achter haar aan naar de slaapkamer, ze bleef in de badkamerdeur staan.

'Ga maar', zei ze.

Hij wist wat ze ging doen, een beetje glijmiddel aanbrengen in haar schede zodat die wat gladder zou zijn. Langzaam liep hij naar het bed, haalde het overtrek eraf, glipte uit zijn kleren. Ze kwam binnen en ging achter hem staan, legde haar handen op zijn heupen, wreef zijn billen tegen haar geslachtsdeel. Hij liet zich naast het bed op zijn knieën zakken, ze liep om hem heen, ging voor hem zitten met aan weerszijden een been, leunde achterover. Hij staarde in haar schoot die glinsterde van het glijmiddel, streelde het goed verzorgde bosje met zijn vingers, vond haar clitoris. Masseerde die oneindig voorzichtig en langzaam tot ze begon te jammeren. Zijn lid stond als een spies overeind, hij trok haar naar zich toe, deed zijn eikel in de opening. Ze begon te hijgen. Hij drukte aan, heel licht, de warme diepte sloot zich om hem heen, trok hem naar zich toe, deed hem kreunen. Haar schoot begon onder hem te leven, rond hem te ademen en te roteren. Hij trok zijn geslachtsdeel naar buiten, langzaam, speelde ermee in de monding van de vagina, masseerde haar clitoris, ze wierp haar hoofd naar achteren en liet een schreeuw ontsnappen. Op dat moment duwde hij zijn penis naar binnen, hard en diep, stevig en ritmisch, totdat hij haar spiertrekkingen voelde. Toen liet hij zich gaan, gaf zich over aan haar naweeën.

'O lieverd,' zei ze, 'wat heerlijk was dat.'

Hij viel over haar heen, zijn hoofd tussen haar borsten.

'Hé, de kip. Die is allang klaar', zei ze. 'Heb jij de tissues?'

Het gevoel door de grond te gaan maakte hem sprakeloos. Ze wurmde zich onder hem vandaan, hij zag hoe ze het papieren zakdoekje van het nachtkastje pakte en zichzelf tussen haar benen afdroogde.

'Ik haal de pan van het vuur', zei ze.

Hij kroop in bed, dommelde even weg. Werd een paar minuten later weer wakker met koude voeten en schaafplekken op zijn knieën. Kwam moeizaam overeind, trok zijn ochtendjas aan en liep naar de keuken.

'Ik heb beneden gedekt', zei ze.

Hij ging plassen, droogde zijn penis af, glijmiddel, sperma, liep naar het souterrain. Op de salontafel stonden wijn en salade, ze had gedekt voor twee. Hij ging zitten, zij kwam hem na met het kokosgerecht en een onderzetter. Ze kroop naast hem op de bank, kuste zijn voorhoofd.

'Ik krijg altijd zo'n honger van seks', zei ze.

Ze aten, dronken, zwijgend.

'Ik heb me als een idioot gedragen', zei hij ten slotte.

Ze keek in haar wijnglas, een krachtige Australische chardonnay.

'Je hebt een dip gehad', zei ze. 'Dat heeft iedereen wel eens.'

'Ik weet niet wat me mankeerde', zei hij. 'Niets was nog leuk.'

'Dat gebeurt soms als je zoveel werkt als wij doen. We moeten oppassen dat we niet opgebrand raken.'

Hij knipperde met zijn ogen, hoorde de stem van de journaliste, heb je soms een burn-out? Schraapte zijn keel, legde zijn arm om zijn vrouw heen, pakte de afstandsbediening met zijn andere hand, leunde achterover. *Aktuellt* was begonnen. Aan de vooravond van het partijcongres was bij de sociaal-democraten een conflict uitgebroken, het drong vaag tot hem door dat het om privé-inkopen met een creditcard van de regering ging. Een brand op de Filippijnen bedreigde een complete stad. Een Koerdische vrouw was vermoord tijdens een demonstratie op het Sergels Torg.

'Wil je naar muziek luisteren?' vroeg ze terwijl ze opstond van de bank.

Hij mompelde iets en probeerde ondertussen te horen wat er gezegd werd. In het hoofd geschoten, midden tussen al die mensen, hoe was het mogelijk.

'Bach of Mozart?'

Hij onderdrukte de zucht in zijn binnenste.

'Maakt niet uit', antwoordde hij. 'Kies jij maar.'

Zondag 4 november

Annika haatte zondagen. Er kwam geen eind aan. Iedereen was met onzinnige dingen bezig, zinloze activiteiten om de tijd te verdrijven. De hele maatschappij was opgebouwd rond een nutteloze idylle: picknicken, naar een museum gaan, de kinderen een aai over hun bol geven, een barbecue. Het alledaagse dat normaal gesproken de angst dempte, was afgesloten, uitgeschakeld. Het enig geldige excuus om niet deel te nemen aan al dat sociale gedoe was het werk, het was prettig haar baan de schuld te geven, ze kon zeggen dat ze moest uitrusten, slapen, lanterfanten om haar nachtdiensten te kunnen volhouden.

Godzijdank ging ze vanavond weer aan de slag.

Haar moeder en Birgitta verschenen na de lunch op de afdeling. Ze gingen met zijn drieën bij oma zitten en praatten met haar, Annika begon het patroon te herkennen, Arvid, de fabriek, haar ouders, haar zusje dat stierf. Na ruim een uur was de oude vrouw moe en viel ze in slaap. Ze gingen met zijn drieën naar de cafetaria, die was natuurlijk gesloten, zondag, rustdag, haalden Delicato-bollen en koffie uit de automaat.

'Dit is geen goede omgeving voor haar', zei Annika. 'Oma heeft een grondige revalidatie nodig, en daar moet zo snel mogelijk mee begonnen worden.'

'Wat moeten we doen', zei Birgitta, 'als er geen plaatsen zijn? Heb je daar wel eens aan gedacht?'

Annika keek haar jongere zuster verbaasd aan, afwijzend en agressief.

Ze staat aan mama's kant, besefte Annika. Zij houdt ook niet van me.

'Ja,' zei Annika, 'daar heb ik aan gedacht. Misschien kan ik wel voor haar zorgen.'

'Jij?' zei haar moeder vol minachting. 'Dat zou me wat moois zijn, in dat vreselijke, verouderde appartement van jou, zeker. Ik begrijp niet hoe je het daar uithoudt.'

Plotseling liepen Annika's ogen vol, ze kon niet meer. Ze ging staan, trok haar jas aan, hing haar tas over haar schouder en keek haar moeder aan.

'Besluit niets zonder eerst met mij te praten', zei ze.

Wendde zich tot haar zusje.

'Tot ziens.'

Ze draaide zich om en verliet het ziekenhuis, liep naar de parkeerplaats, de zon scheen, diffuus licht, sneeuw op de grond, krakende schoenen. Koud. Ze wikkelde haar sjaal om haar hoofd, ademde met open mond, voelde de tranen prikken, maar kon ze binnen houden.

Het station. Ze moest naar huis. Weg van hier.

Toen ze op de redactie kwam, zat Sjölander op Janssons bureau koffie te drinken. Het was al donker, hier was de werkelijkheid hanteerbaar, de ruimte lag er rustig en vriendelijk, haast verlaten bij. Ze hoefde pas over een paar uur te beginnen maar moest er niet aan denken nog langer alleen te zijn. De trein was bij Södertälje gestopt wegens een signaalstoring. Ze dacht dat dat alleen maar voorkwam op de groene lijn van de ondergrondse. Was daarna meteen van het Centraal Station naar de krant gegaan.

'Dus, wat hebben we?' vroeg Jansson terwijl hij op zijn toetsenbord hamerde, hij formuleerde zijn verhaal rechtstreeks uit zijn geheugen.

'Heel wat', zei Sjölander, die zijn aantekeningen op het bureau legde.

'Hoeveel kunnen we naar buiten brengen?' vroeg Jansson zonder het scherm met zijn ogen los te laten.

'Haast alles', zei Sjölander.

'Waar hebben jullie het over?' vroeg Annika. Ze ging zitten, pakte haar blocnote en pen, zette haar computer aan. 'De Koerdische vrouw op het plateau?'

'Yes', zei Jansson. 'Een weerzinwekkende geschiedenis. Vijfduizend getuigen en geen hond die wat gezien heeft.'

'De politie heeft de kleren van de moordenaar gevonden,' zei Sjölander, 'bruine handschoenen, donkergroen popeline jasje. De handschoenen waren gekocht bij de Åhléns-vestiging even verderop en overdekt met vingerafdrukken, tot dusverre zijn achttien afdrukken geïdentificeerd, de meeste van verschillende personen. Het jasje was klinisch schoon, afgezien van sporen van kruitslijm, dat wil zeggen kruitresten op de mouw.'

'Dus ze hebben zijn wasmand gelokaliseerd, begrijp ik?' zei Jansson.

'Prullenbak. De kleren lagen tussen het afval in een prullenbak op het centraal station van de metro.'

Annika leunde achterover, de routine begon in haar borst te spinnen, welkom en welbekend.

'En niemand heeft iets gezien?' vroeg ze.

'Jawel,' zei Sjölander, 'honderd individuen hebben een man beschreven met donkere kleren die misschien een Zweed was of misschien een Turk, misschien een Arabier of misschien een Fin. Kennelijk heeft die vent eerst met het slachtoffer gepraat, vervolgens heeft hij het schot gelost en daarna is hij naar de ondergrondse gerend, zijn spullen lagen vlak achter de deuren. Er zijn getuigen daarbinnen die gezien hebben dat hij zich uitkleedde, onder meer een bewaker van Abab. Eronder droeg hij kleren in lichte tinten. Over waar hij daarna naartoe ging, zijn de meningen verdeeld. Naar buiten, volgens de Abab-bewaker. De ondergrondse in, zegt een clubje jongeren. Terug naar het plein, zegt een vrouw met een kinderwagen. Zij werd bijna door hem omvergelopen. Hoe dan ook, hij is verdwenen.'

'Buitengewoon onbeschoft,' zei Jansson, 'tussen al die mensen.'

'Vermoedelijk was dat zijn redding, de mensenmenigte heeft hem beschermd. Ongelofelijk uitgekookt.'

Sjölander klonk bijna geïmponeerd.

'Wat weten we nog meer? Wapen?'

Sjölander bladerde in zijn aantekeningen.

'Geluiddemper, natuurlijk. Dus praten we over een pistool of een revolver. Ik heb info gekregen over de kogel, daar kunnen we mee naar buiten komen. Het was deelmantelmunitie. De dame is in haar nek geschoten, een kogel uit een volmantelpatroon zou recht door haar hoofd gegaan zijn en haar hele gezicht hebben meegenomen, dat zou een nogal smerige bedoening geworden zijn. Deze is achter haar neus blijven steken, maar toen had hij haar hele brein al vermalen. Ze lag helemaal voorover, de mensen dachten klaarblijkelijk eerst dat ze gevallen was.'

Annika huiverde, dit was bijzonder onaangenaam. Geeuwde, de eerste dienst van haar werkperiode leek altijd wat langer te duren dan de rest.

'Weten we hoe ze heette?'

'Ja, ze hebben de naam naar buiten gebracht. Ze had hier geen familieleden, ze was een vluchtelinge, uit Kosovo geloof ik, daar had ze kennelijk ook geen levende familieleden, nee, hier heb ik het. Ze kwam uit Bosnië, uit Bije... wat staat daar nou, Bijeljina? Aida heette ze. Aida Begović.'

De redactie kromp ineen tot een gat waarvan Annika het middelpunt was, haar gezichtsveld vervormde tot een tunnel, de kleuren verdwenen, alle geluiden klonken alsof ze zich onder water bevond. Ze ging staan.

'Jezus, gaat het?' zei Jansson, ze hoorde zijn stem van ver komen, zag zijn gezicht voor zich, de vloer kapseisde, stemmen op afstand, 'Annika, shit, ben je ziek of... ga zitten verdorie, je ziet helemaal bleek...'

Iemand zette haar op een bureaustoel, drukte haar hoofd tussen haar knieën, zei dat ze diep moest ademhalen.

Ze staarde naar het onderstel van de stoel, het mechanisme voor het verstellen van de zitting, kneep haar ogen dicht, stijf dicht, hield de adem in.

Aida, Aida uit Bijeljina was dood, en dat had zij op haar geweten.

Ik heb het weer gedaan, dacht ze. Ik heb weer iemand vermoord.

'Annika, allemachtig, leef je nog?'

Ze ging rechtop zitten, liet haar haren in haar gezicht vallen, het hele gebouw zwaaide.

'Ik ben misselijk', zei ze met de stem van iemand anders. 'Ik moet naar huis.'

'Ik bel een taxi', zei Jansson.

Duisternis. Ze durfde geen licht aan te doen. Zat op haar bank en staarde naar het gordijn, het bewoog een beetje, een dansende schaduw.

Aida was dood. Een man had haar gedood. De man met de zwarte kleren had haar gevonden. Hoe?

Rebecka natuurlijk. Aida had gedreigd de frauduleuze activiteiten van stichting Het Paradijs te ontmaskeren, Rebecka had wraak genomen door Aida te verraden, haar achtervolger te vertellen waar ze zich verborg.

Wat een harteloos zwijn. Wat een laffe moordenaar.

En zij had Aida in de val gelokt.

Dood door schuld.

De druk op haar borstkas werd groter, de beklemming nam toe, nog even, nog even, en ze zou barsten.

Reikte naar de telefoon, moest bellen, moest praten. Anne Snapphane was thuis.

'Wat is er gebeurd?' vroeg Anne. 'Ben je ziek?'

'Het meisje dat doodgeschoten is op het Sergels Torg,' zei Annika, 'ik kende haar. Het is mijn schuld dat ze gestorven is.'

'Waar heb je het over?'

Annika trok haar knieën onder haar kin, sloeg haar armen om haar onderbenen, schommelde naar voren en achteren op de prikkende bank en huilde in de hoorn.

'Ik heb haar overgehaald om naar Het Paradijs te gaan, ze hebben haar verraden. En nu is ze dood.'

'Wacht nou eens even', zei Anne Snapphane. 'Die meid is toch vermoord, niet? In het hoofd geschoten? Wat zou jij daar mee te maken moeten hebben?'

Annika's ademhaling werd rustiger, ze hield op met huilen.

'Het Paradijs is pure verlakkerij. De directrice is een oplichtster. Aida, het meisje, zei dat ze de hele klerezooi zou ontmaskeren. Daarom is ze gestorven.'

'En nu gaan we bij het begin beginnen', zei Anne. 'Vertel me alles.'

Annika zette zich schrap en vertelde het hele verhaal, hoe Rebecka haar gebeld had, dat ze haar activiteiten wilde promoten, hun ontmoeting in het eigenaardige hotel, de geniale opzet van de organisatie, haar eigen theorieën, de tweede ontmoeting, hoe ze Rebecka's verhaal over het geld niet sluitend kreeg, de bedreiging door de Joegoslavische maffia, Rebecka's fantasierijke verhaal over vestiging in het buitenland, hoe ze achter Rebecka's schulden en verschillende identiteiten was gekomen, de faillissementen, de vermoedelijke misdrijven. Daarna Aida, de dreiging die haar boven het hoofd hing, de man die probeerde de hotelkamer binnen te dringen, hoe ze Aida het telefoonnummer van Het Paradijs had gegeven en haar had aangespoord daar hulp te zoeken, Mia die was opgedoken in het trappenhuis, Mia's geschiedenis, daarna het wanhopige telefoontje van Mia dat Aida verdwenen was, dat Rebecka haar bedreigd had.

'En jij denkt dat dit allemaal jouw schuld is?' zei Anne Snapphane.

Annika slikte.

'Dat is toch ook zo?'

Anne zuchtte.

'Lieve schat,' zei ze, 'neem toch niet alle problemen van de wereld op je schouders. Ik weet dat je een wereldverbeteraarster bent, maar er zijn grenzen, en daar ben jij nu overheen gegaan. Jij klinkt alsof je helemaal aan je eind bent. Je oma is ziek, dat is iets wat je raakt, snap je niet hoeveel energie jou dat gekost heeft? Jij bent altijd zo verschrikkelijk zorgzaam voor iedereen, wees nou ook eens een keer een beetje lief voor jezelf.'

Annika gaf geen antwoord, zat daar in haar donkere appartement, zoog de woorden in zich op.

'Het kan toch onmogelijk jouw fout zijn dat die dame een kogel in haar schedel heeft gekregen', ging Anne verder. 'Ze had zich geheel op eigen kracht in de nesten gewerkt, of niet dan? Jij probeerde haar te helpen, en inderdaad, misschien is dat niet helemaal gelukt. Maar waar we het nu over hebben is opzet. Wat was jouw intentie toen je Aida het telefoonnummer van Het Paradijs gaf? Haar helpen, precies. Toe nou, Annika. Jou treft geen blaam. Niet in het minst. Snap je dat?'

Annika begon weer te huilen, een licht en opgelucht huilen deze keer.

'Maar ze is dood. En ik vond haar aardig.'

'Natuurlijk mag je rouwen. Je probeerde haar te helpen, en toch ging ze dood. Dat is een verdomd trieste aangelegenheid, maar het is niet jouw schuld.'

'Nee,' zei Annika, 'het is niet mijn schuld.'

'Gaat het?' vroeg Anne. 'Zal ik bij je komen? Ik heb hier een kilo los snoep, dat kan ik meenemen.'

Annika glimlachte in de hoorn.

'Nee', zei ze. 'Dat hoeft niet.'

'Oké', zei Anne. 'Laat mij maar in m'n sop gaarkoken. Het kan jou helemaal niks schelen hoe ik er straks uitzie als ik die hele zak in mijn eentje heb leeggegeten. Trouwens, ik word misschien presentator.'

'Jij? Waarom?'

'Je hoeft echt niet zo verbaasd te doen, hoor. De presentatrice van *Vrouwen op de bank* is weggekocht door een ander kanaal, de vergissing van het jaar if you ask me, hoezo de juiste vrouw op de juiste plaats. Dus moeten we nu als de bliksem een nieuwe presentator hebben, de keuze gaat tussen mij en de catastrofe, je weet wel, lellebel Michelle Carlsson. Hemel, alleen al bij de gedachte krijg ik het benauwd, ik begin maar gauw aan die snoepjes...'

Toen ze had neergelegd was de duisternis vriendelijker, de ademhaling van het gordijn abstract onregelmatig.

Niet haar schuld. Trieste aangelegenheid, afschuwelijk verhaal, niets waar zij iets aan kon doen. Te laat. Te laat voor Aida uit Bijeljina.

Ze kleedde zich uit in het donker, liet de berg kleren op de bank liggen.

Sliep droomloos.

Maandag 5 november

Annika werd wakker van het aanhoudende gerinkel van de deurbel. Kroop verward uit bed, raakte verstrikt in het dekbedovertrek, wikkelde overtrek en dekbed om zich heen en liep naar de hal om de deur open te doen.

'Dit kan zo niet, hoor', zei de postbode.

Hij hield een plastic zak omhoog met allemaal troep erin.

Annika knipperde met haar ogen en keek hem slaapdronken aan, wreef in haar ooghoek.

'Wat?' zei ze.

'Zeg tegen je vrienden dat ze in het vervolg echte spullen moeten gebruiken. Wij kunnen ons echt niet bezighouden met het dichtplakken van brieven die op een dergelijke manier kapotgegaan zijn.'

'Is dat voor mij?' vroeg ze sceptisch.

'Als jij Annika Bengtzon bent, dan is het zo.'

Hij reikte haar de zak aan en ook nog een stapeltje vensterenveloppen, allemaal rekeningen. Wat een topochtend.

'Bedankt', mompelde Annika en ze trok de deur weer dicht.

Liet het dekbed voor de deur op de vloer vallen en bestudeerde de zak, wat was dit in vredesnaam? Ze hield hem tegen het licht om beter te kunnen kijken wat erin zat. Een kapotte envelop, gebruikte kauwgom en een sleutelbos? Ze liep naakt naar de woonkamer, trok de zak open, en liet de inhoud op de salontafel glijden. Duwde voorzichtig met haar vinger tegen de envelop, ja, die was aan haar geadresseerd, het handschrift was gelijkmatig maar verraadde haast, de ondergrond was blijkbaar oneffen geweest. Onder in de hoek stond iets: De sleutels van Het Paradijs.

Van Mia.

Ze ging op de bank zitten. De sleutels van Het Paradijs. Pakte de envelop, die moest eerder gebruikt zijn, was dus in grote haast verstuurd. Ze keek naar het stempel, een plaats in Norrland.

Natuurlijk. Mia had ze niet langer nodig. Dit moesten de sleutels zijn van het pand in Järfälla. Ze had immers het adres. Mia had het haar verteld, zij had het opgeschreven. Ze liep naar haar tas, gooide de inhoud eruit, hetzelfde doosje Tenor, dezelfde maandverbandjes, blocnote, pen, gouden ketting…

Ze verstarde. Gouden ketting. Ging op de vloer zitten, nam het sieraad in haar handen. De gouden ketting van Aida, de bedeltjes, een lelie, een hartje. Aida's dank omdat ze haar leven gered had.

En toen is ze alsnog gestorven, dacht Annika, maar dat was niet mijn schuld. Ik heb gedaan wat ik kon.

Ze stak haar hoofd door de ketting, hing die recht. Het metaal was koud en zwaar. Stopte de andere spullen weer in de tas, alles behalve de blocnote. Die nam ze mee naar de woonkamer, ze zocht het adres op. Er was een hoekje van het blad afgescheurd, ze had het adres nog een keer opgeschreven, aan de gemeenteman gegeven, aan Thomas Samuelsson. Thomas, de voormalige hockeyer, die getrouwd was met zijn vrouw, mevrouw Samuelsson.

Ze haalde de Gouden Gids en sloeg de kaart van Järfälla op.

De telefoon ging, ze vloog overeind.

'Hoe is het met je? Jansson zei dat je gisteren ziek naar huis gegaan bent.'

Het was Anders Schyman.

Ze slikte.

'Beter', zei ze, aarzelend.

'Wat is er gebeurd? Ben je flauwgevallen?'

'Zoiets' zei ze.

'Je ziet er de laatste tijd moe uit', zei de redactiechef. 'Misschien ben je wel wat te veel met die stichting bezig geweest.'

'Maar ik heb niet…' begon ze.

'Luister even naar me', onderbrak Schyman haar. 'Jij gaat je nu ziek melden voor de rest van deze periode, daarna kijken we hoe het met je gaat. Denk nou maar even niet aan Het Paradijs, in plaats daarvan ga jij nu aan jezelf denken. Hoe was het ook alweer, je moeder is ook ziek?'

'Oma.'

'Besteed aandacht aan haar, wij zien elkaar bij je volgende dienst. Zullen we het zo afspreken?'

Toen ze neergelegd hadden, verspreidde de warmte zich in haar maagstreek. Er waren mensen die zich om haar bekommerden. Ze zuchtte, leunde achterover in de bank. De onverwachte vrije periode voelde niet noodlottig en bedreigend, eerder aangenaam en licht.

Ze ging naar de slaapkamer, trok haar joggingpak aan. Wist wat ze vandaag ging doen. Alleen eerst even douchen.

Hij moest oppassen. Hij moest voorkomen dat de mensen waarin hij investeerde en op wie hij vertrouwde met hun hoofd tegen de muur liepen. Als opgebrande kaarsen waren ze waardeloos. Annika Bengtzon moest het nog een poosje langer volhouden.

Anders Schyman haalde diep adem, zijn kamer rook naar schuurmiddel. Zijn eis dat in het weekend de bank verwijderd zou worden en het kantoor gereinigd, was een geniale zet geweest.

Met het behaaglijke gevoel dat hij de zaak onder controle had, leunde hij achterover en sloeg de krant op. Tijdens het lezen echter verdween dat gevoel langzaam maar zeker. Het eerste nieuwskatern deed verslag van de spectaculaire moord op het Sergels Torg, de jonge vrouw die tijdens een demonstratie in het hoofd geschoten was. Bij het artikel was een grote, onscherpe foto van de vrouw geplaatst. Jong en mooi was ze. Het was niet controversieel om naam en foto van het slachtoffer te publiceren, daarentegen waren de macabere bijzonderheden rond haar dood veel te gedetailleerd beschreven. De mensen hoefden niet te weten dat de deelmantelkogel haar brein uiteen had gereten en achter haar neus was blijven steken. Schyman zuchtte, nou ja, dat waren details.

Het volgende katern ging over de ophanden zijnde regeringscrisis, het congres van de socialisten zou op donderdag beginnen en een week duren, de machtsstrijd was in volle gang. Calle Wennergren bleef wroeten in de te laat betaalde crècherekeningen van de vrouwelijke minister en naderde met rasse schreden de grens van wat publicistisch en ethisch verdedigbaar was. De krant had nog steeds niet de kernvraag aangepakt, namelijk waarom de discussie over de minister nou juist op dit moment de kop opstak. Het was bekend dat zij door de voordrachtscommissie was genoemd als de nieuwe partijsecretaris en daarmee de kroonprinses voor de functie van minister-president was. Dit was voor al die miskende en vastgeroeste middelbare heren reden genoeg om hun messen te slijpen. Dát wilde hij in de krant geanalyseerd zien, hoe de mannen van de macht functioneerden, wat ze bereid waren te doen om hun macht te behouden. Ondanks het feit dat men wist dat drie leden het uitvoerend comité, de machtselite van de partij, zouden verlaten, waren de andere nominaties niet uitgelekt. Hij voelde aan zijn water dat de namen controversieel zouden zijn, het zou een spannend congres worden. Er werd gefluisterd dat Christer Lundgren, de voormalige minister van Buitenlandse Handel, die aftrad na het schandaal rond *Studio Sex*, aan het terugkomen was. Persoonlijk twijfelde hij daaraan, het schandaal was te groot, te onopgehelderd, dat wat onder de oppervlakte lag was te explosief. Daarentegen kon niet uitgesloten worden dat minister van Cultuur Karina Björnlund in het uitvoerend comité zitting zou gaan nemen, wat op zichzelf een schandaal zou zijn als ze het hem vroegen. Dat mens had in alle ernst voorgesteld de overheid de bevoegdheid te geven de hoofdredacteuren en verantwoordelijke uitgevers van alle mediabedrijven in Zweden te benoemen dan wel te ontslaan. Toch mocht ze blijven zitten, en hij wist waarom. Dat had Annika Bengtzon hem ruim twee jaar geleden verteld.

De rest van de krant was tamelijk dun. Nieuwe beleggingstips, zo word je een winnaar, hij zuchtte. Op het middenblad stond een interview met een tv-persoonlijkheid die op het punt stond naar een ander kanaal te gaan. Aan deze overstap leek geen conflict ten grondslag te liggen, alleen maar een grotere zak met geld. Schyman zuchtte wat. Ze waren er de afgelopen week niet in geslaagd een document van enige waardigheid het licht te doen zien, een artikel dat de maandagskrant had kunnen oppeppen in afwachting van het op gang komen van de nieuwe werkweek.

Nou ja, wat kon het ook schelen, de drukkerij had gefunctioneerd, ze waren op tijd uit. Een mens moest blij zijn met de kleine dingen.

De pizza lag als een baksteen van gesmolten kaas in de buurt van Thomas' middenrif, hij voelde zich vaag misselijk. Na de lunch was hij gauw met de avondkranten naar zijn kamer verdwenen, de koffie had hij overgeslagen.

Midden op zijn bureau lag de factuur van stichting Het Paradijs, beschermd wonen voor cliënte gedurende de maanden november, december en januari. 322.000 kronen. Hij wist dat het budget niet in dit bedrag voorzag. Om het geld voor die ellendige schuldenjunk vrij te kunnen maken, waren ze gedwongen de renovatie van een kinderdagverblijf dat met schimmel te kampen had, uit te stellen.

Zijn collega had hem de factuur gegeven toen hij op het punt stond om met de mensen van zijn afdeling de deur uit te gaan voor de lunch.

'Deze is net met de fax gekomen', had ze gezegd met kilte in haar stem en ogen. Ze had hem niet vergeven dat hij haar te schande had gemaakt in het bijzijn van een cliënt.

Hij had haar bedankt, had zich ongemakkelijker gevoeld dan hij wilde toegeven.

Nu zat hij naar de factuur te staren terwijl hij nadacht over de vraag welke posten geschrapt zouden kunnen worden om het budget kloppend te krijgen.

Jezus, dacht hij toen en hij schoof de gedachte weg, dat is mijn probleem helemaal niet. De Raad heeft ja gezegd tegen deze janboel, de leden zelf mogen nu puinruimen.

Hij zuchtte, leunde achterover en graaide de *Kvällspressen* naar zich toe. Sloeg het middenblad op en belandde in een groot interview met een presentatrice die zou stoppen met haar baan bij de tv. Wat ongelofelijk oninteressant, dacht hij en hij bladerde terug naar de nieuwspagina's. Daar stond een foto van het slachtoffer van afgelopen zaterdag, de Koerdische vrouw die op het Sergels Torg vermoord was, midden onder een demonstratie. Wat was ze jong. Hij liet zijn blik naar beneden glijden, naar het foto-onderschrift.

Aida Begović uit Bosnië.

Zijn verstand stond een paar seconden lang stil. Toen hij weer bij zijn positieven was, smeet hij de krant opzij en pakte de factuur van stichting Het Paradijs. Daar stond de datum van vandaag op, 5 november.

Dit kan niet waar zijn, dacht hij. Rukte zijn onderste la open en haalde alle aantekeningen en kopieën eruit die betrekking hadden op deze kwestie, bladerde alles door, hij vergiste zich niet.

Aida Begović uit Bijeljina in Bosnië.

Hij raakte buiten adem van kwaadheid, zijn gezichtsveld kleurde van boven naar beneden langzaam rood. Die godvergeten… Ze had verdomme de brutaliteit om geld te vragen voor een vrouw die vermoord was.

Hij strooide de papieren uit op zijn bureau, had ergens een briefje met het adres. Toen hij met zijn kopieën van de Dienst Beslagleggingen in Sollentuna wapperde, dwarrelde het naar beneden, een hoekje uit het grote schrijfblok van Annika Bengtzon. Hij stopte de factuur en het adres in de binnenzak van zijn colbertje, trok zijn jas aan en verliet het pand.

Annika stapte in Jakobsberg uit de trein, met pagina 18 van de Gouden Gids in de hand. Er stond een koude en gure wind die pijn deed aan haar huid. Overal bruine jarenzestigdozen, een school voor jongeren- en volwasseneneducatie, een kapsalon, de Jakobsbergskerk. Keek op de kaart, ze moest de heuvel op, naar het noordwesten. Vond een tunnel die onder de Viksjöleden door liep, hield halt bij Emils Fast Food, propte een hamburger naar binnen.

Toen ze de cafetaria weer verliet, sloegen de zenuwen op volle kracht toe. De typische wegrestaurantsmaak lag als een dunne film in haar mond, de hamburger draaide zich om in haar maag, ze kreeg een zure oprisping. Vermoedelijk stond ze op het punt zich schuldig te maken aan eigenmachtig handelen.

Ze keek op naar de gebouwen, kleurloos en wazig in de mist.

Ik hoef het niet te doen, dacht ze. Ik ben ziek gemeld. Het Paradijs kan wachten.

Aarzelde, staarde naar de huizen.

Een kijkje nemen kan natuurlijk altijd, dacht ze. Ik hoef niet naar binnen te gaan, ik kan het huis van de buitenkant bekijken.

Opgelucht omdat ze de beslissing had uitgesteld, ging ze op weg naar de woonwijk die blijkbaar Olovslund heette. De bebouwing leek niet volgens de stadsplanning te zijn uitgevoerd, was niet homogeen. Alle huizen waren verschillend, gebouwd in verschillende stijlen en perioden, huizen van rond 1900, een oud hoofdgebouw dat bij een landgoed hoorde, verzorgingsstaatblokkendozen uit de jaren dertig, moderne optrekjes in Mexi-steen en bruin gevernist hout. De wijk had zich uitgebreid op de hellingen van een forse heuvelrug, veel straten hadden een naam die hun ligging beschreef, de Höjdvägen, de Släntvägen, de Brantvägen. Andere waren genoemd naar jaargetijden en maanden, ze passeerde de Höstvägen en de Novembervägen.

Ik vraag me af hoeveel sociale controle er is in een wijk als deze, dacht ze. Niet veel, was haar inschatting.

Toen kwam ze in de straat waar ze moest zijn, langzaam liep ze de heuvel op, asfalt met gruis, greppels met rotzooi, de sleutelbos rammelde, brandde in haar zak.

Het huis lag bijna op het topje van de heuvelrug, aan de noordzijde. Ze bleef naast de oprit staan en bestudeerde aarzelend het pand. De tuin was verwilderd, de bomen waren gesnoeid, de bladeren van de afgelopen zomer lagen bruin en rottend tussen de hopen sneeuw. Grote stenen blokkeerden gedeelten van het zicht. Het huis zelf stamde uit de jaren veertig, mogelijk vroege jaren vijftig, twee verdiepingen, lichte grijsbruine pleisterkalk die waarschijnlijk ooit wit was geweest en nu gedeeltelijk afgebrokkeld was. Geen gordijnen, geen lampen, nergens licht. De ramen zagen eruit als openingen in een slecht gebit.

Haar hart bonsde, haar ademhaling werd compact in de kou. Ze keek om zich heen naar de andere huizen, nergens brandde licht, er was geen mens te zien.

Op doordeweekse middagen kun je in Zweedse buitenwijken een kanon afschieten, dacht ze en ze woog de sleutels in haar hand.

Mia Eriksson huurde een kamer in dat huis, ze had voor de hele maand betaald. Mia had haar het adres en de sleutelbos gegeven. Dat maakte dat ze zo goed als uitgenodigd was.

Ze haalde diep adem en betrad het perceel. Het pad naar het huis was bedekt met ijs, het was oneffen door voetafdrukken en vanwege het feit dat niet alle sneeuw geruimd was. Ze wierp een snelle blik over haar schouder, niemand zag haar, niemand vroeg zich af wat ze daar deed. Liep snel de trap op, met klamme handen, de sleutelbos in haar zak, klaar om die te gebruiken. Luisterde aan de deur, hoorde niets. Belde aan, binnen weerklonk een oorverdovend gerinkel. Als iemand opendeed, moest ze iets verzinnen, naar de weg vragen of vragen of ze de daklozenkrant wilden kopen. Ze belde nog een keer aan. Geen reactie. Bestudeerde de voordeur, stevig, jarenveertigkwaliteit, twee bijzetsloten, haalde de sleutels te voorschijn, woog ze in haar hand, probeerde de ene sleutel op het bovenste slot, hij paste niet, het zweet stond haar op de bovenlip, stel dat dit een val was? Pakte met trillende vingers de andere sleutel, klik. Haalde opgelucht adem, de eerste sleutel weer, onderste slot, klikkerdeklik, toen het Assa-slot, gerammel. De deur gleed open, knarsend. Ze stapte naar binnen, haar polsslag dreunde in haar oren, trok de deur achter zich dicht. Vermoedde een donkere hal, knipperde met haar ogen om ze aan het duister te laten wennen, durfde geen licht aan te doen.

Ze bleef een poosje achter de deur staan, wachtte tot het donker week en haar hart tot bedaren was gekomen. Het stonk een beetje in de hal, bedompt en vochtig, en het was er tamelijk koud. Ze veegde haar voeten op een flodderig matje, wilde geen schoenafdrukken achterlaten waardoor ze te traceren zou zijn.

De hal was leeg, er stonden geen meubels. Ze zag verscheidene deuren, opende de eerste aan haar linkerhand. Een trap naar de bovenverdieping, mat daglicht viel naar binnen door een raam dat zich ergens daarboven bevond. Ze deed de deur geruisloos dicht, opende de volgende. De ruimte onder de trap, in gebruik als rommelhok.

Buiten op straat remde een auto af, haar lichaam verstijfde, haar hart stierf.

De sloten, dacht ze. Ik moet de deuren weer dichtdoen, anders merken ze meteen dat er iemand binnen is.

Ze rende op haar tenen terug naar de deur, stuntelige handen, deed het Assa-slot dicht met de knop, de bijzetsloten met de sleutels. Blies even uit, zweet in de oksels. Luisterde of ze op straat iets hoorde, niets. Sloop daarna terug naar de rommelkast. Toen ze de deur opnieuw opentrok, viel een sleutel uit het slot op de vloer, de klap echode na in het lege huis, shit, shit. Stopte snel de sleutel terug, luisterde, niets, liep naar de volgende deur, recht voor zich. De keuken, die sinds de bouw van het huis niet gemoderniseerd was, lage werkbladen en een roestig aanrecht. Twee ramen, een op het noorden, een op het westen. Een oude tafel met een plastic blad en vier verschillende stoelen. Een koffiezetapparaat. Ze ging naar binnen en trok de bovenste la open, wat bestek, een vleesmes. Trok de volgende open, leeg, de volgende, leeg. Keek in de keukenkastjes, wat pannen, een gietijzeren braadpan, een vergiet. In de provisiekast stonden een doos macaroni van Ideal en twee blikjes gezeefde tomaten. Ze bleef staan, keek om zich heen. De keuken zag er tamelijk netjes uit, vermoedelijk Mia's verdienste.

In de oostelijke wand bevond zich nog een deur, een schuifdeur, dichtgetrokken. Annika liep erheen, trok aan de glimmende komgreep. Op slot. Ze trok er nog een keer aan, met beide handen, zinloos. Voelde aan het slot, er hoorde een heel klein sleuteltje bij, geen van de sleutels die ze had zou passen. Liep terug naar de hal en voelde aan de laatste deur, kwam in een lichte kamer met een bank en een laag tafeltje, in een hoek een open haard. Bruine linoleumvloer met parketmotief. Links nog een deur, die gaf waarschijnlijk toegang tot de kamer achter de keuken. Ze ging erheen en voelde eraan. Op slot. Probeerde haar sleutels, ze pasten niet.

Het kantoor, dacht Annika. Dit is de kamer waar Mia niet in kon.

Ze was op weg terug naar de keuken om de sleutel van de afgesloten kamer te zoeken, toen ze gerammel hoorde in het bovenste bijzetslot van de voordeur.

Alle bloed stroomde van haar hoofd naar haar voeten, ze kon zich niet bewegen, stond als vastgenageld in de hal toen het eerste slot rond ging. Op het moment dat het tweede begon te klikketikken kreeg ze plotseling lucht onder haar voetzolen, ze vloog naar de deur die de trap naar de bovenverdieping verborgen hield, opende die, glipte erlangs, trok de deur achter zich dicht, zweefde bliksemsnel de traptreden op, belandde op een overloop, dezelfde linoleumvloer met parketmotief, vier deuren, trok een ervan open, kwam in een slaapkamer terecht, wierp zich onder het bed dat aan het andere eind van de kamer stond, o god, help mij, vergeef mij alle domme dingen die ik gedaan heb...

De vloer onder het bed was enorm stoffig. Omdat ze bang was dat ze zou gaan niezen, deed ze een hand voor neus en mond om de lucht die ze inademde enigszins te filteren. Iemand bewoog zich in de kamer onder haar, er werd een kraan opengezet, dat moest de keuken zijn. Haar ademhaling werd zwaar, snel en diep.

Nee, dacht ze. Geen paniekaanval, niet nu.

Haar ademhaling gehoorzaamde niet, ze begon te hyperventileren, wurmde zich op haar rug, zocht in haar zakken naar iets om in te ademen, vond haar handschoenen, plaatste een ervan over neus en mond, ademde, ademde, ademde net zolang tot de aanval over was, daarna bleef ze roerloos liggen, uitgeput was ze. Ze staarde naar een zestig jaar oude bedbodem, bruinbeige riemwerk dat stoffige stalen veren ondersteunde.

Draaide vervolgens haar hoofd naar de muur, legde haar oor tegen de vloer. Opgewonden stemmen, een man en een vrouw. De man agressief, de vrouw licht hysterisch. De laatste herkende ze. Rebecka Agneta Charlotta Evita.

'Het was mijn geval!' zei de vrouw. 'Mijn geval! Wat een rotstreek! De sociale dienst staat op het punt te betalen, en dan gaat ze ervandoor, dat kreng!'

Ze heeft het over Mia, dacht Annika. Iets ging kapot daar beneden, ze vermoedde dat het het koffiezetapparaat was. De man mompelde iets, ze kon niet horen wat, en toen was daar plotseling een rinkelend geluid in haar oor. Ze vloog overeind en sloeg met haar hoofd tegen de stalen veren, godverdegodver. Het gerinkel hield op, ze ging weer liggen, voelde met haar vingers aan haar voorhoofd, ze bloedde een beetje. Toen kwam het nog een keer, de deurbel. Die was in de keuken gemonteerd, vlak onder het plafond.

In de stilte die volgde hoorde ze de stemmen mompelen, eerder verbaasd dan opgewonden, eerder bang dan agressief.

'...nee, ik verwacht niemand...'

'...komt misschien terug...'

Ze hoorde voetstappen over de vloer gaan, er liep een beetje bloed in haar wenkbrauw, ze luisterde scherp.

Een man, er stond een man voor de deur. Er werd met stemverheffing gediscussieerd, de voordeur werd dichtgedaan, ze gingen terug naar de keuken.

'Als jullie denken dat ik van plan ben deze factuur te betalen, dan zijn jullie hartstikke gestoord', zei een van de mannen, en Annika hapte naar lucht.

Thomas Samuelsson.

De stem van de vrouw sijpelde door het plafond, lauw en vol minachting.

'We hebben een contract, en daar moeten we ons aan houden.'

'Maar jezus, de vrouw is dood!'

De administrateur was ongelofelijk kwaad.

'Ze is ervandoor gegaan', zei Rebecka Evita. 'Dat was haar eigen keus. Dat ontslaat jullie niet van jullie verantwoordelijkheid en betalingsverplichting.'

Thomas Samuelsson liet zijn stem zakken, Annika kon de rest met moeite verstaan.

'Ik ben van plan jou aan te geven bij de politie, misselijke zwendelaarster die je bent', dacht ze dat hij zei. 'Ik weet alles over jouw schulden en faillissementen, je kunt fluiten naar het geld van de gemeente Vaxholm.'

Daarna was er chaos. De vreemde man schreeuwde, Thomas

Samuelsson antwoordde, de vrouw riep iets, gebons volgde, hout ging kapot, gebrul en gekrijs, het huis schudde op zijn grondvesten.

'Sluit hem op', riep Rebecka.

Wat verder weg viel een klap, dof geschreeuw, ritmisch bonkende vuisten.

'Wat doen we nu in godsnaam?' zei de man.

'Hem tot zwijgen brengen', riep de vrouw.

Vuistslagen, pats, pats, pats, woedende uitroepen: 'Laat me eruit, halfgare bedriegers', toen voetstappen over de vloer, een doffe klap, daarna stilte.

'Is hij dood?'

Het was de vrouw die dat vroeg.

Annika hield de adem in.

'Nee', zei de man. 'Hij redt het wel.'

Sloot haar ogen, haalde opgelucht adem.

'Waarom sloeg je zo hard? Idioot! Hier kan hij niet liggen!'

'We moeten de auto halen', zei de man.

'Ik ben niet van plan hem naar buiten te dragen!'

'Hou in godsnaam op met dat gejammer, ik zeg toch dat...'

De voordeur viel met een klap dicht, de stemmen stierven weg.

Annika bleef achter in de stilte, stoffig en heet. Een veertje kwam van tussen de stalen veren aan dwarrelen, landde onder haar neus. De tijd stond stil, ze ademde licht en geluidloos.

Ze komen terug. Nog even en ze zijn er weer, en dan hebben ze een auto bij zich. Dan brengen ze Thomas Samuelsson weg, en dan is het te laat.

De laatste gedachte echode in haar hoofd, te laat, te laat. Te laat voor Aida uit Bijeljina, te laat voor Thomas uit Vaxholm.

Ze blies het veertje weg en kroop onder het bed vandaan, niesde, stoffig van top tot teen, kroop op haar knieën naar het raam en keek naar buiten. Rebecka en de man liepen de heuvel af, passeerden net een auto, een groene Toyota Corolla, Annika besefte dat het de wagen van Thomas Samuelsson was.

Ze ging op de vloer zitten, haar verstand stond stil, wat moest ze nou doen? Ze had geen idee hoelang Rebecka en de man zouden wegblijven. Misschien was het het beste om hier te blijven liggen, te wachten tot ze de administrateur zouden ophalen en er daarna stiekem vandoor te gaan zodra het donker werd.

Ze keek weer naar buiten, het begon te schemeren. Geen Rebecka. Als ze iets anders wilde doen dan wachten, moest ze zorgen dat ze het snel deed.

Ze ging weer zitten, deed haar ogen dicht, aarzelde.

Als ze maar niet zo laf was. Als ze maar niet zo zwak was. Als ze maar niet zo weinig tijd had.

Wat ben je toch ook een doetje, dacht ze. Je weet toch niet hoe weinig tijd je hebt. Als je nu in actie komt, heb je misschien tijd zat om hem hieruit te krijgen.

Ze ging staan, sloop snel de kamer uit, de overloop over en de trap af, buiten adem van de zenuwen, keek om zich heen, de gietijzeren pan lag in het midden van de hal. Wat hadden ze hem aangedaan?

Een zwak gekreun in de rommelkast onder de trap maakte dat ze zich vliegensvlug omdraaide. De sleutel zat in de deur, ze liep ernaartoe, draaide hem om.

De man rolde naar buiten, viel over haar heen, ze ving hem op en kwam op haar knieën terecht. Zijn hoofd belandde tussen haar armen, hij bloedde uit een grote wond bij zijn haargrens, het lichte, glanzende haar was bruin van het bloed. Ze maakte zijn stropdas los, hij kreunde.

De woede joeg tranen naar haar ogen, vervloekte moordenaars! Eerst Aida, daarna Thomas. Was het nou nooit genoeg?

'Luister', zei ze en ze tikte hem zachtjes op de wang. 'We moeten hier weg.'

Ze probeerde hem overeind te zetten, maar verloor haar houvast en de man gleed op de vloer.

'Thomas!' zei ze. 'Thomas Samuelsson uit Vaxholm, waar heb je je autosleutels?'

Hij gaf een kreun als antwoord, rolde op zijn rug, legde zijn hoofd voorzichtig op het deurmatje.

Ze groef in de zakken van zijn jas, zachte stof, onhandig gefriemel, daar had ze ze. Ging terug naar de kamer met de bank om te kijken of Rebecka alweer in aantocht was, niemand te zien.

Toen ze terugkwam, zag ze dat de deur van de afgesloten kamer op een kier stond. Ze bleef staan, aarzelde een seconde. Ze moest zorgen dat ze hier weg kwam, nu. Ze moest kijken wat zich daarbinnen bevond.

'Jezus, wat is er gebeurd?'

De stem in de hal klonk dik en verward. Ze liep erheen.

'Ze hebben jou met een braadpan op je hoofd geslagen', zei ze. 'We gaan, ik moet alleen even iets checken.'

Thomas Samuelsson probeerde te gaan staan, maar viel weer om.

'Ga hier maar even zitten, een minuutje, dan ben ik er weer', zei ze.

Rende terug naar de kamer die niet meer op slot zat, trok de deur open, nam de ruimte in zich op.

Teleurstelling.

Ze wist niet wat ze verwacht had, maar niet dit. Een bureau. Een telefoon. Een fax. Een boekenkast met een heleboel mappen en een stapel losse papieren. Ze luisterde, niets te horen, stoof naar binnen en trok de eerste map uit de kast, het etiket meldde Uitgewist.

Leeg.

De volgende, Follow-up.

Leeg.

De volgende, facturen naar verschillende gemeenten. Het waren er een stuk of twintig, de gemeente Österåker, uw ref. Helga Axelsson, onze ref. Rebecka Björkstig, de gemeente Nacka, uw ref. Martin Huselius, allemaal grote bedragen, ten minste honderdduizend kronen. Voelde daarna aan alle mappen op de bovenste plank, op de etiketten stonden teksten als Terugkeer in de samenleving, Beschermde panden, Vestiging in het buitenland.

Allemaal leeg.

De stapel losse papieren bestond uit persoonlijke gegevens, vonnissen, uittreksels uit het bevolkingsregister, formulieren van de Dienst Sociale Verzekeringen. Kortom, persoonlijke documenten van de bedreigde mensen.

Ze ging met haar rug naar de boekenkast staan en liet haar blik door de kamer gaan, ze moest nu weg. Had ze iets over het hoofd gezien?

Het bureau. Ze stormde erheen, rukte aan de laden. Allemaal op slot.

Oké, dacht ze, laat verder maar zitten.

Thomas Samuelsson was overeind gekomen, hij zat met zijn rug tegen de muur en had zijn hoofd tegen zijn knieën gelegd.

'Leef je nog?' vroeg ze nerveus.

'Op sterven na dood', mompelde hij.

Ze draaide de drie sloten open, ging vervolgens op haar knieën voor hem zitten, slikte.

'Thomas,' zei ze, 'ze kunnen elk moment terugkomen. We moeten hier weg. Kun je lopen?'

Hij schudde zijn hoofd, zijn haar leek wel een gordijn, een gordijn met bruine vlekken.

'Leg je arm om mijn schouders, dan sleep ik je naar buiten. Kom op.'

De man deed wat hem gezegd werd, was zwaarder dan ze dacht, ze bezweek haast onder zijn gewicht. Sleepte hem tot aan de deur, schopte die open, het was bijna donker, zette hem op de trap, hij zwaaide vervaarlijk, haar handen trilden zo en waren zo bezweet dat ze de sleutels in het gras liet vallen. Ze begon bijna te huilen, godverdomme, misschien moest ze die sloten maar vergeten. Luisterde of ze geluiden op de weg hoorde, geen auto's, sprong over de duizelige man heen, pakte de sleutels, stapte opnieuw over hem heen, liep naar de deur, dacht plotseling aan de rommelkast, rende het huis in en deed de kast op slot, trok de voordeur dicht en draaide als de bliksem de bijzetsloten om, toen het Assa-slot, trok de man weer over haar schouders en sleepte hem naar de Toyota. De portieren gingen open met een opgewekt bliep bliep, ze duwde hem op de passagiersstoel, rende om de auto heen, moest de sleutel met beide handen vasthouden toen ze hem in het contact wilde steken. Godzijdank, de auto startte in één keer. Ze liet de motor op toeren komen, schakelde en reed weg, over de heuveltop.

Het laatste wat ze in de achteruitkijkspiegel zag, was een auto aan de voet van de heuvel die in de richting van het huis reed.

Ze reed rechtdoor, door paniek bevangen, begon weer te snel en te heftig adem te halen, de weg hield op, ze maakte een scherpe bocht naar rechts. Thomas Samuelsson gleed naar haar toe, ze duwde hem de andere kant op totdat hij weer rechtop zat.

Grote god, hoe kwam ze hier vandaan? In welke richting lag Stockholm?

Ze reed de heuvel af, er moest hier toch ergens een weg zijn, een grotere weg, hoe heette die ook alweer? De Mälarvägen?

Ze wierp een blik in de achteruitkijkspiegel, zag wat lampen van andere auto's, ze leek niet gevolgd te worden. Keek weer voor zich, een verkeerslicht! Een hoofdweg? De Viksjöleden! Ze sloeg rechts af, weg van het huis, weg van Rebecka, besefte algauw dat ze in rondjes reed, passeerde een andere grote weg, de Järfällavägen, en plotseling wist ze weer waar ze was. De Factory Outlet in Barkarby! Ze hoorde de enthousiaste stem van Anne Snapphane in haar hoofd: Today is Outlet Day! In het voorjaar en de herfst sloegen ze daar hun slag, ze kochten er leren jassen en gympen en proefcollecties van maffe kledingmerken voor je reinste afbraakprijzen. Hiervandaan wist ze wel hoe ze thuis moest komen. Ze draaide de E18 op en racete over de linkerbaan terug naar Stockholm.

De man naast haar begon plotseling over te geven. Hij braakte over zijn jas en broek, sloeg met zijn hoofd tegen het dashboard.

'Shit', zei Annika. 'Heb je hulp nodig?'

Hij kreunde, gaf opnieuw over. Annika reed verder, tuurde wanhopig of ze ergens een afrit zag, nee, geen afrit, voelde zich gevangen, kon niets doen.

Thomas Samuelsson zat nog steeds met zijn hoofd tegen het handschoenenkastje, legde zijn handen boven op zijn hoofd.

'Wat is er in godsnaam gebeurd?' vroeg hij mat.

'Rebecka en haar makker', zei Annika. 'Ze hebben je neergeslagen.'

Hij wierp een snelle blik op haar.

'Jij!' zei hij. 'Wat doe jij hier?'

Ze staarde recht voor zich uit, het werd drukker op de weg.

'Ik hoorde dat ze je opsloten onder de trap. Toen ze weggingen om de auto te halen, heb ik je eruit gehaald. Je hebt een hersenschudding, je moet naar een dokter. Ik rij je naar het Sankt Göran.'

'Nee,' protesteerde hij lauw, 'ik ben in orde. Alleen een beetje koppijn.'

'Geklets', zei ze. 'Je kunt een bloeding gehad hebben in je hoofd. Daar moet je niet te licht over denken.'

Ze raakte bijna de draad kwijt met al die toeritten naar de E4, maar kwam ten slotte bij Järva Krog op de snelweg. Reed vervolgens via Hornsberg naar de eerste hulp en zette de auto op de parkeerplaats. Haar handen beefden niet meer toen ze de contactsleutel uit het slot haalde, de opluchting over het feit dat ze ontsnapt was ervoer ze als fysiek.

Het was aardedonker buiten, het licht van een gele lantaarnpaal maakte alles bruin.

'Zo kan ik niet naar binnen', mompelde Thomas en hij wees op zijn jas, waar braaksel op zat.

'We smijten hem in de kofferbak', zei Annika. Ze stapte uit en liep om de auto heen naar zijn kant, deed het portier open.

'Kom op,' zei ze, 'ga staan. Ik help je.'

De man kwam overeind, hij had inderdaad flink overgegeven.

'Nu doen we je jas uit', zei Annika en ze voegde de daad bij het woord, Thomas stond niet helemaal stevig op zijn benen.

'Waar kwam jij vandaan?' zei hij en hij keek haar aan of ze een spook was.

'Daar hebben we het later wel over', zei ze. 'We gaan nu eerst naar binnen.'

Ze legde zijn arm over haar schouders, pakte zijn middel stevig beet en duwde hem naar de eerste hulp. Net zo'n dame achter net zo'n glazen receptie als in Katrineholm.

'Mijn broek', zei hij. 'Er zit braaksel op.'

'Dat wassen we er af op het toilet', zei ze. 'Hoi. Thomas hier heeft een klap op zijn hoofd gehad, hij is een paar minuten buiten westen geweest, heeft hoofdpijn en moet overgeven. Beetje vergeetachtig en verward.'

'Jullie hebben geluk', zei de dame. 'Het is niet druk, jullie kunnen meteen verder komen. Persoonsnummer?'

'Mijn broek', fluisterde Thomas.

'Wat goed', zei Annika. 'Hij moet alleen even naar het toi...'

Ze wachtte op hem in de wachtkamer, het onderzoek ging snel. Er was niets ernstigs met hem aan de hand. Hij vertoonde geen klinische tekenen van een hersenbeschadiging en was snel weer bij zijn positieven. De arts liep met hem mee naar de wachtkamer.

'Moet ik lang rusten?' vroeg Thomas.

De arts glimlachte.

'Welnee. Een snelle terugkeer naar normale lichaamsactiviteit is alleen maar goed, dat voorkomt dat symptomen als hoofdpijn en vermoeidheid permanent worden.'

Ze liepen weer naar de auto, allebei uitgeput, ontspannen.

'Ik rij je naar huis', zei Thomas en hij liep naar de bestuurderskant.

'Geen sprake van', zei Annika. 'Jij rijdt vandaag geen auto meer. Ik rij jou naar huis.'

Zijn antwoord kwam voordat hij het kon tegenhouden.

'Ik wil niet naar huis.'

De vrouw keek hem aan, leek niet verbaasd. Bekeek hem met een blik die hij niet kon duiden, overlegde met zichzelf.

'Oké', zei ze ten slotte. 'Dan rijden we naar mijn huis. Je moet in ieder geval even bijkomen voordat je achter het stuur kruipt.'

Hij protesteerde niet, ging in de bijrijdersstoel zitten en deed zijn veiligheidsriem om. Hij realiseerde zich dat hij daar nooit zat. Eleonor reed nooit in zijn auto, zij had immers de BMW.

Ze reden naar het Fridhemsplein, Thomas zei niets en keek door het raam naar buiten. Zo veel blinkende lampjes, zo veel naamloze mensen. Er waren zo veel verschillende soorten levens, het bestaan kon er op zo ongelofelijk veel verschillende manieren uitzien.

'Heb je erge koppijn?' vroeg Annika.

Hij keek haar aan, glimlachte wat.

'Nogal.'

Vreemd genoeg waren er genoeg parkeerplaatsen in de buurt van haar huis.

'Grote schoonmaak vannacht', zei ze. 'Na twaalven heb je zo een bekeuring van vierhonderd kronen aan je broek.'

Ze hielp hem de trappen op, zijn arm over haar schouders. Ze was sterk voor haar lengte. Hij voelde haar borst onder zijn oksel.

Het appartement was helemaal wit, de houten vloer golfde licht door de slijtplekken.

'Het pand stamt uit ongeveer 1880', zei ze terwijl ze zich van haar jas en sjaal ontdeed. 'De eigenaar is na de onroerendgoedcrisis aan het begin van de jaren negentig failliet gegaan, en toen hebben ze alle renovatieplannen in de ijskast gezet. Wil je koffie?'

Hij streek over zijn vochtige broek, vroeg zich af of het stonk.

'Ja graag. Of een beetje wijn als je hebt.'

Ze bleef staan en dacht na, rechte rug, heldere ogen.

'Ik geloof dat ik nog een pak met wat witte wijn heb staan, het is wel oud. Hoewel, misschien zou je op dit moment geen alcohol moeten drinken, wat denk je?'

Hij glimlachte wat verward, streek over zijn haar, vijf hechtingen bij zijn haargrens had hij gekregen, hij voelde aan zijn stropdas, trok zijn jasje recht.

'Ik denk dat het wel kan', zei hij. 'Een snelle terugkeer naar normale lichaamsactiviteit is alleen maar goed, weet je.'

Ze verdween in de keuken, hij bleef in de woonkamer staan, onvast, onzeker, keek voorzichtig om zich heen, wat een wonderlijke ruimte. Witte, matte wanden, witte doorschijnende gordijnen, een bank, een tafel, een tv, een telefoon. Verder stond er niets in de grote kamer. Een kapot raam was gerepareerd met een papieren draagtas, de tocht bracht de massa's witte voile in beweging. De vloer was grijs, mat, zijdezacht.

'Ga zitten als je wilt', zei ze. Ze had een dienblad met glazen, mokken, een pak wijn en een glazen koffiezetter meegenomen. Ze bewoog zich licht en soepel, zette de spullen met snelle handen op tafel. Een zware gouden ketting bungelde op haar borsten.

Hij ging zitten, de bank zat niet bijzonder lekker.

'Woon je hier met plezier?'

Ze ging naast hem zitten, schonk koffie voor zichzelf in en witte wijn voor hem, slaakte een zucht.

'Gaat wel', zei ze. 'Soms.'

Ze pakte haar mok, zei niets meer, keek in haar koffie.

'Vroeger had ik het hier wel naar m'n zin', zei ze zacht. 'Toen ik er introk, vond ik het fantastisch om hier te wonen. Alles was zo licht, het leek wel of alles zweefde. Daarna... zijn er dingen veranderd. Ja, niet het appartement, maar de dingen eromheen, mijn leven...'

Ze hield weer op met praten, nam een slok koffie. Hij nipte van de wijn, hij smaakte verbazend goed.

'Jij dan?' zei ze en ze keek hem aan. 'Heb jij het naar je zin?'

Hij was van plan te glimlachen, maar besloot geen moeite te doen.

'Niet bijzonder', zei hij. 'Ik ben mijn leven strontzat.'

Nam een grote slok wijn, verbaasde zich over zijn eigen oprechtheid. Zij knikte alleen maar, vroeg niet waarom.

'Wat deed jij in Järfälla?' vroeg ze.

Hij deed zijn ogen dicht, dacht na, zijn hoofd barstte.

'De factuur', zei hij. 'Is die meegekomen?'

'Welke factuur?'

'Van Het Paradijs, die had ik in de hand toen ik het huis binnenging. 322.000 kronen, beschermd wonen voor cliënte, voor drie maanden. De factuur kwam vanmorgen per fax binnen, ondanks het feit dat de vrouw waar het om gaat al dood was. Stelletje oplichters!'

'Ik heb geen factuur gezien,' zei ze, 'hoewel ik niet in het rommelhok gekeken heb. Heb je de zakken van je colbertje gecontroleerd?'

Hij stak snel zijn handen in de buitenzakken, niets, voelde in de binnenzak, een opgevouwen A-viertje, trok het eruit.

'Hier is-ie! Godzijdank.'

Hij bestudeerde de getallen even, liet het papier zakken, keek Annika aan.

'Wat is er eigenlijk gebeurd?' vroeg hij. 'Waar kwam jij vandaan?'

Ze ging staan, liep naar de keuken.

'Ik geloof dat ik ook een beetje wijn neem.'

Kwam terug met nog een glas.

'Nou,' zei ze, 'ik was van plan je te bellen. Ik heb wat nieuwe informatie gevonden over onze vriendin Rebecka Björkstig. Ze heeft verschillende identiteiten gehad en wordt in al haar faillissementen verdacht van zware fraude.'

Schonk twee glazen wijn in, eerst voor zichzelf, toen voor hem.

'Vanmorgen kreeg ik per post een sleutelbos, ik heb contact gehad met een vrouw die zijdelings met Het Paradijs te maken heeft gehad, zij heeft in het huis in Olovslund gewoond. Haar hele gezin is daar afgelopen vrijdag weggevlucht en vanuit de binnenlanden van Norrland heeft ze de huissleutels naar mij opgestuurd. Ik ben direct naar Järfälla gegaan.'

Hij keek haar aan, merkte hoe verbaasd hij was.

'Dus je bent met de sleutel naar binnen gegaan? Was er niemand?'

Ze schudde het hoofd.

'Njet, maar dat duurde niet lang. Ik heb me op de bovenverdieping verstopt. Toen jij kwam, ontstond er een enorm kabaal. Ze moeten je met een braadpan op het hoofd geslagen hebben. Zodra Rebecka en die man weggingen om een auto op te halen, heb ik jou naar je Toyota gesleept en daarna zijn we ervandoor gegaan.'

Hij streek over zijn voorhoofd, probeerde zijn gedachten te ordenen.

'Dus jij was er al toen ik kwam.'

'Yep.'

'Jij hebt me uit die kast gesleept en we zijn samen weggereden?'

'Correct. En ik heb zowel de kast als het huis weer op slot gedaan, dus je kunt je je hun gezichten wel voorstellen toen ze terugkwamen om jou op te halen!'

Ze grijnsde opgewekt, hij gaapte haar een paar seconden aan en barstte toen uit in een schaterlach.

'Heb je de kast op slot gedaan? En de voordeur?'

'Alle sloten!'

Nu moesten ze allebei vreselijk lachen, hij begon te gillen, zij te kermen.

'Jezus, wat goed!' jubelde hij.

'Ze moeten gedacht hebben dat je gedematerialiseerd was.'

Hij bedaarde wat, zijn lach doofde uit, af en toe kwam er nog een pufje.

'Dat ik wat?'

Ze glimlachte.

'Gedematerialiseerd, opgelost, gedigitaliseerd. De toekomstige manier van reizen. Je dematerialiseert en verstuurt jezelf over het net, snel en milieuvriendelijk. Stel dat we ooit ruimtereizen gaan maken, op deze manier gaat dat natuurlijk supergladjes.'

Hij staarde haar aan, waar had ze het over?

'Alleen al in onze melkweg moeten er tussen de tien- en honderdduizend beschavingen zijn van ons niveau of hoger', zei ze. 'Onderzoekers hebben ontdekt dat leven veel gemakkelijker ontstaat dan men vroeger dacht. Misschien is het wel niet zo verschrikkelijk gecompliceerd. Misschien ontstaat er overal wel leven, voortdurend, als de juiste voorwaarden maar aanwezig zijn. Er is alleen water voor nodig.'

Thomas lachte verbaasd.

'Jemig, wat een gedachtesprong, hoe kom je daarop?'

'Ik vraag me af hoe ze eruitzien', zei ze. 'Stel dat we ze een keer ontmoeten! Hartstikke leuk! Denk eens aan alle nieuwe gerechten die we zullen kunnen uitproberen. Ik kan geen wortels en aardappelen meer zien. Al die nieuwe groenten! Nieuwe kruiden! Er moeten daar zo megaveel werelden zijn, en ik ben het hier zo zat!'

Ze zweeg, haar lach was weggestorven.

'Waarom?' vroeg hij.

Ze keek in zijn ogen, ernstig.

'Waarom jij?'

Hij zuchtte geluidloos, dronk zijn glas leeg, hij voelde zich meer onder invloed van de wijn dan goed voor hem was.

'Ik vind mijn leven niet leuk meer', zei hij.

Op de een of andere manier was het vanzelfsprekend het aan haar te vertellen, hij wist dat zij het zou begrijpen, dat ze hem niet zou veroordelen. Hij keek naar haar, moe, een beetje te mager, de sterke handen lagen op haar dijen.

'Ik hou van m'n vrouw,' zei hij, 'we hebben een mooi huis, genoeg geld, een grote vriendenkring, ik werk met onderwerpen die ik zelf uitgekozen heb en waar ik plezier in heb. En toch...'

Hij zweeg, aarzelde, zuchtte, friemelde aan zijn stropdas, trok het ding over zijn hoofd, vouwde het op, legde het naast zich op de bank.

'We willen verschillende kanten uit met onze levens', zei hij. 'Zij wil carrière maken op de bank, zo langzamerhand in het management komen. Ze heeft een beetje haast, komend voorjaar wordt ze veertig.'

Ze zaten een poosje in gedachten verzonken.

'Hoe hebben jullie elkaar ontmoet?' vroeg Annika.

Hij zuchtte, glimlachte, baalde ervan dat hij tranen in zijn ogen kreeg.

'Ze was de zus van een van de jongens in het hockeyteam, een flink stuk ouder dan haar broer. Bracht ons af en toe naar de wedstrijden en haalde ons weer op. Leuk. Cool. Rijbewijs.'

Om niet te sentimenteel te worden begon hij te lachen.

'Jouw geheime fantasie?' vroeg ze. Hij bloosde een beetje.

'Zou je kunnen zeggen. Soms dacht ik aan haar voor het slapen gaan. Op een keer, toen ik bij Jerker thuis was, zag ik haar de badkamer uit komen in beha en slipje. Ze was fantastisch. Ik heb die avond als een gek geonaneerd.'

Ze lachten allebei.

'Hoe werden jullie een stel?'

Hij staarde in zijn lege wijnglas, zou nu niet meer moeten drinken, schonk het pak leeg.

'De zomer dat ik zeventien was geworden, zou ik met een grote club vrienden gaan interrailen. We zouden allemaal een zomerbaantje regelen om geld te verdienen, ergens in de tweede helft van juli zouden we vertrekken. Maar je kunt natuurlijk op je klompen aanvoelen hoe dat ging...'

Ze glimlachte.

'Niemand ging werken.'

'Behalve ik natuurlijk', zei Thomas. 'De Ica-winkel in Vaxholm is van mijn ouders, dus ik kwam er niet onderuit, was verantwoordelijk voor de vleeswaren. Bovendien werkte ik alle vakanties en weekends, en dus bulkte ik half juli van het geld.'

'Maar je had niemand om mee op reis te gaan', zei Annika.

'En ik mocht niet alleen van mijn moeder', zei Thomas. 'Ik was wanhopig, smeet met deuren en wilde met niemand praten, niet met mijn vrienden, niet met mijn ouders. De wereld was gemeen. Maar toen gebeurde er een wonder.'

Ze pakte zijn stropdas, rolde die uit.

'Het vriendje van Eleonor, een vreselijk bekakte idioot, maakte het vlak voor hun gemeenschappelijke zomervakantie naar Griekenland uit. Eleonor verscheurde de tickets en smeet ze hem in zijn gezicht. Als alternatief besloot ze te gaan interrailen, iets waartoe die sukkel zich nooit had verlaagd, maar ze wilde niet alleen op pad.'

Annika deed zijn stropdas om, salueerde.

'Jij werd haar mannelijke escort.'

Hij trok aan de stropdas, Annika deed of ze gewurgd werd, ze lachten. Zeiden een poosje niets, ze deed de strop weer af.

'Wat gebeurde er?'

Thomas nam een slokje wijn.

'In het begin was Eleonor niet bijzonder inschikkelijk. "Tot Griekenland blijven we bij elkaar," zei ze, "daarna zien we wel verder." In München stapten we op de verkeerde trein en daardoor belandden we in Rome, het was er veertig graden toen we aankwamen. Terwijl ik water ging kopen, werd Eleonor beroofd door een groepje kleine kinderen. Toen ik terugkwam was ze razend op mij, op Italië, op alles. Ik schaamde me dood omdat ik haar niet had kunnen beschermen. We vonden een smerige kamer naast het station, die ik trouwens betaald heb, en daarna hebben we ons volgegoten. We zwalkten door de straten met ieder een mandfles Chianti in de hand. Eleonor schreeuwde en stelde zich aan, klampte zich aan mij vast, klampte zich aan iedereen vast. Ik probeerde zo goed mogelijk mee te doen. Er deden zich geen noemenswaardige catastrofes voor, totdat we aankwamen op het Piazza Navona. Eleonor kwam op het lumineuze idee dat ze in de fontein wilde baden, net als Anita Ekberg.'

'Alleen was het de verkeerde fontein', zei Annika.

Thomas knikte.

'Ja, en de verkeerde timing. Er bevonden zich op dat moment zevenduizend dronken Italiaanse voetbalfans op het piazza, en toen Eleonor haar T-shirt natmaakte, werd het doorzichtig. Ze probeerden haar letterlijk de kleren van het lijf te rukken, het scheelde niet veel of ze was verkracht op de bodem van het bassin.'

Annika glimlachte, salueerde weer.

'Maar jij hebt haar gered.'

'Ik begon te schreeuwen als de pastakok in *Lady en de Vagebond* op kerstavond, sacramento idioto, ikke jou op jouwe dondere geven, trok haar uit de fontein en sleepte haar naar het hotel.'

'En het raakte aan?

'Nee, helaas', zei Thomas. 'Eleonor heeft de hele nacht liggen overgeven. De volgende dag zag ze groen. We hebben de hele morgen bij de politie gezeten voor de aangifte van de diefstal en vervolgens de hele middag bij de Zweedse ambassade om een tijdelijk paspoort te krijgen. 's Avonds zijn we langs de snelweg, de A1, gaan staan om naar het noorden te liften, we wilden naar huis. We hebben er een eeuwigheid gestaan, het was bloedheet, we gingen haast dood van de koolmonoxidevergiftiging. Ten slotte werden we opgepikt door een klein dik mannetje in een rode auto. Hij had net zo'n kater als Eleonor en sprak geen woord over de grens. Hij stopte bij de eerste Area Servizio, wenkte dat we moesten meekomen en marcheerde naar de bar. Hij bestelde drie glazen van iets roods en stroperigs, zei hoea en sloeg het drankje in één keer achterover. Toen hij het glas met een klap op de bar had gezet, wapperde hij met zijn handen en zei prego, prego. We waren doodsbang dat hij ons uit de auto zou gooien, dus werkten we die troep naar binnen en zetten onze reis voort. Dit herhaalde zich bij iedere Area Servizio. Drie glazen, hoea, klap op de tafel. Het duurde niet lang of we begonnen liedjes te zingen in de auto. Ondertussen werd het pikkedonker en ten slotte kwamen we laat op de avond aan in een volstrekt fantastische stad, boven op een hoge berg. "Perugia", zei de man en hij kwartierde ons in bij zijn vriend de bakker. We kregen een kamer boven de winkel met een schuin dak en behang met rozen. Daar hebben we gevreeën. Voor mij was het de eerste keer.'

Hij zweeg, de herinneringen fladderden als briesjes door de kamer. Annika slikte, voelde tegelijkertijd nabijheid en afstand, scheuten van pijn en gemis.

'Afgelopen winter hebben we een wijnreis naar Toscane gemaakt', zei hij. 'Op een dag besloten we een trip naar Umbrië te maken. Het was heel merkwaardig om terug te komen in Perugia, de stad heeft altijd iets heel speciaals voor ons betekend. Dat is de plek waar we een paar geworden zijn. Sindsdien zijn we geen dag meer gescheiden geweest.'

Hij zweeg weer.

'Wat gebeurde er?' vroeg Annika.

'We herkenden niets meer. Ons Perugia was een stille, middeleeuwse stenen stad, een getekend decor op een bergtop. Het echte Perugia was een genereuze, vitale en lawaaierige universiteitsstad. Ik vond het er fantastisch. Perugia was als onze relatie, iets wat begonnen was als een tienerdroom en zich had ontwikkeld tot een genereuze, vitale en intellectuele gemeenschap. Ik wilde er blijven, maar Eleonor was ontsteld. Ze voelde zich in de steek gelaten en bedrogen. Zij vond in Perugia geen vitale gemeenschap, zij verloor er haar droom.'

Er viel een stilte.

'Hoe kwam het dat jullie niets meer herkenden?' zei ze na een poosje.

'Vermoedelijk omdat we daar nooit geweest waren. De man met de rode auto was zo dronken dat hij zich compleet vergist kan hebben in de stad, of we hebben hem verkeerd begrepen. Het kan elke willekeurige Umbrische stad of plaats geweest zijn. Assisi, Terni, Spoleto...'

Ze zag hem vechten met zijn herinneringen, voorovergebogen, ellebogen op de knieën, het wilde glanzende haar stijf van het bloed, moest een impuls onderdrukken het opzij te strijken. Wat was hij leuk.

'Heb je honger?' vroeg ze.

Hij keek haar aan, een seconde lang verwarring in zijn blik.

'Ja, nu je het zegt', zei hij.

'Ik ben bijzonder goed in lintmacaroni met saus uit een potje,' zei ze, 'eet je dat soort dingen?'

Hij knikte, tolerant, jazeker, dat was prima.

Ze ging naar de keuken, wierp een blik door het raam. Iemand zat te schijten in het appartement van de bouwonderneming. Ze pakte tagliatelle en een pot Italiaanse tomatensaus, zette water op. Hij kwam in de deuropening staan, leunde tegen de deurpost.

'Nog steeds een beetje groggy?' vroeg ze.

'Ik denk dat het de wijn is', zei hij. 'Wat een gave keuken, gasfornuis.'

'Origineel uit 1935', zei ze.

'Waar is de wc?'

'Een halve verdieping naar beneden. Doe schoenen aan, de vloer is hartstikke smerig.'

Ze dekte de tafel, overwoog servetten neer te leggen, bleef even stilstaan om die gedachte te analyseren. Servetten? Wanneer had ze in vredesnaam voor het laatst servetten gebruikt? En waarom zou ze dat nu doen? Om indruk te maken, zich als iemand anders voor te doen dan ze was?

Op het moment dat ze de pasta in een vergiet gooide, kwam hij terug, ze hoorde hem zijn schoenen uitdoen, zijn keel schrapen. Toen hij de keuken binnenkwam, zag ze dat zijn gezicht weer een beetje kleur had gekregen.

'Interessante toiletvoorziening', zei hij. 'Hoelang woon je hier nu, zei je?'

'Twee jaar. Ruim. Wil je een servet?'

Hij ging aan tafel zitten.

'Ja graag, alsjeblieft', zei hij.

Ze reikte hem een paasgeel papieren servet van Duni aan. Hij vouwde het open en legde het op schoot, de natuurlijkste zaak van de wereld. Haar eigen servet liet ze opgevouwen naast haar bord liggen.

'Lekkere pasta', zei hij.

'Het hoeft niet', zei ze.

Ze aten alles op, zwijgend, hongerig. Gluurden naar elkaar, glimlachten. Hun knieën stootten tegen elkaar aan onder de kleine keukentafel.

'Ik wil wel afwassen', zei hij.

'Er is geen warm water', zei Annika. 'Ik doe het later wel.'

Ze lieten de afwas staan, gingen weer naar de woonkamer, een nieuwe stilte tussen hen, een kriebelend gevoel in haar middenrif. Ze

bleven ieder aan een kant van de tafel staan.
'En jij dan?' zei hij. 'Ben jij getrouwd geweest?'
Ze liet zich op de bank zakken.
'Verloofd', zei ze.
Hij ging naast haar zitten, spanning in de lucht.
'Waarom kwam er een eind aan?' vroeg hij, geïnteresseerd, vriendelijk.
Ze haalde diep adem, probeerde te glimlachen. De vraag, zo vriendelijk, zo normaal. Waarom kwam er een eind aan? Ze zocht naar woorden.
'Omdat...'
Schraapte haar keel, friemelde aan de rand van de tafel, hoe vind je het normale antwoord op zo'n normale vraag?
'Was het zo moeilijk? Heeft hij je verlaten?'
Zo vriendelijk die stem, medeleven, iets brak, ging kapot, ze begon te huilen, klapte dubbel, sloeg haar armen om haar hoofd, kon niet meer stoppen. Ze voelde zijn verbazing, onzekerheid, onhandigheid, kon er niets aan doen.
Nu gaat hij weg, dacht ze, nu verdwijnt hij voor eeuwig, en dat is misschien maar het beste ook.
'Maar', zei hij, 'wat is er nou?'
'Sorry,' huilde ze, 'het is niet mijn bedoeling...'
Hij streelde voorzichtig haar rug, aaide over haar haren.
'Maar Annika toch, wat is er gebeurd, vertel!'
Ze probeerde te kalmeren, rustig adem te halen, liet de snot op haar knieën lopen.
'Ik kan het niet', zei ze. 'Het gaat niet.'
Hij pakte haar bij de schouders, draaide haar naar zich toe, ze wendde instinctief haar gezicht af, het was opgezwollen van het huilen.
'Ik ben zo lelijk', mompelde ze.
'Wat is er gebeurd met je verloofde?'
Ze weigerde op te kijken.
'Ik kan het niet vertellen', zei ze. 'Je zou me haten.'
'Je haten? Waarom dat?'
Ze sloeg haar ogen naar hem op, voelde dat haar neus rood was en haar wimpers aan elkaar plakten. Uit zijn gezicht sprak ongerustheid, bezorgdheid, zijn ogen waren fonkelend blauw. Hij wilde het

echt weten. Ze sloeg haar blik weer neer, ademde snel met open mond, zal ik het zeggen, zal ik het zeggen, waagde de sprong.

'Ik heb hem doodgeslagen', fluisterde ze tegen de vloer.

De stilte werd groot en zwaar, ze voelde hem naast zich verstijven.

'Waarom?' vroeg hij zacht.

'Hij mishandelde mij. Heeft me bijna gewurgd. Ik moest hem verlaten, anders had ik het niet overleefd. Toen ik het uitmaakte, heeft hij mijn kat opengesneden met een mes. Hij wilde mij ook doden. Ik heb hem geslagen en toen is hij in een oude hoogoven gevallen.'

Ze staarde ingespannen naar de vloer, voelde de afstand tussen hen beiden.

'En hij stierf?'

Zijn stem was anders, gesmoord.

Ze knikte, voelde de tranen weer stromen.

'Je hebt er geen idee van hoe verschrikkelijk het geweest is', zei ze. 'Als ik iets zou kunnen overdoen in mijn leven, dan zou het die dag zijn, die klap.'

'Is er een rechtszaak van gekomen?'

Afstandelijk? Afwijzend?

Ze knikte weer.

'Dood door schuld. Ondertoezichtstelling. Ik moest een jaar in therapie, de reclasseringsambtenaar was van mening dat ik dat nodig had. Het was tamelijk waardeloos. De therapeut was een bijzonder vreemde man. Sindsdien gaat het niet overdreven goed met me.'

Ze zweeg, deed haar ogen dicht, wachtte tot hij zou opstaan en weggaan. Dat deed hij. Ze verborg haar gezicht in haar handen, wachtte op het geluid van de dichtslaande voordeur, de afgrond zou zich openen, een monumentale wanhoop zou haar overvallen, de leegte en de eenzaamheid, o god, help mij...

In plaats daarvan voelde ze zijn hand op haar hoofd.

'Hier', zei hij en hij reikte haar een paasservet aan. 'Snuit je neus.'

Ging weer naast haar zitten.

'Eerlijk gezegd', zei hij, 'denk ik dat het soms helemaal niet zo gek is om ze dood te slaan.'

Ze keek snel op, hij glimlachte mat.

'Ik heb de sociale academie gedaan,' zei hij, 'heb zeven jaar bij de sociale dienst gewerkt. Ik heb heel wat gezien. Jij bent geen uitzondering.'

Ze knipperde met haar ogen.

'Vaak gaan die vrouwen de rest van hun leven door een hel', zei hij. 'Ik geloof niet dat jij een slecht geweten moet hebben. Het was toch zelfverdediging. Triest dat je zo'n idioot tegen moest komen. Hoe oud was je toen jullie een relatie kregen?'

'Zeventien jaar,' fluisterde ze, 'vier maanden en zes dagen.'

Hij streek over haar wang.

'Arme Annika', zei hij. 'Je verdient beter.'

En toen lag ze in zijn armen, haar wang tegen de voorkant van zijn overhemd, voelde zijn hart bonzen, zijn armen om haar hoofd. Sloeg haar armen om zijn middel, hield hem vast, warm, groot.

'Hoe ben je erdoorheen gekomen?' fluisterde hij in haar haar.

Ze deed haar ogen dicht, luisterde naar zijn hart, levend, kloppend.

'Chaos,' zei ze tegen zijn borstkas, 'eerst was alles chaos. Ik kon niet praten, niet denken, niet eten. Eigenlijk voelde ik helemaal niets, alles was als het ware... wit. Daarna kwam het, alles tegelijk, ik dacht dat ik kapot zou gaan, niets functioneerde nog. Ik durfde niet te gaan slapen, er kwam geen eind aan de nachtmerries, uiteindelijk ben ik een paar dagen opgenomen geweest in een ziekenhuis. Dat was het moment dat de reclasseringsambtenaar mij dwong in therapie te gaan...'

Hij streek haar over het haar, streelde haar rug.

'Wie bekommerde zich om jou?'

Behoedzaam, waakzaam.

'Mijn oma', zei ze. 'Het hele eerste jaar logeerde ik bij oma zodra ik vrij was. Ik heb veel in het bos gewandeld, veel gepraat, verschrikkelijk veel gehuild. Oma was er altijd, ze was fantastisch. Alles gleed van me af, maar daarna was er niets meer over. Alles werd leeg, koud. Zinloos.'

Hij wiegde haar een beetje, ademde in haar haren.

'Hoe gaat het nu met je?'

Ze slikte.

'Oma is ziek geworden, het is verschrikkelijk. Ze heeft een beroerte gehad. Ik denk erover om verlof aan te vragen en voor haar te gaan zorgen. Dat is het minste wat ik kan doen...'

'Maar hoe gáát het met je?'

Kneep haar ogen stijf dicht om de tranen terug te dringen.

'Gaat wel', zei ze. 'Ik heb moeite met eten, maar het wordt beter. Als dat met oma niet gebeurd was, was het best oké geweest. Ik ben blij dat ik jou ontmoet heb.'

Ze hoorde haar woorden op het moment dat ze ze uitsprak, zijn liefkozingen hielden op.

'Echt waar?' zei hij.

Ze knikte tegen zijn borst. Hij liet haar los, keek haar aan, recht in de ogen, donker, begreep de diepte, zag het verdriet. Ze ontmoette zijn blik, blauw, streelde zijn wang, kuste hem. Hij aarzelde even, maar beantwoordde de kus, likte haar lippen, zoog eraan...

Ze trok haar trui uit, haar borsten rolden te voorschijn, de gouden ketting danste, geen beha. Hij staarde ernaar, gefascineerd, zo groot, legde zijn hand op de ene borst, zo warm, zo zacht, ze trok zijn jasje uit, knoopte zijn overhemd open, zachte borstkas, stevig, weinig haar, kuste zijn schouder, beet erin tot hij kreunde. Hij kuste haar hals, liet zijn tong langs haar kaaklijn gaan, vond haar oorlelletje, beet, zoog, likte, haar handen gleden over zijn rug, nagels in cirkels, licht, snel. Toen hielden ze op, keken elkaar in de ogen, zagen het gevoel, de gemeenschappelijke wil, zwolgen erin, lieten hem groeien tot hij opsteeg boven hun hoofden, rukten hun kleren uit, handen tongen lippen, overal, borsten, buiken, geslachtsdelen, armen, voeten...

Toen zij boven op hem ging zitten, op hem gleed, hem omsloot, ging hij op de bank liggen, zijn voeten staken over de rand. Ze voelde hoe zijn geslachtsdeel haar baarmoedermond raakte, haar opvulde, plaatsnam in de ruimte waarvan ze het bestaan bijna vergeten was. Hij voelde de warmte, de druk, de hartslag, wilde beginnen, maar ze zei: 'Wacht.'

Ze keken elkaar opnieuw in de ogen, zagen elkaars totale opwinding, werden in elkaar gezogen en plotseling werd hij overvallen door duizeligheid, een volledige en compromisloze extase. Hij deed zijn ogen dicht, legde zijn hoofd in de nek en schreeuwde. Ze begon hem te berijden, langzaam, hij wilde dat ze sneller ging, maar ze remde hem af, hij hijgde, kreunde, riep, dacht dat hij zou oplossen.

Ze keek hem aan, ontmoette hem in zijn ongekende opwinding, liet zijn penis zo langzaam bewegen dat zijn ziel een voorsprong kreeg, diep naar binnen, zover het ging, nog een keer, en nog een keer, en nog een keer, en toen kwam de ontlading, de golf, ze voelde de warmte langs haar dijen stromen. Zijn lichaam werd stijf, iedere spier trok zich samen, het zaad pompte. Ze liet zich boven op hem vallen, hij omhelsde haar, nog steeds binnen in haar, streelde haar haar. Ze merkten nu pas dat ze helemaal bezweet, glad en glanzend waren. Ze lag met haar neus bij zijn sleutelbeen, ademde zijn geur in, sterk, een beetje zuur.

'Ik geloof dat ik van je hou', fluisterde ze en ze sloeg haar blik naar hem op, hij kuste haar, ze begonnen zich weer in elkaar te bewegen, stilletjes, voorzichtig, daarna steeds sneller, harder, zo nat, zo glad.

Hij werd wakker omdat hij het koud had. Zijn ene voet was gevoelloos geworden, zij lag erop, gelijkmatige, diepe ademhaling, hij begreep dat ze sliep.

'Annika', fluisterde hij en hij streek haar over het haar. 'Annika, ik moet opstaan.'

Ze werd met een schok wakker, keek hem verward aan, glimlachte.

'Hoi', fluisterde ze.

'Hoi', zei hij en hij kuste haar voorhoofd. 'Ik moet eruit.'

Ze bleef nog een seconde liggen.

'Zeker', zei ze en ze kwam stijfjes overeind, trok hem van de bank af.

Daar stonden ze dan, recht tegenover elkaar, naakt, bezweet, zij een half hoofd kleiner, kusten elkaar. Ze legde haar armen om zijn nek, ging een beetje op haar tenen staan. Hij voelde haar borsten tegen zijn ribben, zo wonderbaarlijk zacht.

'Ik moet naar huis', fluisterde hij.

'Zeker,' zei ze, 'maar niet nu. Kom, we gaan nog even slapen.'

Ze nam hem bij de hand, leidde hem naar haar slaapkamer. Het bed, een oplegmatras op een onderstel zonder ombouw, was niet opgemaakt. Ze liet zich op de matras zakken, trok hem naar zich toe.

Ze vreeën nog een keer.

De kolos was donker en gesloten. Ratko keek op naar de bakstenen gevel, zag de straatlantaarn glinsteren in de ramen, droge mond.

Waarom hadden ze hem hier ontboden, midden in de nacht? Er was duidelijk iets niet in de haak.

Terwijl hij langzaam langs de hoofdingang liep, stoven de auto's achter hem langs. Hij sloeg de hoek om en zag de parkeerplaats van de ambassade, een plaats voor de consul, een voor de ambassadeur. Hij liep naar de deur, klopte aan, snel en licht.

De vette deed open.

'Je bent laat', zei hij en hij draaide hem zijn rug toe en liep waggelend weg.

Hij liep achter de man aan, de paar traptreden op naar de grote kamer, de wachtkamer, hij waande zich ogenblikkelijk weer in Belgrado, Oostblokgroene wanden, grijze plastic stoelen. Het loket recht voor hem, links de glazen wand, hij meende dat hij licht zag branden in de kamer van de consul.

'Waarom ben ik hier?' vroeg hij.

De vette wees naar de deur naast de glazen wand.

'Ga zitten, je moet wachten.'

Hij passeerde de tafel en stoelen en liep de nauwe gang in waar het bureau van de vette stond, stapte de ontvangstruimte binnen, het zag er nog net zo uit, de stoelen langs de wanden, de bank, de boekenkasten, de kaart van het Joegoslavië van voor de deling. Hij overwoog te gaan zitten, maar bleef staan. De eerdere keren dat hij hier geweest was, waren de omstandigheden bijna altijd prettig, of in ieder geval vriendschappelijk geweest. Deze keer was anders. Hij kon niet gaan zitten, want dat zou in zijn nadeel werken op het moment dat de superieuren de kamer binnenkwamen.

Op de tafel zaten kringen van flessen, slivovitsj, plotseling merkte hij hoeveel dorst hij had. Hij zou wat geven voor een pure wodka, koud, zonder ijs. Hij slikte, likte zijn lippen.

Waar zaten ze godverdomme? Waar waren ze mee bezig? Ze hadden zijn ballen in een ijzeren greep en dat gevoel beviel hem niet.

Hij deed een paar stappen, gluurde de gang in. Verscheidene mannen, enkele had hij nooit eerder gezien, allemaal hetzelfde kostuum, bruin, slechte pasvorm, jezus, wat stelde dit voor? Ging gauw terug naar de kamer, lichte, snelle stappen, het zweet stond hem op het voorhoofd, hij besefte wie het waren, RDB-personeel uit Belgrado, wat deden die hier? Waren ze hier voor hem?

'Je kunt nu naar de consul.'

De gang weer op, langs de vette, de volgende kamer binnen, de onbekende mannen negeerden hem.

'Ratko,' zei de consul, 'morgenvroeg om zeven uur vertrekt er een vliegtuig naar Skopje met een tussenlanding in Wenen. Op het vliegveld van Skopje word je door onze mensen afgehaald. Je vertrekt meteen.'

Hij staarde naar het kale mannetje dat aan een paar documenten op zijn bureau plukte, wat ging er in godsnaam gebeuren?

'Waarom?'

'We hebben slecht nieuws uit Den Haag ontvangen.'

De bedreiging schoot wortel, jezus christus, het oorlogstribunaal.

'Morgen om twaalf uur wordt er een opsporingsbevel tegen je uitgevaardigd wegens oorlogsmisdaden.'

Hij slikte, voelde het zweet branden, al die mannen, wat hadden die met de kwestie van doen?

De consul liet zijn papieren tegen het bureaublad glijden en maakte er een keurig stapeltje van, daarna stond hij op en liep om zijn bureau heen.

'We hebben nieuwe papieren voor je in orde gemaakt', zei hij. 'Onze bezoekers hier zijn er de hele avond mee bezig geweest. Je moet hier tekenen en je moet nog op de foto, dan is het klaar.'

Zijn denkvermogen begon langzaam weer op gang te komen.

'Maar', zei hij, 'alle opsporingsbevelen zijn toch geheim tot het moment dat ze naar buiten gebracht worden, hoe kunnen jullie dit weten?'

De consul bleef voor hem staan, een hoofd kleiner, nietszeggende blik. Hij deed dit niet voor zijn plezier.

'We weten het', zei hij alleen maar. 'Wanneer je je nieuwe pas gekregen hebt, moet je het land verlaten, vannacht. Je vliegt vanaf Gardemoen.'

Hij wilde neerploffen op een stoel, een wodka drinken, het tot zich laten doordringen. Rond lunchtijd was hij nog niet in veiligheid, dan bevond hij zich in het luchtruim tussen Wenen en Macedonië, en Skopje lag op vele uren reizen van Belgrado.

'Als je eenmaal in Servië bent, kun je het land natuurlijk voorlopig niet verlaten', zei de consul. 'Ik ga ervan uit dat je je zaakjes hier hebt afgerond.'

Hij slikte, staarde de consul aan.

'Je nieuwe paspoort is Noors. Je heet Runar Aakre. Ik hoop dat

dat goed genoeg is tot je de grens over bent.'

Toen het teken werd gegeven, kwamen de mannen naar hem toe. Ze hadden ieder een taak te vervullen, en er was haast bij.

Dinsdag 6 november

Het huis was donker, lag dreigend aan de oever van de zee. Thomas slikte iets weg, hij wist dat ze wakker was. Ergens daarbinnen, in het donker, zat Eleonor op hem te wachten. Nooit eerder was hij onaangekondigd weggebleven, nog geen enkele keer in die zestien jaar.

Hij deed het portier van zijn auto voorzichtig dicht, het gebliep van de centrale vergrendeling echode tussen de huizen. Haalde drie keer diep adem, sloot zijn ogen, probeerde zijn gevoelens te definiëren.

Hij droeg de jonge vrouw die hij slapend in haar bed had achtergelaten nog steeds bij zich als een grote en verterende gloed, mijn god, dit had hij nog nooit gevoeld. Dit was echt. Ze ongelofelijk, zo werkelijk, zo levend.

Annika.

Haar naam had de hele weg van Stockholm naar Vaxholm in zijn hoofd gedreund. Tijdens de rit door de duisternis had het besluit vorm gekregen, eigenlijk was het vanzelfsprekend.

Hij zou eerlijk zijn. Hij zou alles vertellen, zou er op geen enkele manier omheen draaien. Hun huwelijk was dood, Eleonor moest dat inzien. Hij wilde met haar leven, met die ander, een nieuw leven beginnen, een ander soort bestaan. Hij zou niet gaan scheiden om Annika, zij was slechts degene die hem het laatste duwtje gaf.

Hij liep naar het huis, opgelucht dat hij zijn besluit in de praktijk kon gaan brengen. Het bevroren grind knerpte onder zijn voeten.

Het zou lastig worden, maar Eleonor zou er wel overheen komen. Het huis mocht ze houden. Hij wilde het niet hebben. Aan de andere kant, ze zou hem feitelijk moeten uitkopen, de waardestijging was niet alleen van haar.

Ze stond achter de deur, in haar roze ochtendjas, rode ogen van het huilen, haar gezicht bleek van woede.

'Waar ben je geweest?'

Hij liet zijn aktetas op de vloer van de hal vallen, deed zijn jas uit en het licht aan. Ze begon te schreeuwen.

'Wat heb je gedaan? Wat is er gebeurd?'

Ze stormde op hem af, streek met haar vinger over de hechtingen in zijn voorhoofd. Hij deinsde terug, ving haar hand in de zijne.

'Het doet pijn', zei hij.

Ze omhelsde hem, drukte zich tegen hem aan, begon te huilen, sloeg haar ogen naar hem op, streek hem over het haar.

'O, wat ben ik ongerust geweest, wat is er toch gebeurd, wat heb je gedaan?'

Hij ontweek haar blik, duwde haar van zich af, wilde haar lichaam niet voelen, de harde cups van haar beha onder de ochtendjas.

'Ik moet liggen,' zei hij, 'ik ben helemaal kapot.'

Liep om haar heen om naar de slaapkamer te gaan, ze greep hem bij de arm, trok hem terug.

'Maar zeg dan wat!' schreeuwde ze, de tranen stroomden over haar wangen. 'Wat is er gebeurd? Heb je een ongeluk gehad?'

Hij keek naar haar, ze stond op het punt van instorten, het haar in de war, haar gezicht vlekkerig van het huilen. Hij zocht naar woorden, vond er geen, bleef staan, als verlamd.

Ze deed een stap in zijn richting, kleurloze lippen.

'Begrijp je niet hoe bang ik geweest ben?' fluisterde ze. 'Stel je eens voor dat ik je kwijtgeraakt was, wat had ik dan gemoeten?'

Ze deed haar ogen dicht en liet haar tranen de vrije loop. Hij staarde haar aan, had haar nog nooit zo over haar toeren gezien, zijn echtgenote, de vrouw die hij beloofd had tot in de dood lief te hebben.

'Als jou iets overkomen was, dan had ik het niet overleefd', zei ze. Ze deed haar ogen open en keek hem indringend aan.

Zijn geweten trof hem met volle kracht, dreigde hem te verstikken, mijn god, wat had hij gedaan, o mijn hemel, was hij soms niet goed bij zijn hoofd?

Hij trok haar naar zich toe, hield haar stevig vast, streek haar over het haar, ze huilde tegen zijn overhemd, net als die andere vrouw gedaan had...

'Sorry', fluisterde hij. 'Ik heb... de hele nacht op de eerste hulp gezeten.'

Ze trok zich los en keek hem aan.

'Waarom heb je niet gebeld?'

'Dat ging niet', zei hij. 'Ik ben de hele nacht in de onderzoekskamer geweest, je weet wel, röntgen en zo...'

'Maar wat is er gebeurd dan?'

Plotseling ving hij een vlaagje geslachtsgeur op dat opsteeg van zijn lichaam maar daar absoluut niet thuishoorde. Hij slikte, streelde haar rug, het ruwe pluche van haar ochtendjas.

'Zet even wat koffie,' zei hij, 'ik moet douchen. Daarna zal ik je alles vertellen. Het is een lang verhaal.'

Ze lieten elkaar los, keken elkaar in de ogen, hij lette erop dat zijn blik vast was, dwong zichzelf tot een glimlach.

'Er is niets aan de hand', zei hij en hij kuste haar voorhoofd. 'Ik hou van jou.'

Ze kuste hem op de kin, liet hem los en liep naar de keuken. Hij verdween naar de badkamer, stopte al zijn kleren in de wasmand, ging onder de douche staan, gebruikte heet water. Hij voelde haar aanwezigheid over zijn hele lichaam, ze was in iedere porie, hij rook haar overal, haar geur steeg op met de waterdamp en vulde de complete badkamer. Hij voelde haar kleine, harde lichaam onder zich, de zachte borsten, het warrige, woeste haar, deed zijn ogen dicht, keek in de bodemloze donkere ogen, voelde hoe zijn penis weer omhoog kwam. Draaide de koude kraan open, wreef zijn bilnaad in met volumeshampoo van Wella.

De twijfel werd groter, de wanhoop schoot wortel.

Alweer een redactievergadering. Hij deed tegenwoordig verdorie niets anders meer dan vergaderen. Hoe moesten ze in vredesnaam een krant de deur uitkrijgen wanneer iedereen de godganse dag zat te leuteren?

Anders Schyman probeerde zijn slechte humeur te onderdrukken. Om voortdurend te moeten rondlopen als de gevoelige, invoelende leider die zijn verantwoordelijkheid nam, werkte hem op de zenuwen.

Aan de andere kant, aan een zekere crèchefactor was hij gewend. Evenzo aan de publicistische discussie. Wat hem leegzoog was iets anders, iets nieuws.

De machtsstrijd.

Daaraan was hij niet gewend. Alle banen, alle posities die hij tot dusverre had gehad, had hij gekregen omdat mensen hem daar wilden hebben. Hem was invloed geboden zonder dat hij daar strijd voor hoefde te leveren, hij had aan de tafel van de macht zitten eten zonder dat hij de buit neer hoefde te schieten of slachten.

Hij keek de redactie rond. Het werk was in volle gang. Verslaggevers zaten te bellen, opmaakredacteuren hamerden op hun toetsenborden, lazen, beoordeelden, klikten op muizen, brachten wijzigingen aan. Nog even en hij zou de vijfenveertig meter lopen naar de royale hoekkamer van de hoofdredacteur, een man van de macht, en wanneer hij voorbijliep, zouden gesprekken ophouden, blikken verscherpen, ruggen gerecht worden.

Wat waren de mannen van de macht bereid te doen om hun macht te behouden?

Hij zag uit zijn ooghoek dat ze zich verzamelden, de in wol gehulde ruggen bewogen zich in de richting van de managementafdeling, de gezellige gang, de ruime kamers met uitzicht. Hij liep achter hen aan, toen hij het kantoor binnenstapte, gingen de anderen zitten, namen een afwachtende houding aan, hielden op met praten.

'We beginnen meteen', zei hij en hij keek naar Sjölander. 'Misdaad. Waar gaat die geschiedenis over de Joegoslavische maffia naartoe? Had die vrouw uit Bosnië die op het Sergels Torg vermoord is iets met de kwestie te maken?'

Alle blikken verplaatsen zich van hem naar Sjölander. De chef misdaad strekte zijn rug.

'Misschien', zei hij. 'De twee lijken in de uitgebrande vrachtwagen zijn geïdentificeerd. Het waren twee jonge jongens uit een asielzoekerscentrum in Upplands Väsby, ten noorden van Stockholm, negentien en twintig jaar oud. Ze waren al een tijdje zoek, zowel de politie als de leiding van het centrum dacht dat ze hem gesmeerd waren om afwijzing te ontlopen. Maar dat was niet zo. De ene jongen kon aan zijn gebit geïdentificeerd worden, hij was na zijn komst naar Zweden naar de tandarts geweest. Wat de andere man betreft zijn ze nog niet voor de volle honderd procent zeker, maar alles wijst erop dat het zijn verdwenen vriend is. De politie vermoedt dat er een verband bestaat tussen de vrouw op het plateau en deze jongens.'

'Hoe dan?' vroeg Schyman. 'Komen ze ook uit Bosnië?'

'Nee,' zei Sjölander, 'het waren Kosovo-Albanezen. Maar Aida, de vermoorde vrouw, heeft in hetzelfde asielzoekerscentrum gewoond. Veel eerder weliswaar, maar het personeel zegt dat ze nog regelmatig op bezoek kwam. Ze kan de beide mannen er ontmoet hebben.'

De redactiechef leunde achterover.

'Wat vertelt dit ons?' zei hij. 'Wat is dit eigenlijk voor geschiedenis?'

Allemaal keken ze hem aan, zwijgend, afwachtend, onzeker, hij liet zijn blik over de groep gaan, de schaapskudde; de schrijver van de hoofdartikelen, de chef amusement, de chef mens & maatschappij, de redacteur van de pagina ingezonden brieven, Torstensson, de chef sport, de fotoredacteur.

'We hebben vijf moorden in iets meer dan een week', zei hij. 'Stuk voor stuk waren ze extreem spectaculair. Eerst de beide jongemannen in de Vrijhaven, van grote afstand in het hoofd geschoten met een krachtig jachtwapen. Daarna die beide stumpers in de vrachtwagen, doodgemarteld, alle botten kapotgeslagen. En nu die vrouw op het Sergels Torg, afgemaakt met een nekschot te midden van vijfduizend getuigen. Wat zegt ons dat?'

Allemaal staarden ze hem aan.

'Macht', zei hij. 'Dit is een machtsstrijd. Om geld, misschien, of om politieke of criminele invloed, om macht over leven en dood. Ik geloof niet dat het eind hiervan voorlopig in zicht komt. Sjölander, ik wil dat we hier bovenop zitten.'

Iedereen knikte, ze waren het allemaal met hem eens, dat registreerde hij nauwkeurig.

Macht. Hij was op weg de zaak onder controle te krijgen.

Het plafond zweefde boven haar, glansde in de duisternis. Een seconde lang lag Annika zich af te vragen waar ze was, liet ze de bedwelming, het gevoel van totale zaligheid, over zich heen komen. Daarna besefte ze wat er mis was.

Ze ging kaarsrecht in bed zitten, legde haar hand op het andere kussen om zich ervan te vergewissen dat hij daar niet was. De leegte overviel haar, scherp en koud.

Hij was weg. Naar huis gegaan, naar zijn vrouw, de vrouw die Eleonor heette, Eleonor Samuelsson.

Ze stoof uit bed om te kijken of hij misschien een briefje geschreven had, een paar woorden over hun samenzijn of de belofte dat hij zou bellen. Zocht in de keuken, in de hal, in de woonkamer, trok het beddengoed weg om te kijken of hij iets op het kussen had gelegd, een briefje dat ergens tussen gevallen was, trok het bed opzij, zocht eronder.

Niets.

Ze probeerde haar gevoelens op een rijtje te krijgen, geluk, verraad, leegte, vertrouwen, een jubelende roes.

Ging tussen het losgetrokken beddengoed liggen en richtte haar blik opnieuw op het plafond.

Gelukzaligheid. Dit had ze nog nooit gevoeld, niet op deze manier. Met Sven was er steeds dat duistere trekje aan de basis van hun liefde, de prestatiedwang, de eis tot geluk.

Dit was anders. Warm, licht, eigenaardig, fantastisch.

Ze ging op haar zij liggen, trok haar benen op, zijn sperma plakte nog steeds tussen haar dijen. Spreidde het dekbed over zich uit, snoof zijn geur op.

Thomas Samuelsson, gemeentebureaucraat.

Ze lachte hardop, gaf het borrelende gevoel de gelegenheid te sprankelen.

Thomas Samuelsson, met glanzend haar en een brede borstkas, een mond die kon kussen en liefkozen en zuigen en bijten.

Ze rolde zich op tot een bolletje, wiegde zichzelf, neuriede wat.

Ze wist het. Ze wist het helemaal zeker. Ze wilde hem hebben. Thomas Samuelsson, gemeentebureaucraat.

Ze kwam overeind, pakte de telefoon.

'Thomas Samuelsson heeft zich ziek gemeld', zei de receptioniste bij de gemeente Vaxholm. 'Hij is betrokken geraakt bij een overval. We zijn hier nogal geschokt.'

Annika glimlachte wat, wist dat het wel zou loslopen met de administrateur, bedankte en legde neer. Zat seconden lang met de hoorn in de hand, aarzelde. Koos toen het nummer, zijn privénummer van acht cijfers. Wachtte met bonzend hart toen de telefoon overging, nog even en hij zou weer bij haar zijn, nog even, nog even, nog even. Ze glimlachte, kreeg het steeds warmer.

'Samuelsson.'

Ze was thuis, Eleonor was niet op de bank, ze was bij hem.

'Hallo? Wie is daar? Waar zijn jullie toch mee bezig?'

Annika legde langzaam de hoorn op de haak, droge mond, shit, shit, shit. Het sprankelende, begerige gevoel doofde uit, de eenzaamheid stond voor de deur.

Ze zag ze samen, de man met de scherpe contouren en de onscherpe vrouw, zijn jeugddroom. Ze slikte, de mislukking knaagde aan haar, ze trok haar joggingpak aan, liep een rondje, eerst naar de wc beneden, daarna naar de keuken, zette koffie, ging in de woonkamer zitten met haar aantekeningen en de telefoon.

Thomas Samuelsson en zijn vrouw, shit, shit, shit.

Ze belde Anne Snapphane, niet thuis, haar moeder, geen gehoor, de afdeling in het Kullbergska, oma sliep.

'Ik kom vanavond', zei ze tegen de afdelingsverpleegster.

Koos toen het rechtstreekse nummer van Berit Hamrin, geen gehoor, probeerde Anders Schyman. De telefoon ging over. Ze wilde net neerleggen toen hij opnam, enigszins buiten adem.

'Druk?' vroeg ze.

'Kom net uit een redactievergadering', zei hij. 'Hoe gaat het met je?'

Er ging een scheut door haar heen, het was haar geweten, ze was natuurlijk ziek.

'Gaat wel', zei ze. 'Ik ben in Järfälla geweest, bij het pand van Het Paradijs. Het was interessant.'

Ze hoorde herrie op de achtergrond, twee meubelstukken die langs elkaar schaafden, daarna een oppervlakkige zucht.

'Ik heb toch tegen je gezegd dat je het even van je af moest zetten.'

'Ik voelde me goed,' zei ze, 'dus heb ik een wandeling gemaakt. De informatie van mijn bron lijkt te kloppen. Ik heb het kantoor doorzocht, maar van enige activiteit heb ik geen spoor kunnen vinden, behalve dan de facturering. Incasseren kunnen ze wel. Alle mappen waren leeg...'

'Wacht eens even', zei de redactiechef. 'Heeft Rebecka jou in haar kantoor gelaten?'

Ze deed haar ogen dicht, klemde haar kaken stevig op elkaar.

'Niet direct', zei ze toen. 'Maar ik heb niet ingebroken, zeg maar. Ik was uitgenodigd, ik had de sleutels gekregen.'

'Van Rebecka?'

'Van haar huurster. En toen ik daar was kwam Rebecka thuis, samen met een man, misschien was het haar broer...'

'En jij bevond je in hun pand?'

Annika ging staan, plotseling geërgerd.

'Nou moet je eens even luisteren', zei ze. 'Ik heb me verstopt, en terwijl ik daar was, verscheen Thomas Samuelsson, die gemeenteman uit Vaxholm. Hij was hartstikke kwaad om een factuur die Rebecka hem diezelfde morgen gefaxt had. De cliënte waar ze geld voor vroeg was toen namelijk al dood!'

Het werd stil aan de andere kant. Annika had het gevoel dat de naam Thomas Samuelsson echode in de hoorn, dat haar stem vreemd geklonken had toen ze zijn naam uitsprak, eigenaardig rond en warm was geworden.

'Ga verder', zei Schyman. 'Wat gebeurde er toen?'

Ze schraapte haar keel.

'Ze sloegen de gemeenteman neer, sloten hem op in een kast en gingen weg om een auto te halen. Daarna heb ik hem eruit gehaald en naar de eerste hulp gereden.'

'Mijn god, ze zijn dus gewelddadig! Annika, jij gaat daar niet meer naartoe, hoor je dat?'

Ze krabde aan haar voorhoofd, voelde aan de afdrukken die de spiraalveren onder het bed daar hadden achtergelaten, aarzelde. Besloot niet over Aida te vertellen.

'Oké', zei ze.

'We moeten niet te lang meer wachten met de publicatie van dit verhaal', zei Schyman. 'Wat heb je nodig om te kunnen schrijven?'

Annika dacht na.

'Commentaar van mensen, interviews met juristen, maatschappelijk werkers, de activiteiten moeten in een groter verband geplaatst worden. Dat zal wel wat tijd kosten. En Rebecka zelf moet natuurlijk op de kritiek kunnen reageren.'

'Deze gemeenteman, denk je dat hij praat?'

Ze slikte, haar stem klonk weer warm.

'Thomas Samuelsson? Ja, misschien wel.'

'Heb je meer ingangen bij overheidsvolk?'

Ze deed haar ogen dicht, dacht na.

'Ik zag een paar facturen, dat was vermoedelijk niet helemaal legaal, maar ik heb een paar referenties kunnen zien. Helga, Helga Axelsson geloof ik, in... Österåker. En iemand in Nacka, Martin nog wat, ...lius of zo, daar kunnen er niet veel van zijn. Ik had niet genoeg tijd om nog meer spullen te bekijken, het was een beetje stressen.'

'Zoiets noemt men eigenmachtig handelen en het wederrechtelijk binnendringen van een woning', zei Schyman. Annika kon niet beoordelen of hij tevreden of bezorgd was.

'Ja,' zei Annika, 'als je gepakt wordt. Ik ben naar binnen gegaan met een sleutel en ik heb geen sporen achtergelaten.'

'Had je handschoenen aan?'

Ze gaf geen antwoord. Ze had haar handschoenen niet aan, en haar gegevens waren opgeslagen in het centrale strafregister.

'Ik denk niet dat Rebecka de politie belt', zei ze.

'Wil je hulp hebben bij je research?' vroeg de redactiechef.

Niet van Eva-Britt Qvist in ieder geval, dacht ze.

'Ik werk graag met Berit Hamrin', zei ze.

'Ik zal Berit vragen jou te bellen', zei hij.

'Oké.'

Stilte, ze vermoedde dat er aan de andere kant diep nagedacht werd.

'We doen het zo', zei Anders Schyman. 'Ik stel jou de komende periode vrij van je werk in de nachtdienst. De rest van de week doe je het nog even rustig aan en op maandag begin je. Totdat dit klaar is, draai je normale kantooruren, zullen we het zo doen?'

Annika deed haar ogen dicht, de glimlach kwam recht uit haar hart.

'Zeker.'

Ze vloog naar het station, zo voelde het, ze danste zonder de grond te raken, merkte niets van de bijtende wind. Ze was er, had bereikt wat ze wilde, yes, yes, yes. Ze mocht weer verslaggever worden, daarvan was ze overtuigd. Ze zou interviews afnemen, artikelen schrijven, de machthebbers kritisch volgen, corruptie en schandalen aan de kaak stellen, de uitgangspunten van de gewone burger benadrukken, aan de zijde van de kwetsbaren staan.

In de trein kwam ze zo te zitten dat ze de keuze had tussen het staren naar een bagagerek en het bestuderen van de voorbijsnellende bruingroene naaldbomen aan de andere kant van het raam. Ze sloot haar ogen, de trein scandeerde zijn naam: Tho-mas, Tho-mas, Tho-mas, Tho-mas, Tho-mas.

Langzaam maar zeker maakte haar jubelstemming plaats voor woede en gekwetstheid. Hij had niet gebeld. Hij had ook geen briefje geschreven. Hij had haar slapend in bed achtergelaten zonder iets te zeggen. Had hij naar haar gekeken voor hij vertrok? Had hij haar wang gestreeld? Wat had hij gedacht, gevoeld? Schaamte, spijt? Gelukzaligheid, bedwelmende blijdschap?

De onwetendheid deed letterlijk pijn, brandde in haar borst, deed haar rillen.

Ze klemde haar kaken op elkaar en staarde door het raam naar buiten.

O-ma, o-ma, o-ma, o-ma, o-ma, o-ma.

Stabiliteit en liefde, waar was ze geweest zonder liefde. De oude vrouw was haar samenhang, haar verankering in een werkelijkheid die maar niet wilde ophouden met schudden. Ze hoorde voor haar klaar te staan, dat was het minste wat er van haar kon worden verlangd, maar ze kon het niet opbrengen, wilde het niet. Schaamde zich voor die constatering, kroop ineen, huiverde.

Het was namelijk zo dat ze eindelijk haar doel had bereikt. Eerst haar studie, toen het geploeter bij de lokale krant, de tropenjaren in de nachtdienst, het was tijd om te oogsten. Moest ze alles opgeven om iets te doen wat in feite de verantwoordelijkheid van de samenleving was? Was het wel de verantwoordelijkheid van de samenleving? Wat zijn we elkaar verschuldigd?

De trein denderde verder, sneeuw besmeurde het raam. Toen ze in Katrineholm uitstapte, was de wind behoorlijk aangewakkerd. Het slechte weer sloeg haar als een scherpe bezem in het gezicht. Haar woede werd heviger, het gevoel dat het leven onrechtvaardig was, waarom juist hier, waarom juist nu?

Ze strompelde verder, via het Stationsplein liep ze naar de Trädgårdsgatan. Ze had behoorlijk tegenwind, het werd snel glad. De bewolking maakte de duisternis compacter, de geluiden werden uitgewist. Auto's gleden voorbij met spaarzame verlichting en krakende spikes. Ten slotte verrees aan haar rechterhand vierkant en grijs het Kullbergska. Ze strompelde de entree binnen, veegde de sneeuw van zich af, leunde tegen een muur om uit te blazen. Twee jonge vrouwen waren op weg naar buiten. Ze waren beiden zwanger en gekleed in kleurige, gewatteerde jacks.

Annika wendde haar blik af, deed of ze ze niet zag.

Ik ga nog liever dood dan dat ik in deze stad zou moeten wonen.

Ze liep langzaam naar de afdeling, dacht aan de trage uren die voor haar lagen, het gemompel van haar oma over wat geweest was, de harde brits waarop ze vannacht zou slapen.

De gang lag er verlaten bij in flakkerend blauw tl-licht, ze ving fragmenten op van een gesprek dat gevoerd werd in het kantoor van de verpleging, liep erlangs zonder haar komst te melden. Sommige deuren stonden op een kier, ze hoorde oudjes rochelen en hoesten. De deur van haar oma was dicht, toen ze die opentrok kwam een koele luchtstroom haar tegemoet. De kamer was donker, de oude vrouw lag in haar bed. Ze liep erheen en deed het lampje aan dat bij het hoofdeinde van het bed stond, het licht viel op de gele overheidsdeken.

Ze glimlachte, hief haar hand op om de wang van de oude vrouw te strelen.

'Oma?'

De vrouw lag op haar rug. Annika zag haar ingevallen gezicht en wist het direct, ogenblikkelijk, meteen. Te stil, te wit, te slap. Liet desondanks haar hand de huid raken, koud, grijs. Het besef bereikte haar in golven, eerst haar borst, daarna haar brein, daarna haar longen, daarna begon ze te schreeuwen, ze schreeuwde en schreeuwde en schreeuwde, de verpleegsters kwamen, de arts kwam, schreeuwen was het enige wat ze kon.

'Red haar, jullie moeten haar redden, haar defibrilleren, beademen, hartmassage toepassen, doe iets, doe iets...'

De arts met de paardenstaart verscheen in haar gezichtsveld, ernstig, in tegenlicht.

'Annika,' zei ze, 'Sofia Katarina is dood.'

'Nee!' schreeuwde Annika. 'Nee!'

Liep achteruit, er viel iets om, ze zag niets, chaos.

'Annika...'

'Jullie moeten haar reanimeren, doe iets, opereren...'

'Ze is in haar slaap overleden, rustig en stilletjes, ze was heel erg ziek, Annika, misschien was dit wel het beste...'

Annika verstijfde, staarde de arts aan, tunnelvisie.

'Het beste? Ben je niet goed bij je hoofd? Het beste? Jullie hebben helemaal niet voor haar gezorgd, jullie hebben haar hier dood laten gaan, verwaarlozing met de dood tot gevolg heet dat, ik zal jullie godverdomme aanklagen...'

Ze moest naar buiten, weg van hier, liep naar de deur, mensen in de weg, draaide zich om, botste tegen een verpleegster, de arts pakte haar bij de schouders.

'Annika, rustig nou, je bent hysterisch, we zijn hier minder dan een uur geleden geweest, hier, bij Sofia Katarina, en toen lag ze nog rustig te slapen.'

Annika sloeg zich los.

'Ze kan niet dood zijn, ze ligt toch in een ziekenhuis, waarom hebben jullie niet op haar gelet, waarom lieten jullie haar hier liggen, waarom hebben jullie haar dood laten gaan, rotzakken, rotzakken zijn jullie...'

Iemand pakte haar vast, ze sloeg van zich af, schreeuwde, ze wilden haar weghalen bij oma, ze wilden nog meer verwoesten, ze mochten haar niet tegenhouden.

'Laat me met rust, laat me bij haar, jullie hebben haar dood laten gaan, laat mij voor haar zorgen...'

Gezichten zweefden voorbij, ze wilde ze niet zien, wierp zich naar achteren, ze schreeuwden naar haar, Annika! Ze brulde terug, weigerde het te horen, weigerde te luisteren.

'Harteloze moordenaars,' schreeuwde ze, 'jullie hebben haar dood laten gaan!'

Ze duwden haar op een brits, hielden haar vast, nu zouden ze zich ook aan haar vergrijpen, ze stribbelde brullend tegen.

'Iets kalmerends,' zeiden de stemmen, 'ze moet Sobril hebben...'

Plotseling kon ze niet meer, zonk ineen op de brits, voelde hoe het verdriet haar verstikte, het licht verdween, ze kon niet meer schreeuwen, kreeg geen warmte, geen lucht, vocht voor zuurstof, ademde, ademde, iemand anders schreeuwde, ze hyperventileert, kom hier met een zak, een waas, een waas, duisternis.

Haar moeder zat naast haar. Haar nertsmantel had ze op de stoel ernaast gesmeten. Annika lag op de harde brits, ze had pillen gekregen, de kamer was deinend onder haar weggegleden, weggezonken. Ze keek naar het raam, buiten was alles pikzwart.

Ik weet niet hoe laat het is, dacht ze.

Haar oma lag in haar bed, stil en wit. Er brandden twee kaarsen in de kamer, aan weerszijden van het bed, ze vormden twee gouden cirkels in het donker.

Annika ging rechtop zitten. Haar moeder huilde.

'Ik was te laat', snikte Barbro. 'Ze belden, mama was al dood toen ik kwam. Ze is in haar slaap overleden, het is vast heel erg vredig geweest.'

Annika voelde de kamer zwaaien, heftige zeegang, droge mond.

'Wat weet het personeel daar nou van', zei ze. 'Ik ben degene die haar gevonden heeft. Er moeten hier geen kaarsen staan.'

Ze kwam overeind, deed een paar stappen, wankelde, waggelde, wilde naar oma, wilde de kaarsen en de dood weghalen, haar net zolang schudden tot ze weer tot leven zou komen.

Haar moeder ging staan en pakte haar beet.

'Ga zitten. Bederf dit moment nou niet. Laten we op een rustige en waardige manier afscheid nemen van mama.'

Ze leidde Annika weer naar de brits.

'Het was het beste zo', zei haar moeder en ze veegde haar ogen af. 'Sofia had nooit meer een fatsoenlijk leven gehad. Zij die er zo van hield om in de vrije natuur te zijn, denk je eens in hoe ze hier zou liggen als een kasplantje. Dat zou ze niet gewild hebben.'

Annika zat op de brits, het kostte haar moeite haar evenwicht te bewaren, ze zag haar moeder wegzakken en weer omhoog komen, op en neer gaan.

'Ze hebben haar vermoord', zei Annika.

'Praat nou geen onzin', zei haar moeder. 'De artsen zeggen dat ze nog een bloeding gehad heeft, vermoedelijk op dezelfde plek. Ze konden niets doen.'

Annika keek naar haar grootmoeder, de liefde, de kracht, de samenhang, zo klein, zo wit, zo mager. Nog even en ze zou voor altijd verdwijnen. Nu was ze alleen.

'Hoe moet ik nu verder?' fluisterde ze.

Haar moeder stond op en liep naar de overledene, bleef staan en keek naar het oude gezicht.

'Ze had haar trekjes', zei Barbro. 'Ze kon onrechtvaardig zijn en te snel oordelen, maar nu ze er niet meer is, moet je niet meer aan zulke dingen denken. We moeten ons de goede momenten herinneren.'

Annika zocht naar iets om te zeggen, vond de gedachten niet, wilde niet met platitudes aankomen. Kon het niet opbrengen haar moeders spel mee te spelen. Zat zwijgend op de brits, staarde naar haar handen. Herinnerde zich de aanraking met de koude huid, het dode hoofd. Stopte haar hand onder haar oksel voor wat warmte.

'Ze had haar tekortkomingen,' zei Barbro, 'maar die hebben we allemaal. Ik wilde een moeder die zich om mij bekommerde, die voor mij zorgde. Alle andere meisjes hadden zo'n moeder toen ik klein was.'

Annika gaf geen antwoord, probeerde het niet te horen, haar moeder bleef maar praten, vooral tegen zichzelf.

'Hoewel je natuurlijk altijd van je moeder houdt, je moeder is natuurlijk degene die het dichtst bij je staat.'

'Oma stond het dichtst bij mij', fluisterde Annika en meteen voelde ze de tranen weer opwellen, ze stroomden over haar wangen. Ze deed niets om ze tegen te houden, liet ze gaan, liet de pijn tot zich doordringen.

Haar moeder keek haar aan, de blik ver weg, zwart.

'Wat tekenend nou weer dat dat nou net op dit moment uit jouw mond moet komen', zei ze.

Ze liep weg van de overledene, kwam naar Annika toe, met rode ogen, haar mond leek een streep.

'Mama hield jou altijd de hand boven het hoofd,' fluisterde Barbro, 'maar nu kan ze dat niet meer doen.'

Annika deed haar ogen dicht, voelde hoe haar moeder vlak bij haar ging staan.

'Al die jaren heeft ze jou voorgetrokken boven Birgitta, en jij hebt het je maar al te graag laten aanleunen. Hoe denk je dat dat voelde voor je zusje? Hè?'

Annika verborg haar gezicht in haar handen.

'Birgitta heeft jou toch?' zei ze.

'En dat gold niet voor jou, bedoel je? Heb je er nooit over nagedacht hoe dat kwam? Misschien had dat wel met jou als persoon te maken. Kijk me aan!'

Annika keek op, knipperde met haar ogen, haar moeder stond voor haar, boven haar. De blik van de vrouw was donker, haar gezicht verwrongen, vol pijn en minachting.

'Jij hebt het altijd voor alle anderen verpest', fluisterde Barbro. 'Jij bent een ongeluksvogel, er is iets mis met jou, sinds je geboren bent heb je alleen maar ellende veroorzaakt voor je omgeving.'

Annika hapte naar lucht, liep achteruit naar de brits.

'Maar mama,' zei ze, 'je weet niet wat je zegt.'

Haar moeder boog naar voren.

'Als jij er niet geweest was,' zei ze, 'waren we een gelukkig gezin geweest.'

De deur ging open, de arts kwam binnen, ze deed de tl-verlichting aan.

'Excuus,' zei ze, 'zullen we later terugkomen?'

Haar moeder ging rechtop zitten, bleef Annika strak aankijken.

'Nee hoor,' zei ze, 'dat hoeft niet. Ik wilde net gaan.'

Ze pakte haar handtas en bontjas, stak haar hand uit en bedankte de arts, mompelde iets, wierp een laatste blik op de overledene, liep de kamer uit.

Annika bleef zitten, met open mond, de tranen als een gordijn over haar gezicht, met de grond gelijkgemaakt, had ze het goed gehoord? Had haar moeder de woorden werkelijk gezegd, de nooit uitgesproken woorden die altijd onder de oppervlakte aanwezig waren geweest, de verboden sleutelwoorden die haar jeugd ontsloten en definieerden?

'Hoe gaat het met je?' vroeg de arts terwijl ze naast haar op de brits ging zitten.

Annika boog het hoofd, hapte naar lucht.

'Ik meld je ziek voor de rest van de maand', zei de arts. 'Je krijgt ook een recept mee voor Sobril, vijfentwintig stuks à vijftien milligram. Daar kun je nauwelijks te veel van nemen, maar je mag ze niet combineren met alcohol, dan zijn ze gevaarlijk.'

Annika deed haar handen voor haar gezicht, probeerde het beven van haar lichaam te stoppen. De arts bleef nog even zitten, zei niets.

'Had je een nauwe band met je grootmoeder?' vroeg ze toen.

Annika knikte.

'Het is een enorme schok geweest voor jou,' zei de arts, 'of eigenlijk waren het er twee. Jij hebt je oma thuis ook gevonden, niet?'

Annika knikte weer.

'Er zijn stadia waar alle verwanten in meerdere of mindere mate doorheen gaan', zei de arts. 'Het eerste stadium is de shock, in die fase zit jij nu, daarna kan er een periode van agressiviteit komen, daarna ontkenning en ten slotte komt de acceptatie. Je moet nu vooral aardig voor jezelf zijn, je kunt een tijd lang met ernstige angstgevoelens te maken krijgen, problemen krijgen met je maag of met slapen. Dat is normaal, dat gaat over. Maar als het te moeilijk wordt, moet je hulp zoeken. Neem de pillen als het te zwaar wordt. Je kunt altijd naar dit ziekenhuis bellen als je behoefte hebt om te praten. Als je wilt kun je een afspraak krijgen met een maatschappelijk werker of werkster.'

Annika schudde het hoofd.

'Geen therapeut', zei ze.

De arts streek haar over de rug.

'Zeg het als er iets is. We gaan Sofia Katarina nu weghalen. Moet je ergens naartoe gebracht worden?'

'Sofia Katarina', fluisterde Annika. 'Ik ben naar haar genoemd. Ik heet Annika Sofia.'

'Annika Sofia,' zei de arts, 'jij moet nu goed op jezelf passen.'

Annika sloeg haar blik op naar de vrouw, vlak naast haar maar toch zo ver weg.

Gaf geen antwoord.

DEEL DRIE

December

De schaamte is het meest verbodene.

Over alles kunnen we praten, maar niet over datgene waarvoor we ons het meest schamen. Andere gevoelens, ook de moeilijke, kunnen gedeeld en geventileerd worden, maar schaamte nooit. Dat is de aard van het beestje. De schaamte is ons grootste geheim, vormt een straf op zichzelf.

Voor de schaamte bestaat geen genade. Al het andere kan vergeven worden: geweld, het kwaad, onrechtvaardigheid, schuld, maar voor het meest schandelijke bestaat geen absolutie. Die is de schaamte niet vergund.

In mijn geval vallen schuld en schaamte samen. Dat is gebruikelijk, maar geen regel. Ik ben lafhartig geweest. Alles wat ik de afgelopen jaren gedaan heb, heeft uiteindelijk tot doel gehad te boeten voor mijn lafheid. Daarom is het schuldgevoel ondanks alles een creatieve kracht, het maant tot handeling en wraak.

Ik kan niet omgaan met mijn schaamte. Samen met het geweld vernietigt ze me. Ze groeit niet, ze krimpt niet, ze ligt als een kanker ver weggestopt in mijn bewustzijn.

Wacht haar tijd af.

Holt uit.

Maandag 3 december

De man met de zwarte kleren landde geruisloos op het treinperron. Hij boog wat door zijn knieën zodat het meeste geluid werd opgevangen, de gummizolen onder zijn schoenen absorbeerden de rest. Hij haalde opgelucht adem, keek om zich heen, hij was de enige die uitstapte. Snel draaide hij zich om en drukte de deur dicht, het was niet de bedoeling dat iemand zijn vertrek opmerkte.

De lucht was fris en koud, triomf overspoelde hem.

Ratko was terug in Zweden. Alles was precies gegaan zoals hij het uitgedacht had. Zolang je maar de drive in je lijf had, de grenzeloze wil, de compromisloosheid. Ze dachten dat ze wisten waar ze hem hadden, dachten dat ze hem op de korrel hadden.

Jezus.

Wat verderop in de trein maakte de conducteur een deur open, Ratko verplaatste zich stilletjes en niet overdreven snel in de richting van het stationsgebouw, een nachtwandelaar op het treinstation van Nässjö, een rusteloze ziel.

Hij wierp een blik op zijn horloge, 03.48 uur, de trein had zich bijna perfect aan de dienstregeling gehouden.

Op het moment dat hij om het stationsgebouw heen liep, wierp hij een blik over zijn schouder, de conducteur stond met de rug naar hem toe, had hem niet opgemerkt. Waarom zou hij ook?

Hij draaide zich om naar de slapende stad, niemand wist dat Runar Aakre, de Noor die op weg was naar Stockholm, niet meer in zijn couchette lag.

Hij liep langs de Esplanade, het was langgeleden dat hij hier geweest was. Plotseling overviel hem een gevoel van onrust, misschien was er iets misgegaan, hij mocht geen voorschot nemen op zijn geluk, er had werkelijk van alles kunnen gebeuren met de auto, hij kon gestolen zijn, bevroren, de accu kon leeggelopen zijn.

Dat is natuurlijk het laatste wat ik moet gaan doen, dacht hij wrevelig, de duivel zwarter maken dan hij is.

Hij stak het marktplein schuin over, hij huiverde nu al. Het zou een lange, koude wandeling worden.

Voor het Kulturhuset aan de Rådhusgatan stonden een heleboel fietsen, vlug doorzocht hij de verzameling en vond een damesfiets die niet op slot was.

Nu zou hij het nog veel kouder krijgen. Hij stapte op en fietste snel in noordelijke richting, naar de Jönköpingsvägen.

Het was hels, tegenwind, gladheid, duisternis, hij was binnen de kortste keren buiten adem.

Nog even, dacht hij, nog even, dan ben ik er.

De reis had veel van hem gevergd. Het valse paspoort had in zijn zak gebrand. Bij iedere grenscontrole was hij nerveus geweest, op het belachelijke af. Hij wist waarom.

Hij had geen controle meer, zijn macht was hem ontnomen. Ze hadden hem de nachtclub laten behouden, maar de andere privileges was hij kwijt. Iets dergelijks merkte je bliksemsnel in een stad als Belgrado. Het respect was weg, zijn vrouw wilde van hem scheiden. Zelfs zijn reputatie als oorlogsheld hielp niet meer; voor de mensen was hij uitgerangeerd, iemand die zijn verantwoordelijkheid in Kosovo niet genomen had; voor de superieuren was hij de man die een lading ter waarde van vijftig miljoen had zoekgemaakt. De arbeiders in de fabriek die de illegale sigaretten vervaardigden, zouden hun loon niet krijgen, de complete organisatie zou vertraging oplopen. Na de vergissing, zijn vergissing, moesten ze allemaal dubbel zo hard werken om het verlies te compenseren. Wat stelden tien jaar oude zuiveringen dan nog voor?

Hij fietste door, jezus, hij was vergeten wat voor hellingen ze hier hadden, met mos begroeide kloteheuvels.

Ze dachten dat hij de moed zou opgeven, dat het opsporingsbevel uit Den Haag voor hem reden zou zijn weg te kruipen in de een of andere naargeestige buitenwijk waar hij de rest van zijn leven zou slijten: een keer in de week naar voetbal, jonge meiden neuken, slivovitsj drinken, godverdegodver.

Nee, hij was nu zijn eigen man, zijn eigen opdrachtgever. Hij deed wat hem het beste leek.

Die vrouw van hem, die onbetrouwbare hoer, moest er nu maar eens goed over nadenken wie in het vervolg haar kleren en drankjes zou moeten betalen. Godverdomme.

De terugreis naar Belgrado een maand geleden was volgens plan verlopen. Niemand had zijn paspoort in twijfel getrokken, de mannen hadden hem zoals afgesproken in Skopje opgewacht. De autorit naar Belgrado was even waanzinnig saai geweest als altijd, maar met slivovitsj ging het sneller. Toen ze aankwamen, waren ze allemaal tamelijk bezopen geweest, niemand had eraan gedacht zijn pas terug te eisen.

Daarna stond hij in de kou. De superieuren namen geen contact meer met hem op. Als hij lijfwachten wilde, moest hij zorgen dat hij ze kreeg, uit eigen zak betalen.

De verbittering knaagde, hij trapte hard.

Zwakkelingen zijn het, dacht hij, ze snappen niet hoe het was om in het veld te opereren. Zij weten niet hoe je overleeft in het vijandelijke kamp.

Hij was nu over de top van de heuvel, hijgde uit, in de scherpe wind werd hij opnieuw overspoeld door een gevoel van onoverwinnelijkheid.

Wat had hij ze te pakken gehad! Gewoon de kuierlatten genomen zonder dat ze er ook maar een vermoeden van hadden. Niemand wist waar hij gebleven was, hij was opgegaan in rook.

Rode-Kruismedewerker Runar Aakre had in Belgrado een auto gehuurd voor een trip naar Hongarije, bij de grensovergang had hij in het Engels verklaard dat hij in Szeged een paar dingen moest regelen en dat hij maar een paar uur zou wegblijven. Hij had alle papieren bij zich, groene kaart, internationale verzekering. De douanebeambten hadden hem indringend aangekeken, met de zaklamp in de auto geschenen. Op de passagiersstoel naast hem lag *Verldens Gang*, de Noorse avondkrant, weliswaar vijfentwintig dagen oud, maar dat zag de douanebeambte natuurlijk niet, hij had de krant gekocht op het vliegveld van Oslo, wist dat die goed van pas zou komen.

Ze hadden gewenkt dat hij kon doorrijden.

Hij bleef natuurlijk niet in Szeged, maar reed door naar Boedapest. Daar sliep hij een paar uur op de achterbank voordat hij de auto achterliet op een parkeerplaats bij een meubelwarenhuis.

In een postbus in het centrum hadden de tickets op hem liggen wachten. Hij had ze in een bar per telefoon gereserveerd, had betaald met een niet te traceren creditcard en de postbus als afzender opgegeven. Die postbus had hij eerder gebruikt.

De wind was toegenomen en gedraaid, trof hem van opzij. De wielen glibberden in de sneeuwbrij, hij kreunde. Nou ja, de kou kon hij wel door de vingers zien. Nog even en hij zou ervan af zijn, voor eeuwig. Zijn nieuwe werkzaamheden zou hij uitoefenen op locaties waar nog nooit een vlok sneeuw gevallen was. Het enige wat hij moest doen, was alles aan elkaar breien: de financiering, de klanten, de medewerkers.

Natuurlijk was het idioot om Servië te verlaten terwijl Den Haag hem op de hielen zat. Niemand geloofde dat hij het zou doen, iedereen dacht dat hij zou wegrotten in die naargeestige buitenwijk van hem. Maar het was heel goed mogelijk om ongezien door West-Europa te reizen, zolang je maar de plaatselijke exprestreinen nam. De treinen die van oost naar west melk vervoerden waren geen optie, maar de pendeltreinen waarmee zakenlieden tussen de hoofdsteden reisden, minderden bij de grenzen nauwelijks vaart. Het was een omweg, maar dat kon niet anders. Hij moest naar Zweden, en hij moest zijn vriend in het oosten spreken.

De reis was zenuwslopend geweest, maar er was niets gebeurd, Wenen, München, Hamburg, Kopenhagen. Gisteravond was hij in Limhamn aan land gegaan, samen met vierhonderd Zweden die terugkeerden naar huis en stuk voor stuk wagentjes vol bier bij zich hadden. Om op te gaan in de massa, had hij zelf ook een krat meegesleurd, en samen met een smoorbezopen inwoner van Trelleborg was hij zingend door de pascontrole gegaan.

De nachttrein naar Stockholm vertrok om 22.07 uur, precies op tijd. Tot 03.30 uur had hij geslapen als een blok.

Hij passeerde Äng, fietste snel en geluidloos, wilde niet gezien worden. Het hele dorp sliep.

Daarna sloeg hij rechts af, tussen de bomen door, de heuvels in, de stammen omsloten hem, hij werd weer onzichtbaar. Deze weg was in slechtere staat, het fietsen ging moeilijker, hij viel twee keer. Eindelijk dan toch zag hij de zijweg aan zijn linkerhand, hij stopte, merkte hoe uitgeput hij was. Zijn benen trilden van de inspanning, zijn handen vertoonden beginnende bevriezingsverschijnselen, hij merkte dat er snot aan zijn neus hing. Hij rustte even uit, over de fiets gebogen, hijgde. Smeet die klotefiets daarna tussen de bomen, roest maar kapot, rotding, klauterde met grote stappen door de bevroren sneeuw in de richting van de garage.

Daar, de gevel, Falun-rood. Zijn hart begon sneller te kloppen. Stel je voor dat er iets verschrikkelijk scheef gegaan was, wat moest hij dan doen?

Met trillende vingers betastte hij de achtermuur, dacht even dat de sleutel verdwenen was, voelde de paniek opkomen, maar hij vond hem. Hij lag nog op de plek waar hij hem neergelegd had.

Hij strompelde om het gebouwtje heen, draaide de sleutel om, duwde tegen de deuren, moest zijn schouder gebruiken om ze te kunnen openen, er lag een laagje sneeuw voor. Stapte naar binnen en zag het wrak staan, het was werkelijk niet iets om over op te scheppen, een tweedeurs Fiat Uno uit 1987. Hij haalde de belastingsticker te voorschijn die hij in Malmö van een vrachtwagen had gepeuterd, het kentekennummer klopte niet, maar bij een haastige controle zou dat niet opvallen, plakte hem vast met het dubbelzijdige plakband dat hij in zijn zak had.

Nu kwam het erop aan.

Hij liep om de auto heen, voelde op het rechtervoorwiel, vond de autosleutels. Maakte het portier open, ging zitten, draaide de sleutel om.

De motor maakte een paar slagen, haperde, hoestte, hield ermee op.

Hij slikte.

Probeerde het nog een keer, de auto haperde, hoestte, sloeg aan. Hij haalde opgelucht adem, merkte plotseling dat het zweet hem op het voorhoofd stond, ondanks de kou. Gaf een paar keer gas, bleef in de garage staan, liet de motor en de olie op temperatuur komen.

Terwijl de auto langzaam ontdooide, boog hij naar voren, opende het handschoenenvakje, zocht op de tast naar het messing sleuteltje. Ook dat lag er nog.

Deed zijn ogen dicht, ontspande wat, voelde hoe de rust zich door zijn lichaam verspreidde.

Het geld was veiliggesteld. Het lag in de bankkluis in de kelder van de SE-Banken in Gamla Stan in Stockholm. Het was nooit zijn bedoeling geweest het voor eigen rekening te gebruiken, het was bestemd voor onvoorziene uitgaven in de sigarettenbusiness, maar dit was niet zijn besluit geweest. Zij hadden hem in de kou gezet, nu moesten ze betalen.

Hij begreep niet waarom ze hem in de steek gelaten hadden. Die verdwenen shitlading was weliswaar een hoop geld waard, maar verklaarde niet deze totale afwijzing door zijn superieuren. Zelfs het opsporingsbevel van het oorlogstribunaal zou niet dit soort consequenties moeten hebben. In Servië wemelde het van de onder verdenking staande oorlogsmisdadigers, die desondanks groot aanzien genoten.

Er was iets anders. Hij kon er zijn vinger niet opleggen. Misschien had iemand bewust geprobeerd hem uit de weg te ruimen, de een of andere werkelijk hoge piet, iemand die op zijn macht en bevoegdheden uit was.

Ze kunnen nooit mijn plaats innemen, dacht hij. Niemand heeft mijn ervaring, mijn contacten.

Hij gaf gas, liet de motor razen, de warmte begon zich door het interieur te verspreiden.

Hij ging niet alleen voor het geld naar Stockholm, hij moest er ook nog een paar andere kwesties regelen. De lading mocht dan pleite zijn, hij hield ervan zijn zaakjes af te ronden.

Langzaam reed hij de nacht in.

De adventssterren voor de ramen van het appartement aan de overkant hingen scheef. Een vrouw van de bouwfirma had er afgelopen vrijdag rondgescharreld, ze had allemaal leuke versieringen opgehangen. Annika staarde ernaar, naar de strooien sterren, ze bewogen een beetje in de opstijgende warmte van de elektrische radiatoren. Ze verbaasde zich over het feit dat een mens zich met zoiets zinloos kon bezighouden, in staat was energie te steken in het ophangen van kerstdecoraties.

Ze ging weer liggen, staarde naar de wand, concentreerde zich op het patroon achter de dunne grondverf, lila medaillons. Het gebouw achter de binnenplaats lag er verlaten bij, alleen de werkloze hardrocker die helemaal beneden woonde, was thuis. Ze deed haar ogen dicht, liet de bassen vibreren.

Dit gaat zo niet langer, dacht ze. Zo kan ik niet doorgaan.

Ze rolde zich op haar rug, staarde naar het plafond, zag de spinnenwebben zweven in de luchtstroom die van het kapotte raampje in de woonkamer kwam. Volgde de scheuren met haar blik, vond de vlinder, de auto, het doodshoofd. In haar linkeroor weerklonk de toon van de eenzaamheid, ze wierp zich weer op haar zij, legde het kussen op haar hoofd, kon niet ontsnappen, kon zich niet verbergen, nooit ofte nimmer. Vertwijfeling overviel haar, ze hoorde de geluiden komen, de klanken die uit haar mond kwamen, het ongecontroleerde huilen. Ze herkende het, het maakte haar niet bang, ze liet het komen, wist dat het ook weer zou ophouden, haar lichaam raakte vanzelf uitgeput.

Toen ze weer tot bedaren was gekomen, voelde ze zich mat. Ze had dorst, alles deed pijn van de inspanning. De pijn in haar rug was het ergst, die ging nooit helemaal weg, evenmin als de zeurende spanning in haar maagstreek. Ze bleef even liggen, hijgend, zwaar, liet de tranen op haar wangen opdrogen.

Ik vraag me af wat de buren denken. Misschien denken ze wel dat ik bezig ben gek te worden.

Ze stond op, draaierig, onderweg naar de keuken zocht ze steun tegen de muur. De strooien sterren zwaaiden. De kraan drupte. De koelkast was leeg.

Ze ging aan de keukentafel zitten, gleed met vooruitgestoken armen naar voren, het tafelblad was koud, ze legde haar hoofd op haar handen, staarde naar de messing kandelaar van oma. Het was een geschenk dat Sofia Katarina en Arvid bij hun trouwen hadden gekregen en dat al die jaren in Lyckebo op het buffet had gestaan.

Annika sloot haar ogen. Oma was weg. Ze had bijna geen herinnering aan de begrafenis, alleen aan de wanhoop, de tranen, de hulpeloosheid. Er waren tamelijk veel mensen geweest, starende blikken, gefluister, verwijtende gezichten.

Uit stof zijt gij geschapen...

Ze stond op, liep naar de bank in de woonkamer. Toen ze ging zitten, steeg er een wolk stof uit omhoog. Ze keek naar de telefoon. Birgitta had gebeld na de begrafenis, gevraagd waarom ze zo gemeen had gedaan tegen mama.

Geven jullie nou nooit op, had Annika geschreeuwd, wanneer is het eens een keer genoeg? Hoe zwaar moet ik gestraft worden omdat er iemand was die van mij hield? Wanneer zijn jullie tevreden? Als ik dood ben?

Je bent niet goed wijs, had Birgitta gezegd. De mensen hebben gelijk. Je bent zielig.

Oma had weinig bezittingen, maar over het kleine beetje dat er was moest natuurlijk ruziegemaakt worden. Annika had gevraagd of ze de kandelaar mocht hebben, de rest kon haar gestolen worden.

Ze trok haar benen op de bank, schommelde, schommelde, de Ica-tas voor het raam bewoog naar boven, naar beneden, naar boven, naar beneden.

Thomas had niet gebeld. Niet één keer. De nacht had nooit plaatsgevonden, het bedwelmende gevoel was slechts de herinnering aan een droom. Ze huilde, stilletjes, om de liefde die nooit gekomen was, schommelde, schommelde. Maandag 5 november, dat was hun dag, hun nacht, maar die nacht was in het niets verdwenen, achtentwintig dagen geleden, ze was een maand ouder geworden, het was zevenentwintig dagen geleden sinds oma overleden was en in die tijd was ze zevenentwintig jaar eenzamer geworden. Ze vroeg zich af hoelang ze op die manier zou blijven tellen, een jaar sinds het overlijden van oma, twee jaar, zeven jaar sinds ze eenzaam werd.

De pijn in haar maag wilde maar niet weggaan, het zeurende gevoel in haar rug bleef knagen. Ze hield op met schommelen, staarde naar de tafel. Het appartement had haar opgeslokt, vier weken zat ze hier nu, meestal alleen. De arts in Katrineholm had haar voor de rest van het jaar ziek gemeld. Anne Snapphane kwam een paar keer per week langs, met eten, een video en een gettoblaster.

'Ze zijn van het productiebedrijf', had ze uitgelegd. 'Ik heb ze zolang geleend.'

De stilte en de leegte hadden concurrentie gekregen van huurfilms en van Jim Steinman en Andrew Lloyd-Webber in stereo.

Ze had hem willen hebben. Achtentwintig dagen geleden had ze hem een nacht lang gehad, en straks zou ze die nacht vergeten zijn.

Haar maag draaide om, een welbekend gevoel, ze was ongesteld geworden. Ze kreunde, ging naar de slaapkamer om een verbandje te zoeken.

Het pak was leeg. Terwijl ze daar stond met het gescheurde plastic zakje in de hand, dacht ze na. Had ze ergens anders maandverband?

Ze liep naar de hal, wroette in haar tas, de per stuk verpakte verbandjes waren kapotgegaan, de zakjes zaten vol troep en gruis. Ze ging op de vloer zitten, duizelig plotseling, misselijk, controleerde haar slipje.

Niets. Geen menstruatie.

Achtentwintig dagen geleden.

Ze hapte naar lucht, een duizelingwekkende gedachte schoot door haar heen. Pakte haar kleine zakagenda, het was de naamdag van Oskar Ossian, de maan was aan het afnemen, pakjesdag viel op een maandag dit jaar.

Telde, dacht na, wanneer? Het weekend van 20, 21 oktober? Ze wist het niet meer.

Stel dat ze...?

Ze kon niet meer denken, staarde naar haar agenda, haar hand ging onwillekeurig naar haar buik, bleef liggen onder haar navel.

Het kon niet waar zijn.

'Heb je even?'

Anders Schyman keek op, Sjölander en Berit Hamrin stonden in de deuropening te trappelen. Hij wees naar zijn bezoekersstoelen.

'We zijn klaar met het verhaal over stichting Het Paradijs, het kan gepubliceerd worden', zei de chef misdaad. 'Berit heeft de gegevens van Annika Bengtzon verwerkt en de puntjes op de i gezet. Het is ongelofelijk, dit kun je met recht een indianenverhaal noemen.'

Anders Schyman leunde achterover, Berit Hamrin legde een stapel papieren op zijn bureau.

'Dit zijn de artikelen in conceptvorm', zei ze. 'Je kunt ze later wel doorkijken. Ik heb de directeur, Rebecka Björkstig, anoniem gehouden. Sjölander wil dat we haar naam en foto publiceren, maar ik had gedacht dat we die discussie misschien kunnen voeren nadat ik je dit uitgelegd heb.'

De redactiechef keek zwijgend toe hoe ze papieren in verschillende stapeltjes verdeelde en deze op een rij legde.

'In de eerste plaats hebben we het verhaal zelf', zei ze. 'De informatie die Annika losgekregen heeft, lijkt van begin tot eind te kloppen. Er was wat gedoe met de overheidsmensen uit Nacka en Österåker, maar toen die vent in Vaxholm z'n verhaal eenmaal verteld had, wilden zij ook wel praten.'

Hij pakte het eerste artikel op, las het vluchtig door.

'Eerste publicatiedag', zei ze. 'De ontmaskering van stichting Het Paradijs, Rebecka's versie van het verhaal, de onderbouwing van de stelling dat het allemaal leugens zijn.'

'Wie citeren we?' vroeg Schyman.

'Vooral de man uit Vaxholm, een vreselijk aardige administrateur bij de sociale dienst, Thomas Samuelsson heet-ie. Hij is zogezegd degene die als de held naar voren komt. Hij werd mishandeld en neergeslagen toen hij met Rebecka over een factuur wilde praten.'

'Ja,' zei de redactiechef, 'dat vertelde Annika al. Heeft hij aangifte gedaan?'

'Yep. Vervolgens hebben we de andere overheidsjongens. Zij wilden anoniem blijven, maar bevestigen dat Het Paradijs niet gefunctioneerd heeft.'

'Hoeveel hebben ze betaald?'

'De ene 955.500, de andere 1.274.000, verdeeld over een paar verschillende facturen. Vaxholm weigerde, hun cliënte was al dood toen de factuur binnenkwam.'

De redactiechef floot.

'Dit gedeelte van het verhaal ken je in grote lijnen', zei Berit. 'Wat de rest betreft hebben we aarzelingen.'

Berit pakte een nieuw artikel.

'Het is mogelijk dat Rebecka Björkstig zich schuldig heeft gemaakt aan het aanzetten tot moord', zei Berit.

Schymans mond viel open.

'Allemachtig', zei hij.

Berit reikte hem het artikel aan.

'De vrouw die ongeveer een maand geleden op het Sergels Torg vermoord werd, dat weet je nog wel, hè, zij was een cliënte van Het Paradijs.'

'Ga weg', zei Schyman.

De verslaggeefster zuchtte.

'De vrouw, Aida Begović, dreigde de hele zwendelarij aan haar gemeente te vertellen. Vervolgens bedreigde Rebecka Aida met de dood. Op zich was dat niet ongebruikelijk, dat heeft ze wel vaker gedaan. Alle vrouwen die zich meldden bij de stichting, beseften natuurlijk ogenblikkelijk dat ze op geen enkele manier geholpen zouden worden. Velen waren vanzelfsprekend kwaad en verontwaardigd, de betrokkenen in de zaken Österåker en Nacka zeiden dat ze alles aan hun contactpersoon bij de sociale dienst zouden vertellen.'

'Hoe kwamen ze bij Het Paradijs terecht?' vroeg Schyman.

'In beide gevallen begon het er allemaal mee dat de bedreigde persoon Rebecka ontmoette tijdens een gesprek met een ambtenaar van de sociale dienst. Ze kregen stuk voor stuk hetzelfde fantastische verhaal voorgeschoteld, het merkwaardige is dat iedereen er intuinde. Zodra de eerste factuur betaald was, konden de cliënten naar het pand van Het Paradijs in Järfälla. Daar ontfermde Rebecka zich over alle documenten, ze las ze door, controleerde of alle gegevens er waren en daarna stuurde ze ze weg.'

'Haar cliënten?'

Berit knikte, de lippen stijf opeen geperst.

'Het ene geval betreft een alleenstaande moeder en haar twee kinderen, het andere een vrouw met drie kinderen. Rebecka bedreigde haar: ik weet wie er achter jou aan zit, als jij ook maar één woord loslaat tegenover de gemeente, dan vertel ik je vervolger waar je zit.'

'Mijn god', zei Schyman.

'En Aida stierf', zei Sjölander. 'Er is een getuige, zij was erbij toen Rebecka haar bedreigde, en de dag erna was ze dood.'

'Wat zegt de politie?'

Berit pakte een derde artikel.

'Ik heb net met ze gepraat. Enerzijds zit het fraudeteam natuurlijk al een hele tijd achter Rebecka aan, maar door de laatste ontwikkelingen zijn de verdenkingen zowel talrijker als ernstiger geworden. De politie wil haar meteen in de kraag vatten, dus we moeten deze artikelen zo snel mogelijk publiceren.'

'Oké', zei Schyman. 'De eerste dag hebben we de organisatie zelf, het bedrog, de bedreigingen. Wat publiceren we dag twee?'

Berit bladerde tussen de uitdraaien.

'De verhalen van de bedreigde vrouwen. Annika heeft het belangrijkste stuk geschreven voordat ze ziek werd, het gaat over een vrouw die Maria Eriksson heet. Ik heb de beide andere gevallen op papier gezet. Verder moeten we er na de publicatie van de eerste dag op voorbereid zijn dat er meer verhalen komen.'

Schyman maakte aantekeningen.

'Mooi, daar zullen we voor zorgen. Dag drie?'

'Reacties', zei Berit. 'Ik heb er een paar klaarliggen, een hoogleraar strafrecht, een docent in de sociale psychologie, de voorzitter van het Rijksverbond van Vrouwenspreekuren. Tegen die tijd is de politie denk ik ook wel in actie gekomen, misschien de minister van Sociale Zaken, de minister van Justitie. En misschien moeten we rekening houden met meer aangiften uit diverse andere gemeenten.'

'Hoe verdedigt ze zich?' vroeg Anders Schyman.

'Rebecka Björkstig noemt al onze gegevens grove en vuige laster. Ze begrijpt niet dat iemand haar op die manier aan de schandpaal wil nagelen. Haar activiteiten bevinden zich inderdaad nog in de opbouwfase, maar dat ze iemand zou hebben opgelicht of bedreigd, dat zijn regelrechte leugens.'

'Terwijl wij kunnen bewijzen dat dat niet zo is', zei Schyman. 'Dreigt ze met een aanklacht als we de informatie publiceren?'

'O ja. Ze heeft de hoogte van de schadevergoeding al genoemd, dertig miljoen.'

Anders Schyman glimlachte.

'Ze kan ons niet aanklagen als we haar naam en foto niet publiceren. Als ze niet te identificeren is, is haar geen publicistische schade berokkend.'

'Ik vind dat we desondanks met naam en foto naar buiten moeten komen', zei Sjölander. 'Ze mag best voelen hoe het is om in de misère te belanden.'

Schyman keek de chef misdaad met een neutrale blik aan.

'Sinds wanneer is deze krant een bestraffende instantie?' vroeg hij. 'Rebecka Björkstig is geen bekende of openbare figuur. We moeten natuurlijk een beschrijving geven van haar activiteiten, van het feit dat ze verschillende identiteiten heeft aangenomen, verslag doen van de verdachte praktijken en eigenaardige bedreigingen. Maar het verhaal wordt er op dit moment niet beter van als ze met naam en toenaam wordt genoemd.'

'Dat is laf,' zei Sjölander, 'niet alles openbaar maken wat je hebt, bedoel ik. Waarom moeten we haar sparen, zo'n laaghartig schepsel?'

Anders Schyman boog naar voren.

'Omdat wij voor de waarheid zijn,' zei hij, 'niet tegen de crimineel. Omdat wij een ethische en publicistische verantwoordelijkheid hebben, aangezien we de macht en het vertrouwen hebben gekregen om voor de mensen in onze samenleving de werkelijkheid te definiëren. We gaan die macht niet gebruiken om individuen te verpletteren, ongeacht of het politici zijn of misdadigers of beroemdheden. In de krant belanden is niet hetzelfde als in de misère belanden.'

Sjölanders wangen gloeiden een beetje, Anders Schyman zag dat het oké was. Sjölander kon verrekte goed met kritiek omgaan. Dit bijvoorbeeld had hij nu al verwerkt.

'Goed', zei hij. 'Jij beslist.'

De redactiechef leunde weer achterover.

'Nee,' zei hij, 'dat is niet waar. Torstensson beslist.'

Ze keken elkaar een ogenblik aan en barstten daarna alle drie in lachen uit, Torstensson, grote genade, wat een bak.

'Verder?' vroeg Schyman.

'Ja, jezus,' zei Sjölander met een zucht, 'het is een beetje te rustig. Het is al een poosje geleden dat er wat gebeurd is. We denken erover om de Palme-moord maar weer eens uit de mottenballen te halen, Nils Langeby heeft een nieuwe tip gekregen.'

Er vormde zich een rimpel tussen de wenkbrauwen van de redactiechef.

'Hou de tips van Langeby in de gaten, ik vertrouw ze niet. Hoe is het verdergegaan met het Joegoslaviëverhaal in de Vrijhaven?'

Sjölander zuchtte.

'Dat is doodgebloed. Die vogel die ze verdachten, Ratko, heeft vermoedelijk het land verlaten.'

'Was hij de dader?'

De misdaadchef draaide wat op zijn stoel, aarzelde, herinnerde zich hoe hij de man als de schuldige had aangewezen.

'Niet zeker', zei hij. 'Ratko is nooit veroordeeld wegens moord, maar het is een ongelofelijk onaangenaam type. Bankroof, bedreiging, mishandeling, en bovenal schijnt hij als handlanger gewerkt te hebben. Het was zijn specialiteit mensen de stuipen op het lijf te jagen, ze aan het praten te krijgen. Hij stopte ze een machinepistool in de mond, de meesten gingen daarna wel praten.'

'En dan hebben we nog de oorlogsmisdaden', bracht Berit in de herinnering.

'Het moet niet eenvoudig geweest zijn voor hem om door Europa te reizen', zei Anders Schyman.

Op dinsdag 6 november jongstleden tegen lunchtijd was door het oorlogstribunaal in Den Haag officieel een opsporingsbevel tegen de man uitgevaardigd wegens verdenking van misdaden tegen de menselijkheid in de beginfase van de strijd in Bosnië.

'Waarschijnlijk zit hij zich dood te drinken in een buitenwijk van Belgrado', zei Sjölander.

Schyman zuchtte.

'En de vrouw op het plateau, hoe gaat dat? Zitten ze de moordenaar op de hielen?'

Berit en Sjölander schudden het hoofd.

'Ze wordt morgen begraven', zei Berit. 'Bijzonder tragische geschiedenis.'

'Oké', zei Schyman. 'Ik check de artikelen, als je niets hoort, heb je groen licht voor alles.'

De misdaadverslaggevers stonden op en verlieten de kamer.

Annika bladerde in een twee jaar oud nummer van *Ouders.* Ze had al drie nummers van *Amelia* gelezen, twee folders over aids en de *Metro* van gisteren. Kon het niet opbrengen naar huis te gaan, kon niet alleen zijn. Zei dat ze in de wachtkamer wilde wachten tot de uitslag er was. De vroedvrouwen hadden haar raar aangekeken, maar protesteerden niet.

De tijd was iets tussen haakjes geworden, iets waar ze naar keek terwijl het voorbijgleed. Ze kon zich geen voorstelling maken van haar reactie op de uitslag.

Eén keer had ze gedacht dat ze zwanger was van Sven. Dat was aan het eind van hun verhouding, toen ze naar een manier zocht om met hem te breken. Ze had zich waanzinnig zorgen gemaakt, een kind zou een catastrofe zijn geweest. Maar hoewel de uitkomst van de test negatief was, was de opluchting uitgebleven. Tot op de dag van vandaag kon ze haar teleurstelling niet begrijpen, de leegte die ze voelde.

'Annika Bengtzon?'

Haar hart maakte een sprongetje, belandde in haar keel, ze slikte. Ging staan, liep achter de witte jas aan naar de balie van het consultatiebureau voor aanstaande moeders.

'De uitslag is positief', zei de vrouw langzaam en met zachte stem. 'Dat betekent dat je zwanger bent. Wanneer had je je laatste menstruatie?'

Het duizelde haar, zwanger, in verwachting, grote god, een kind...

'Ik weet het niet meer, 20 oktober geloof ik.'

Droge mond.

De vroedvrouw draaide aan een soort schijf.

'Dat betekent dat je in de zevende week bent. Er wordt gerekend vanaf de eerste dag van de laatste menstruatie. Het is dus nog enorm vroeg, ben je van plan de zwangerschap te voldragen?'

De vloer deinde, ze hield zich vast aan de balie.

'Ik... weet het niet.'

Slikte.

'Als je besluit de zwangerschap af te breken, is het het beste als je dat zo snel mogelijk doet. Als je het kind wilt houden, kunnen we een afspraak maken voor een eerste gesprek met een vroedvrouw hier op het consultatiebureau. Dat gesprek duurt ruim een uur. De vroedvrouw in kwestie zal je vervolgens gedurende de hele zwangerschap begeleiden. Je woont in Kungsholmen?'

'Is het zeker?' vroeg Annika. 'Ben ik echt in verwachting? Het kan geen vergissing zijn?'

De vrouw glimlachte.

'Je bent zwanger,' zei ze, 'gegarandeerd.'

Annika draaide zich om, liep naar de deur, voelde steken in haar rug, stel je voor dat ze een miskraam kreeg?'

'Een miskraam', zei ze terwijl ze zich weer omdraaide naar de balie. 'Hoe vaak komt dat voor?'

'Tamelijk vaak', zei de vroedvrouw. 'Tot en met de twaalfde week is het risico het grootst. Maar dat zijn dingen die tijdens het eerste gesprek aan de orde komen, als je besluit het kind te houden. Bel maar als je een beslissing hebt genomen.'

Annika liep naar het trappenhuis, daalde de mooie brede trappen van het oude Serafimer Hospitaal af, tegenwoordig haar medisch centrum, haar huisarts, én het consultatiebureau van haar kind.

Haar kind.

Steeds als haar voeten de traptreden raakten, gingen er scheuten door haar buik.

Als ik maar geen miskraam krijg. Als er maar niets met de baby gebeurt.

Ze snikte, mijn god, ze zou een kind krijgen, zij en Thomas zouden een kind krijgen, ze werd plotseling bevangen door een overweldigend geluksgevoel, een kind! Een kindje, een reden om te leven!

Ze liep naar de muur, leunde ertegenaan en begon te huilen, een opgelucht huilen, licht en soepel.

Een kind, haar kindje.

Ze stapte de schemering in, echt licht was het vandaag niet geweest. De wolken trokken als donkergrijze vaten langs de hemel, het zou zo wel weer gaan sneeuwen. Ze liep voorzichtig naar huis, wilde niet struikelen, het kind niet beschadigen.

Boven, in haar appartement, was het tamelijk koud, ze zette de radiatoren hoger. Deed alle lampen aan, ging op de bank zitten met het telefoonboek op schoot.

Ze moest nu bellen, voordat hij van zijn werk naar huis ging, ze wilde niet nog een keer Eleonor in haar oor hebben. Haar hart ging als een razende tekeer, wat zou ze zeggen?

Ik ben zwanger.

We krijgen een kind.

Je wordt vader.

Ze deed haar ogen dicht, haalde drie keer diep adem, probeerde haar hart tot bedaren te brengen, koos het nummer.

Haar stem klonk schor toen ze bij de centrale naar hem vroeg. Het gesuis in haar hoofd werd sterker, haar handen trilden.

'Thomas Samuelsson', antwoordde hij.

Ze kon niet ademen, niet praten.

'Hallo?' zei hij, geërgerd.

Ze slikte.

'Hoi', zei ze, de kleinste stem van de wereld. 'Met mij.'

Haar hart sloeg op hol, ze ademde stootsgewijs, hij antwoordde niet.

'Annika Bengtzon,' zei ze, 'ik ben het, Annika.'

'Je moet hier niet naartoe bellen', zei hij, kortaf, gesmoord.

Ze hapte naar adem.

'Hoe bedoel je?'

'Doe me een lol,' zei hij, 'laat me met rust. Bel hier alsjeblieft niet meer naartoe.'

De klik echode in haar hoofd, de lijn was dood, in de hoorn weerklonk slechts leegte, een oorverdovende leegte.

Haar handen beefden zo hevig dat het haar nauwelijks lukte de hoorn neer te leggen, haar handpalmen waren helemaal nat, ze begon te huilen, o god, hij wilde haar niet hebben, hij wilde hun kind niet hebben, o help, help dan toch...

De telefoon begon te rinkelen op haar schoot, de schok luchtte haar op. Hij belde toch, hij belde terug.

Ze rukte de hoorn van de haak.

'Annika? Hoi, met Berit op de krant. Ik wou je alleen even vertellen dat we morgen beginnen met de publicatie van jouw stuk over stichting Het Paradijs... wat is er?'

Annika huilde vol overgave recht in de hoorn.

'Maar meisje toch,' zei Berit verschrikt, 'wat is er gebeurd?'

Annika haalde diep adem, probeerde zichzelf weer in bedwang te krijgen.

'Niets', zei ze en ze veegde de snot weg met de achterkant van haar hand. ''k Ben alleen maar verdrietig. Sorry.'

'Je hoeft je niet te verontschuldigen, ik weet wat voor nauwe band je met je grootmoeder had. Ik wilde je alleen maar vertellen dat we op het punt staan je artikelen te publiceren.'

Annika plaatste haar hand over haar neus en mond, smoorde de snikken.

'Wat goed,' wist ze uit te brengen, 'wat leuk.'

'Het ergste is dat met Aida, ik raak dat maar niet kwijt', zei Berit. 'Morgen wordt ze begraven, die arme vrouw. Ze had geen familie, niemand heeft naar haar lichaam gevraagd, het wordt een korte plechtigheid op de Norra-begraafplaats...'

'Neem me niet kwalijk, Berit, maar ik moet nu ophangen', zei Annika.

'Zeg hoor eens,' zei haar collega, 'hoe gaat het verder met jou, heb je hulp nodig?'

'Nee hoor,' zei Annika, 'het gaat prima.'

'Je belooft me dat je het zegt als je wilt praten?'

'Zeker', hijgde ze.

De hoorn landde weer op de haak, zo zwaar, zo warm.

Hij wilde haar niet hebben. Hij wilde hun kind niet hebben.

In heel Kungsholmen was geen parkeerplaats te vinden, Thomas had twintig minuten rondgereden en nergens een gaatje gevonden. Dat was niet erg. Hij hoefde hier niets, reed doelloos rond, door de Scheelegatan, rechtsaf de Hantverkargatan in, langzaam langs ingang 32, de heuvel op, de Bergsgatan in, langs het hoofdbureau van politie, rechtsaf de Kungsholmsgatan in, was weer terug waar hij begonnen was.

Hij had de juiste beslissing genomen, het was de enige fatsoenlijke optie. Eleonor was zijn vrouw, hij hechtte zeer aan het nakomen van zijn beloften, aan vertrouwen, wist wat verantwoordelijkheid was.

En toch, haar stem in de hoorn vandaag. Hij was compleet over de rooie gegaan, had gereageerd op een manier die hij niet voor mogelijk had gehouden, zo fysiek, zo hard. Hij kon onmogelijk doorgaan met zijn werk. Hij was het Raadhuis uit gevlucht, was op een drafje naar het water gerend, het waaide en het was gaan sneeuwen, hij had haar stem gehoord, herinnerde zich haar lichaam, o mijn god, wat had hij gedaan? Waarom was de herinnering zo onverbiddelijk, zo aanwezig?

Hij had in de wind gestaan tot zijn haar en overjas nat waren van de zee en de sneeuw, was vervuld van een heel kleine, verdrietige stem. Daarna was hij langzaam naar zijn lege huis gewandeld, Eleonor was naar haar managementcursus, hij was in de auto gestapt en naar de stad gereden. Zonder gedachten, wilde niet denken, alleen maar rijden.

Ga een hapje eten, zei hij tegen zichzelf, in een of ander restaurant, lees de avondkranten en neem een biertje.

Een restaurant in Kungsholmen.

Hij zou geen contact met haar opnemen. Hij zou standhouden. Hij wilde alleen maar zien hoe het had kunnen zijn, hoe dat leven gevoeld zou hebben, welke mensen hij gezien zou hebben, welk eten hij had kunnen eten.

Wat hij Eleonor had aangedaan was onvergeeflijk. De hele eerste week had zijn gezicht gegloeid van schaamte, hij had zichzelf moeten dwingen normaal te klinken, normaal te lopen, normaal te vrijen. Eleonor had niets gemerkt, of had ze dat wel?

In het begin droomde hij 's nachts over Annika, maar de laatste dagen was de herinnering aan haar beginnen te vervagen, tot vandaag. Hij sloeg met zijn handpalm op het stuur, godverdomme, waarom moest ze ook bellen? Waarom liet ze hem niet met rust? Het was sowieso moeilijk genoeg.

Hij merkte plotseling dat hij tranen in zijn ogen had, klemde zijn kaken op elkaar en reed de straat uit, hij moest wat eten. Sloeg de Agnetegatan in en parkeerde zijn auto op een gedeelte van de weg dat bedoeld was om te keren, het zou hem worst wezen.

Hij deed de auto op slot, bliep, bliep, dit was haar huizenblok. Hij stapte uit en keek op naar de verwaarloosde gevel, het gebouw had twintig jaar geleden al gerenoveerd moeten worden.

Misschien was ze wel thuis. Misschien zat ze wel in haar appartement op de bovenste verdieping, het witte zwevende appartement, misschien las ze een boek, keek ze tv.

Hij kreeg een droge mond bij de gedachte, zijn polsslag werd sneller.

Een lamp wierp een mat schijnsel in de doorgang naar de binnenplaats. Het hek stond open, je kon zo naar binnen lopen, zo simpel. Langzaam naderde hij het pand, zag wat zij iedere dag zag, de graffiti op de muur, de losgeraakte pleisterkalk.

Stel je voor dat ze naar buiten kwam. Hij bleef staan, ze mocht hem niet zien. Liep zover mogelijk de doorgang in, keek naar boven.

Twee ramen, verlicht, het rechter met een papieren draagtas voor het bovenste ruitje, haar appartement. Ze was thuis.

Toen zag hij haar. Ze liep langs het raam, pakte iets van de vensterbank, die aan de linkerkant. Heel even zag hij haar staan als een zwart silhouet tegen de lichte kamer, het haar, het magere lichaam, de gracieuze handen, toen draaide ze zich om, de lampen gingen uit.

Misschien stond ze op het punt weg te gaan.

Hij draaide zich snel om en rende terug naar zijn auto, wierp zich achter het stuur en reed weg zonder de handrem te ontgrendelen. Merkte toen pas hoe zijn hart tekeer ging.

Hij zou haar nooit meer zien.

Dinsdag 4 december

Annika probeerde niet te kijken. De nieuwsposter was geler dan ooit, oogverblindend, de koppen repten van een wereldoorlog. De *Kvällspressen* onthult: Het Paradijs lokt bedreigde mensen in de val.

Ze liep vlug door, kon het niet opbrengen er aandacht aan te schenken, trok haar jas dicht om zich heen, hield haar portefeuille stevig vast, rilde. Liep op een drafje de traptreden van de Rozet op, de jongen achter de kassa had nog geen tijd gehad de kranten uit te pakken, ze trok de plastic banden eraf en bestudeerde het resultaat.

Op de voorpagina stond een zwaar ingezoomde foto van een vrouw, naar alle waarschijnlijkheid was het Rebecka, haar haren en gezicht waren vervangen door vierkantjes. Annika kneep haar ogen tot spleetjes, de klassieke truc om te kunnen zien wat een foto voorstelde; het beeld werd iets duidelijker, maar de vrouw was desondanks nog steeds niet herkenbaar.

Ze woog de *Kvällspressen* in haar hand, nogal licht, wat legden haar inspanningen toch weinig gewicht in de schaal. Stopte de krant dubbelgevouwen in het mandje, thuis zou ze de rest wel lezen. Ging naar de afdeling etenswaren, pakte haar yoghurt en wittebrood, kaas en grillworst, betaalde, stak de krant onder haar arm en liep de winkel uit. Het was helder en fris, de zon was net bezig boven de horizon uit te komen. Haastte zich terug naar de Hantverkargatan, gleed bijna uit, haar hart bonsde, ze kon het niet helpen, Het Paradijs was en bleef haar onderwerp.

Ze zette de boodschappentas in de hal, pakte de krant en liet zich op de bank in de woonkamer zakken, las de korte tekst op de voorpagina nog een keer. Verwijzing naar de pagina's 6, 7, 8, 9, 10 en 11. De haartjes op haar armen gingen overeind staan, over succes gesproken.

Ze bladerde snel langs het hoofdredactioneel commentaar en de cultuur, in het eerste katern werd de organisatie behandeld, Rebecka beschreef hoe Het Paradijs functioneerde. Het beeldmateriaal bestond uit diverse met verborgen camera genomen foto's van Rebecka en een paar andere personen, vermoedelijk haar familie. Annika meende op de achtergrond het huis van Het Paradijs in Olovslund te herkennen, maar de foto's konden in feite overal genomen zijn. Ze las de teksten aandachtig, Berit had ze geschreven, maar ze waren van begin tot eind gebaseerd op haar gegevens. De artikelen hadden een dubbele byline, waren gesigneerd met zowel haar naam als die van Berit.

Ze keek lang naar die van haarzelf, probeerde het gevoel te definiëren. Trots, misschien. Een beetje angst, dit zou gevolgen krijgen. Een zekere afstandelijkheid, ze kon zich er niet toe zetten het tot zich te laten doordringen.

Ze zuchtte, bladerde verder, hapte naar lucht.

Thomas Samuelsson staarde haar aan vanaf een zwartwitfoto op pagina 8. De foto was genomen op zijn kantoor in het Raadhuis in Vaxholm, ze herkende de boekenkast op de achtergrond. De kop vertelde dat hij degene was die de fraude ontdekte. Berits stuk liet niets heel van Rebecka's argumenten, de journaliste stelde de leugens aan de kaak, de schulden, de identiteitswisselingen. Thomas Samuelsson kwam naar voren als de held die de criminele organisatie de genadeslag had toegebracht. Hij had een snee bij zijn haargrens, het foto-onderschrift vertelde dat de administrateur mishandeld en neergeslagen was toen hij een poging deed een geval van oplichting te verhinderen. Diverse andere overheidsmensen vertelden eveneens hun verhaal, anoniem weliswaar, maar ze verklaarden dat de activiteiten van Het Paradijs je reinste bedrog waren. Ze hadden duizelingwekkende bedragen aan Rebecka betaald, in totaal meer dan twee miljoen kronen.

Ze liet het artikel verder zitten, kon het niet uitlezen, wilde alleen maar naar de foto staren, naar de man. Hij was ernstig, verbeten, zijn haar was in zijn gezicht gevallen. Zijn colbertje was dichtgeknoopt, er zat een perfecte knoop in de stropdas, zijn hand rustte op zijn bureau, zijn warme, sterke hand.

Haar keel werd samengetrokken, o god, wat was hij geweldig, ze was bijna vergeten hoe hij eruitzag, haar ogen stroomden over, de tranen drupten op de krantenpagina.

We krijgen een kind, zei ze tegen de foto, een jongetje. Ik weet dat het een jongetje is, maar jij wilt ons niet hebben. Jij wilt een knoop in je stropdas en een bankdirecteur en een luxe villa aan de goudkust.

Ze streek met haar vinger over de foto, volgde de lijn van zijn kin, streelde hem over het haar.

Ik kan hem niet baren als jij niet wilt.

Ze legde de krant weg, huilde onstuitbaar. Toen ze niet meer kon en de tranen op waren, pakte ze de telefoon om het Söder Ziekenhuis te bellen. Kon diezelfde ochtend nog komen.

Ratko was er ruim op tijd. Hij had de omgeving de vorige dag nauwkeurig verkend, had er rondgelopen met een hark en gedaan of hij de graven verzorgde. Niemand had gelet op de man in de donkere, anonieme kleren. Zijn Fiat Uno stond aan de Banvaktsvägen geparkeerd, vlak naast een groot gat in de omheining, hij vermoedde dat fietsers het erin gemaakt hadden om een doorsteek via de begraafplaats mogelijk te maken. In de ruimte achter de achterbank van de auto lag een sporttas, tussen zijn sportkleren kon je een tennisracket vermoeden. Eronder lagen het geld en zijn zwaardere wapen.

Hij was nerveus, onzeker, voelde zich een beetje onnozel, was hij bezig zijn zelfvertrouwen te verliezen?

Liep naar de hoofdingang aan de Linvävarvägen. Hier waren de grafstenen groot en oud, de meeste stamden uit het eerste decennium van de twintigste eeuw, behoorden toe aan heren met titels die omringd werden door hun familie. De locatie probeerde rust en sereniteit uit te stralen, maar dat was lastig met die dreunende snelweg vijftig meter verderop. Hij leunde op de hark en zag uit over het park in winterslaap, kunstzinnig geknipte thuja's, enorme eiken met naakte kronen, knoestige dennen, zwarte smeedijzeren hekken. Niet helemaal hetzelfde als de oorlogskerkhoven in Bosnië. Leunde tegen de omheining, zuchtte, dacht aan de jaren zeventig in de UDBA, de Joegoslavische veiligheidsdienst, al die politici van de oppositie die ze tot zwijgen hadden gebracht, Duitsland, Italië, Spanje, de bankovervallen, de jaren in de gevangenis.

Nooit meer, dacht hij. Zuchtte, huiverde.

Liep langzaam naar de Norra Kapellet, groot als een kerk, onlangs gerenoveerd, bruin, geglazuurde dakpannen fonkelden in de zon. Het heiligdom rustte op een heuvel aan het eind van de begraafplaats, in de verte verrees een gigantisch lichtblauw getto van huurkazernes, Hagalundsgatan, Blåkulla. Hij liep naar links, langs een bomenpartij en kwam uit in sector 14-E, een vlak gedeelte van het kerkhof. Bleef aan de rand van het bosje staan, bekeek het gat, Aida's laatste rustplaats. Een bladerloze heg scheidde haar graf van de straat. Aan de overkant bevonden zich een benzinestation en een McDonald's. Hij wendde zich af, pakte zijn hark en liep langzaam in de richting van het gedeelte waar de joden hun doden begroeven.

De begrafenisplechtigheid begon om twee uur, hij had opgebeld om het na te vragen, nog verscheidene uren te gaan. Zag hij ze vliegen? Zag hij spoken? Had hij nu eindelijk dan toch last gekregen van waanvoorstellingen? Was de reactie van zijn superieuren werkelijk heftiger geweest dan verwacht? En waarom zou dat iets met Aida uit Bijeljina te maken hebben?

Eerlijk gezegd liet het hem koud. Het enige wat hem interesseerde was zijn eigen toekomst. Hij wilde weten hoe hij te werk moest gaan, de voorwaarden kennen, zijn vijanden kunnen identificeren, en daar zou Aida hem na haar dood bij helpen.

Hij stak een sigaret op. Inhaleerde een paar keer diep, voelde hoe de zuurstof zijn longen vulde en de nicotine naar zijn hersenen stuurde. Jezus, wat was het koud.

Als vandaag alles volgens plan verliep, hoefde hij hier nooit meer naartoe. Hij zou dit vervloekte land met een gerust hart kunnen verlaten. Hij had zijn zaakjes afgehandeld, alles was tot in de puntjes geregeld.

'Thomas! Je staat in de krant!'

De ambtenaar die verantwoordelijk was geweest voor de kwestie met Aida Begović kwam haar kamer uit huppelen, een mislukte poging tot joggen. Haar wangen waren rood en haar voorhoofd glom, ze glimlachte schaapachtig en zwaaide opgewonden met de ochtendeditie van de *Kvällspressen.*

Thomas dwong zichzelf ertoe terug te glimlachen.

'Ik weet het', zei hij.

'Het gaat over toen je...'

'Ik weet het!'

Hij ging naar zijn kamer, deed de deur achter zich dicht, met een klap, verdroeg het niet. Ging moeizaam achter zijn bureau zitten en liet zijn hoofd in zijn handen rusten. Vanmorgen had hij het nauwelijks kunnen opbrengen naar kantoor te gaan. Het budget was met een hamerslag door de Raad bekrachtigd, alle kwartaalverslagen waren klaar, het was hem gelukt, hij had ze op tijd afgekregen. Nu was het tijd om opnieuw te beginnen, voor de achtste keer, en ieder jaar had hij te kampen met minder middelen en met hogere uitgaven, met inkrimping van het personeelsbestand, met getroffenen die zich in de media uitspraken over de misstanden, met boze mensen, wanhopige, verdrietige, berustende mensen. Met steeds meer langdurig zieken, steeds minder middelen voor reïntegratie.

Hij zuchtte, rekte zich uit, en op het moment dat zijn blik op de opengeslagen krant viel, zag hij haar naam. Hij had de artikelen van tevoren te lezen gekregen, maar had niet geweten dat zij ze geschreven had. Een andere vrouw had hem gebeld, een oudere verslaggeefster, Berit Hamrin. Waarom had Annika niet gebeld?

Geërgerd sloeg hij de gedachte weg, hij wilde niet dat zij zou bellen, streek de krant glad. De foto van hem was verschrikkelijk, haar in het gezicht, slordig. Hij las de teksten nog een keer, Annika's teksten, hij herkende haar gegevens, ze had hem werkelijk alles verteld, ze was eerlijk geweest.

Er werd op zijn deur geklopt, hij vouwde instinctief de krant dicht en legde die in zijn bovenste bureaula.

'Mag ik binnenkomen?'

Het was zijn chef. Hij slikte.

'Zeker. Ga zitten.'

De vrouw liep naar de bezoekersstoel en nam plaats, dezelfde stoel waar Annika had gezeten, ze keek hem onderzoekend aan. Een huivering van onzekerheid kroop langs zijn ruggengraat omhoog, hij had de publicatie met haar doorgenomen, wat hij wel en niet zou zeggen. Ze had de artikelen zelf niet gelezen, maar er kon nauwelijks iets in staan waar ze aanmerkingen op zou kunnen hebben.

'Ik weet dat je het niet makkelijk gehad hebt,' zei de directeur, 'maar ik wil dat je weet dat je hier enorm gewaardeerd wordt.'

Ze was vriendelijk en ernstig, keek hem recht in de ogen. Hij sloeg zijn blik neer, staarde naar een document op zijn bureau.

'Ik ben zeer tevreden over jouw werk hier. Ik weet dat je een zware periode achter de rug hebt, maar ik hoop dat het beter wordt nu het budget rond is. Als je behoefte hebt om met iemand te praten, kun je altijd bij me komen.'

Hij sloeg zijn blik naar haar op, het lukte hem niet zijn verbazing te verbergen. Nu was het de beurt van de chef om haar blik neer te slaan.

'Ik wil alleen maar dat je dit weet', zei ze en ze ging staan.

Thomas stond ook op, mompelde iets dankbaars.

Toen de vrouw de deur achter zich had dichtgedaan, plofte hij op zijn stoel, verbluft. Waar ging dit over?

Op hetzelfde moment ging de telefoon, hij schrok op.

'Thomas Samuelsson?'

Het was een directeur van de Vereniging van Zweedse Gemeenten, jezus, wat wilden die van hem? Onwillekeurig rechtte hij zijn rug.

'Misschien herinner je je mij niet, maar we hebben elkaar vorig jaar ontmoet tijdens de Dagen van de Sociale Diensten op Långholmen.'

Hij herinnerde zich de conferentie, een bloedsaaie bijeenkomst over de sociale diensten die drie dagen geduurd had. De directeur daarentegen was aan zijn aandacht ontsnapt.

'Je bent sindsdien een paar keer ter sprake gekomen, maar toen we je vandaag ineens in de krant zagen, beseften we dat jij de juiste man bent.'

Thomas schraapte zijn keel, stootte een vragend geluid uit.

'We zijn op zoek naar een projectleider die leiding kan geven aan een onderzoeksopdracht over de verschillen in de toekenning van bijstandsuitkeringen in de diverse gemeenten. Het hoeft geen fulltimejob te zijn, als je het parttime wilt doen, gaan we ervan uit dat het een jaar in beslag zal nemen, bij benadering. Ben je geïnteresseerd?'

Hij deed zijn ogen dicht, sprakeloos, streek zijn haren naar achteren, overweldigd. Centraal werken, onderzoeker, projectleider, mijn god, dit was de baan waarover hij gefantaseerd had.

'Ja, zeker', bracht hij met moeite uit. 'Het klinkt als een ongelofelijk spannend en belangrijk project.'

Hij riep zichzelf tot de orde, hij klonk veel te enthousiast.

'Ik wil graag komen praten over de details en de voorwaarden', vervolgde hij met wat meer zelfbeheersing.

'Uitstekend! Kun je donderdag langskomen?'

Toen hij neergelegd had, staarde hij een volle minuut recht voor zich uit. Het aanbod bruiste in zijn lijf als een beekje in het voorjaar, wat een kans, wat een opdracht! Zijn glimlach kwam rechtstreeks uit zijn hart. Dit verklaarde het opmerkelijke bezoekje van zijn chef, ze moest van tevoren gebeld zijn.

Ze hadden zijn naam in de krant zien staan.

Hij trok de bovenste la open en pakte de *Kvällspressen* er weer uit, las haar naam, slaakte een diepe zucht.

Hij zou haar vergeten. Alles zou beter worden. Het was een kwestie van volhouden.

Hij had de juiste beslissing genomen.

Annika hield onwillekeurig de adem in, de blauwachtige gelei die op haar buik gesmeerd werd, was ijskoud. De vrouw in de witte jas scharrelde rond met een snoer en een grote spatel, Annika volgde haar bewegingen met grote ogen.

'De gelei zorgt ervoor dat we een mooi beeld krijgen op de echo', zei de arts.

Annika lag languit op een galongroene brits, ze was gespannen. De vrouw ging naast haar zitten, duwde de spatel in de smurrie op haar buik en begon het ding in cirkels te bewegen, ze hield opnieuw de adem in, jezus, wat was dat koud, en zo ver naar beneden, praktisch tot in haar schaamhaar. De rand van haar slipje werd glibberig van de blauwe gelei. De arts draaide aan een knop naast een kleine grijze monitor, witte strepen kronkelden als wormen over het scherm. Ze hield plotseling op en wees naar de echo.

'Daar', zei ze.

Annika richtte zich op en staarde naar de monitor, in de rechterbovenhoek zag ze een wit ringetje.

'Daar hebben we de zwangerschap', zei de vrouw terwijl ze aan de knop bleef draaien.

Annika keek argwanend naar het vlekje, het bewoog een beetje, draaide wat, zwom.

Haar kind. Thomas' kind. Ze slikte.

'Ik wil een abortus', zei ze.

De gynaecologe nam de spatel van haar buik, het beeld doofde uit, het zwemmende zeepbelletje verdween. De verpleegster reikte Annika een stuk hard, groen crêpepapier aan om haar buik mee af te vegen.

'Ik wil ook even voelen', zei de dokter. Ze gaf de spatel aan de verpleegster die het instrument zou schoonmaken. 'Wil je misschien op de andere stoel plaatsnemen?'

De stem vriendelijk, ongeïnteresseerd, effectief. Annika verstijfde.

'Moet ik echt... onderzocht worden?' vroeg ze.

'We liggen al achter op de planning', zei de verpleegster zacht.

De arts zuchtte.

'Zou je kunnen gaan zitten?'

Annika deed haar spijkerbroek en slipje uit en hees zich gehoorzaam in de gynaecologenstoel, het martelinstrument, de arts ging tussen haar benen zitten, trok handschoenen aan.

'Kun je iets zakken. Verder, verder! En ontspannen.'

Ze hapte naar lucht en deed haar ogen dicht toen de arts haar vingers in haar onderlijf stak.

'Ontspan je, anders doet het pijn.'

Toen de arts begon te duwen en te voelen kneep ze haar ogen stijf dicht, een hand binnen in haar, een hand boven op haar buik, pijn, misselijkheid.

'Je baarmoeder is naar achteren gekanteld', zei de arts. 'Dat is ongebruikelijk, maar het is niet erg.'

Ze trok haar hand weer naar buiten, Annika schaamde zich voor het smakkende geluid.

'Zo. Dan kun je je nu aankleden. Kom daarna naar me toe.'

De arts gooide de handschoenen in een emmer en liep snel naar de naastgelegen kamer. Annika was verward, ze probeerde haar knieën te verplaatsen die zich in een positie ergens boven haar oren bevonden, ze voelde zich overgeleverd, vies. Er zat iets plakkerigs tussen haar benen, ze durfde niet naar een doekje te vragen om het mee weg te vegen. Snel trok ze haar slipje en broek weer aan, het complete onderste gedeelte van haar buik voelde kleverig, daarna liep ze achter de verpleegster aan naar de andere kamer.

'Je bent zwanger in de zevende week', zei de arts. 'Je wilde een abortus?'

Annika knikte, slikte, schraapte haar keel, ging zitten.

'Je hebt recht op een gesprek met een maatschappelijk werker of werkster, wil je dat?'

Schudde het hoofd, haar handen voelden te groot, ze verborg ze tussen haar dijen.

'Goed. Je kunt een afspraak krijgen voor vrijdag 7 december. Schikt dat?'

Nee, dacht ze, nu. Nu! Het duurt nog drie dagen tot het vrijdag is, dat gaat niet, dat kan ik niet, ik kan het kind niet nog drie dagen in mijn buik hebben, ik wil de zwaarte niet voelen, de misselijkheid, de opgezwollen borsten, het kloppende leven.

'De zevende dan maar?' herhaalde de arts, ze keek haar aan over de rand van haar bril.

Annika knikte.

'Kom hier 's morgens om zeven uur naartoe. Aangezien je een lichte narcose zult krijgen, mag je na middernacht niets meer eten of drinken. Er wordt eerst een dun buisje in je baarmoedermond gebracht dat hem opent, daarna word je onder narcose gebracht. We gaan een zogenaamde zuigcurettage doen. Dat houdt in dat het baarmoederhalskanaal wordt opgerekt en de inhoud van de baarmoeder wordt afgezogen. Dat duurt een kwartier, 's middags mag je weer naar huis. Daarna mag je twee weken geen gemeenschap hebben in verband met infectiegevaar. Heb je vragen?'

Een kwartier, de inhoud wordt afgezogen.

Nee, geen vragen.

'Oké, tot vrijdag dan.'

Ze stond weer in de lange, grijze gang, botste tegen een jonge vrouw aan die op weg was naar de onderzoekkamer, ze ontweken elkaars blik, ze hoorde hoe de arts haar begroette. De deining kwam terug, de misselijkheid, de rugpijn, ze moest naar buiten.

Lijn 48 schommelde en zwaaide, Annika kotste bijna op de vloer. Strompelde bij het Kungsholmstorg uit de bus en liep snel naar nummer 32. Op de binnenplaats moest ze tegen de misselijkheid vechten voordat ze in staat was zich de trappen naar haar appartement op te slepen.

De boodschappen stonden nog achter de haldeur, ze kon zich er niet druk over maken. Liet zich op de bank vallen, staarde voor zich uit.

Een blaasje, een wit ringetje.

Ze wist dat het een jongetje was, een klein jongetje, net zo blond als Thomas. Deed haar ogen dicht, huilde, scheurde de pagina met de strips uit de krant en snoot haar neus. Zocht de artikelen over Het

Paradijs weer op, las vluchtig de tekst in het laatste katern. Volgens de politie werd Rebecka verdacht van het aanzetten tot moord. Ze had een cliënte bedreigd, Aida Begović, de vrouw in kwestie werd de dag erna op het Sergels Torg vermoord. Ze zou vandaag om twee uur begraven worden.

Ze liet de krant los, ze wilde het wel uitkrijsen, wat was ze toch een mislukkeling, ze boog naar voren, haar buik deed pijn, de ring zwom, de hartkloppingen werden erger, ze schommelde, schommelde, naar voren, naar achteren, naar voren, naar achteren. Hoorde de echo van Berits stem in de telefoon, de woorden die ze de vorige dag tegen haar gezegd had, *ze had geen familie, niemand heeft naar haar lichaam gevraagd, het wordt een korte plechtigheid op de Norra-begraafplaats...*

Niemand hoort zo in de steek gelaten te worden, dacht Annika. Iedereen heeft er recht op dat iemand afscheid komt nemen.

Ze sloot haar ogen, leunde achterover tegen de leuning van de bank.

Nog drie dagen met het kind in haar buik.

Keek op haar horloge.

Als ze nu wegging, zou ze op tijd zijn voor de begrafenis van Aida.

Er zaten mensen binnen.

Annika bleef in de deuropening staan, plotseling onzeker, ze keek voorzichtig om zich heen, een paar vrouwen en een jongetje op de achterste bank draaiden zich naar haar om.

Helemaal vooraan stond een kleine kist, glinsterend wit, met drie rode rozen op de deksel.

Ze slikte, misselijk, rillerig, deed een paar stappen, trok haar jas uit en nam plaats op een bank helemaal achterin. Ze was vergeten bloemen mee te nemen, werd zich ineens heel erg bewust van haar lege handen.

De stilte was groots, het licht zacht, de in lood gevatte ramen onder de koepel bogen het af tot bonte vlekken op de muren en de vloer. De zonnestralen die op de muren vielen, deden de gele kleur opgloeien.

Zwak gehum weerklonk, Annika probeerde onopvallend de andere begrafenisgasten te bestuderen. De meesten waren vrouw, de helft leek Zweeds te zijn, de anderen waren vermoedelijk ex-

Joegoslaven, al met al zag ze zo'n twaalf, veertien personen, ze hadden stuk voor stuk bloemen bij zich.

Haar verbazing over de bezoekers sloeg om in ergernis.

Waar waren jullie allemaal toen Aida hulp nodig had?

Het is verrekte gemakkelijk om er te zijn als het te laat is.

De kerkklok boven haar hoofd begon te dreunen. Het geluid druppelde neer tussen de spaarzaam bezette banken, dof en van het noodlot vervuld, verplaatste zich stootsgewijs door haar lichaam. Tranen begonnen het zicht te vertroebelen.

Het gebeier stierf weg, het geluid echode na, stilte volgde, gesnik en gekuch, geritsel van psalmboeken. Toen zette iemand een cd op, ze herkende de eerste maten van het Requiem van Mozart. Ze kon de tranen niet meer tegenhouden, de muziek vulde haar, de langzame strofen die ooit waren geschapen door de stervende Wolfgang Amadeus.

Toen de tonen weggestorven waren, ging een man in een donkergrijs kostuum voor de kist staan, het was de officiant. Hij begon te spreken, zei dingen over leven en dood, trivialiteiten. Na een paar minuten deed ze haar ogen dicht, hoorde zijn woorden, liet ze net als de muziek aan zich voorbijglijden; het allermooist is het avondlicht, wanneer alle liefde uit de hemel ligt... de muziek galmde door de kerk; in een open landschap voel ik mij goed, ze begon zich weer te ergeren.

Hoezo open landschap? Het Sergels Torg is een open landschap, voelde Aida zich daar goed, wie heeft in vredesnaam deze muziek uitgezocht?

Annika droogde haar tranen, kwaad. Iedereen leek te huilen. Ze keek naar de officiant, zijn routinematig gebogen hoofd op de eerste rij, wat wist hij van Aida? Hij had helemaal niets persoonlijks over haar te zeggen, om de eenvoudige reden dat hij haar nooit ontmoet had.

Ze deed haar ogen dicht, probeerde zich Aida te herinneren, zag haar voor zich, ziek, bang, opgejaagd.

Wie was je? dacht Annika. Waarom stierf je?

De man in het kostuum begon weer te spreken, ritmisch, een gedicht van Edith Södergran. Vervolgens ging een van de vrouwen op de eerste rij bij het altaar staan. Ze begon te zingen, zonder begeleiding, helder en zuiver, Annika verstond er niets van, Servo-

Kroatisch. De tonen stegen op, dwarrelden langs het plafond, leefden en groeiden, het verdriet dat de kapel vulde was plotseling volkomen echt, machteloos, waarom, waarom?

Annika huilde met haar handen voor haar gezicht, het verdriet als een zware klomp in haar borstkas, tastbaar, schuldig.

Dit doen we voor onszelf, dacht ze, niet voor Aida. Haar had het geen donder kunnen schelen.

Toen kwam een psalm die ze kende, hij werd ook op oma's begrafenis gespeeld, ze liet haar mond stom de woorden volgen; heerlijk is Gods hemel, het paradijs betreden wij met gezang.

Boog het hoofd en perste haar lippen opeen.

De stilte vulde de ruimte, ze kon nauwelijks ademen. De kerkklokken begonnen weer te luiden, het was voorbij, Aida was op weg naar het niets, werd uitgewist. Ze wilde plotseling protesteren, de mannen tegenhouden die naar voren liepen om de kist op te tillen, op hun schouders te nemen en door het middenpad te dragen, langs haar heen, ze passeerden haar op nauwelijks een meter afstand, ik ben niet klaar met haar, ik moet het weten! Annika stond op, misselijk, wachtte tot de andere begrafenisgasten haar voorbijgelopen waren, registreerde hun schuine blikken, ging als laatste naar buiten.

De kou sloeg haar in het gezicht, helder en fris, het zonlicht deed de sneeuw glinsteren. De mannen waren bezig de kist op een katafalk te zetten. Ze zag hoe de andere begrafenisgasten zich op de trap en langs de paden verzamelden, hun neus snoten, mompelden.

Ze kenden Aida, allemaal. Allemaal hebben ze een band met haar gehad. Allemaal weten ze meer dan ik.

Ze liep langzaam naar een vrouw die een paar traptreden lager stond.

'Neem me niet kwalijk,' zei Annika, 'mijn naam is Annika Bengtzon. Ik ken hier niet zoveel mensen, hoe kende jij Aida?'

De vrouw glimlachte vriendelijk, veegde haar ogen af met een papieren zakdoekje.

'Ik ben directeur van het asielzoekerscentrum waar Aida terechtkwam toen ze in Zweden arriveerde.'

Ze gaven elkaar een hand. Beiden slaakten een diepe zucht, glimlachten gegeneerd.

'Ik ben journaliste', zei Annika. 'Ik ben hiernaartoe gekomen omdat ik de indruk had dat Aida heel eenzaam was.'

De directeur knikte.

'Ze was enorm eenzaam. Velen hebben geprobeerd met haar in contact te komen, maar ze was zo moeilijk te bereiken. Ik denk dat ze zelf koos voor haar eenzaamheid.'

Annika slikte, verdomde gemakkelijk om Aida zelfs tot in de dood de schuld te geven.

'Al deze mensen hier dan?' zei Annika. 'Als ze geen vrienden had, wie zijn dit dan allemaal?'

De vrouw keek haar verbaasd aan.

'Er zijn een paar asielzoekers uit het centrum die Aida daar hebben leren kennen, ze kwam soms op bezoek. Haar buren uit Vaxholm herken ik, en dan de vertegenwoordigers van de Bosnische culturele vereniging. Degene die zong is een van hen, mooi was dat hè?'

'Was er niemand die haar helpen kon?' vroeg Annika. 'Had ze echt niemand om naartoe te gaan?'

De directeur keek Annika met een verdrietige blik aan.

'Je kende haar niet bijzonder goed, geloof ik hè?'

De mannen hadden de kist op de katafalk geplaatst, de wagen begon zijn langzame tocht naar het graf. De vrouw liep naar de anderen, Annika volgde haar.

'Dat is waar,' zei Annika, 'ik kende haar niet zo goed. Ik ontmoette haar een paar dagen voordat ze stierf. Wanneer is ze naar Zweden gekomen?'

De directeur keek Annika over haar schouder aan, aarzelde.

'Aan het eind van de oorlog', fluisterde ze toen. 'Ze had verscheidene schotwonden, granaatsplinters overal, het was een vreselijk gezicht. Ze had flashbacks, beefde over haar hele lichaam, zweetaanvallen, verstoorde realiteitszin. Dronk veel. We hebben echt alles gedaan om haar te helpen, artsen, maatschappelijk werkers, psychologen. Ik geloof niet dat het veel uitmaakte. Aida droeg afgrijselijke demonen met zich mee.'

Annika zette grote ogen op.

'Hoe bedoel je dat?'

Een andere vrouw kwam naar de directeur toe en fluisterde iets, samen liepen ze naar een van de asielzoeksters, die compleet over haar toeren was. Annika keek verward om zich heen, gleed bijna uit over een bevroren plas, voelde zich misselijk, de katafalk piepte in de kou. De kist gleed weg tussen de bomen, tussen de schaduwen, buiten handbereik. Ze onderdrukte de impuls erachteraan te rennen, op de deksel te bonzen.

Wat voor demonen droeg je met je mee? Wat hebben ze met je gedaan?

Het graf was vreselijk, een oneindig duister en koud gat, waarom moest het in godsnaam zo diep zijn? Annika boog voorzichtig naar voren, staarde in de diepte, zag haar eigen schaduw erin verdwijnen. Deed snel een stap achteruit.

De kist stond naast het graf, rustte op een paar balken. De rouwenden verzamelden zich eromheen, ze hadden allemaal rode ogen van het huilen. De officiant begon weer te spreken, Annika rilde van de kou, wilde hier weg. Aida lag niet in de kist, Aida was hier niet, Aida was al weggegleden, samen met haar demonen en geheimen.

In haar ooghoek zag ze iets komen aanrijden, twee grote zwarte auto's, getinte ramen, blauwe nummerplaten. Ze remden af, stopten, de motoren sloegen af, Annika keek met verbazing naar het tafereel.

Plotseling gingen alle portieren open, allemaal tegelijk, vijf, zes, zeven mannen stapten uit, de officiant hield op met lezen, de begrafenisgasten keken elkaar verbaasd aan, de mannen van de auto's droegen een grijze overjas, keken om zich heen, keken met verbeten blikken naar de gasten.

Toen maakte zich een oude man los van de groep, Annika staarde hem met halfopen mond aan, het was een militair, zware tred, gebogen rug, gesloten gezicht, zijn blik op de kist gefixeerd. Zijn uniform was rijk gedecoreerd, hij hield een papieren zakje in de hand, alle begrafenisgasten weken uiteen voor hem. Annika stond aan de andere kant van het graf en zag met verbazing hoe de oude man op zijn knieën viel, zijn pet afdeed en iets onverstaanbaars begon te mompelen. Zijn haar was grijs en dun, zijn schedel glom. Hij bad langdurig, ademde zwaar.

Annika kon haar ogen niet van hem afhouden, luisterde ingespannen naar zijn gebroken stem.

Ineens stond hij moeizaam op, pakte de zak, stopte zijn hand erin, haalde die er weer uit en gooide iets op de kist, aarde! Een handvol aarde!

Het gemompel werd luider, Annika luisterde als verstijfd, nog een handvol, meer woorden, zwaar, bedroefd, beladen, een derde handvol, de woorden stierven weg, de man stopte het zakje in zijn jaszak, veegde zijn handen af.

Jij weet alles over Aida, dacht ze. Jij kent haar demonen.

Ze rende om het graf heen, de man was alweer weggelopen, terug naar de auto's en de andere mannen, ze greep hem bij de mouw van zijn jas.

'Please, sir!'

Hij bleef staan, verbaasd, keek haar over zijn schouder aan.

'Wie bent u?' vroeg ze in het Engels. 'Hoe kende u Aida?'

De man staarde haar aan, probeerde zich los te rukken uit haar greep.

'Ik ben journalist', zei Annika. 'Ik heb Aida een paar dagen voordat ze stierf ontmoet. Wie bent u?'

De mannen met de donkergrijze overjassen waren plotseling overal, ze gingen tussen haar en de militair in staan, leken opgewonden, vroegen de man iets, herhaalden steeds dezelfde woorden, de oude man gebaarde afwerend met zijn hand, draaide haar zijn rug toe, ze liepen geruisloos naar hun auto's, een grijze massa, stapten in, startten de wagens en verdwenen tussen de bomen.

Annika staarde ze na, bezweet en bleek.

Van wat de man bij het graf had gemompeld, had ze één woord opgevangen, één enkel woord. Hij had het verscheidene keren gezegd, ze wist het heel zeker.

Bijeljina.

De vrouwen deden één voor één een stap naar voren, naar het graf, zeiden iets en legden bloemen op de kist. Annika voelde de paniek opkomen, zij had geen bloemen, ze had niets te zeggen, alleen maar sorry, sorry dat ik je in de steek gelaten heb, sorry dat ik je de dood in heb gedreven.

Ze draaide zich om, struikelde, moest hier weg, kon niet bij het graf blijven.

De oude man moest Aida zeer na hebben gestaan, misschien was het haar vader wel.

Stel je voor, schoot het door haar heen, stel je voor dat hij weet wat ik gedaan heb.

Ik probeerde haar natuurlijk te helpen, bracht ze daar vervolgens tegen in, ik wilde alleen maar goeddoen.

Ze liep in de richting van de bushalte, onvast door schaamte en schuld, ze was misselijk, moest overgeven.

Was het gat in de omheining een paar meter gepasseerd toen iemand een hand over haar mond legde.

Haar eerste gedachte was dat de mannen met de grijze jassen waren teruggekomen om haar te halen. De oude militair wilde de rekening vereffenen.

'Ik hou een pistool tegen je ruggengraat', siste de man. 'Toe, hup, lopen.'

Ratko hing over haar schouder, ze kon zich niet bewegen, stond als vastgevroren op het trottoir.

Met één hand pakte hij haar haar beet en trok haar hoofd achterover.

'Vooruit, lopen!'

Nu ga ik dood, dacht ze, nu ga ik dood.

'Maar loop dan toch, slons!'

Ze sloot haar ogen, ademloos van angst, begon langzaam over de straat te strompelen. De man hijgde in haar nek, hij stonk. Na een tiental meters bleef hij staan.

'In de auto', zei hij.

Ze keek om zich heen, stijve nek, haar hoofdhuid brandde, welke auto?

Hij sloeg haar recht in het gezicht, ze voelde iets warms van haar lip lopen, plotseling werd ze helemaal helder, dit herkende ze, aan klappen was ze gewend, daar kon ze mee omgaan.

'En als ik weiger?' zei ze. Haar lip begon al op te zwellen.

Hij sloeg haar nog een keer.

'Dan vermoord ik je ter plekke', zei hij.

Ze sloeg haar blik naar hem op, rode vlekken van de kou, schaduwen van vermoeidheid. Voelde haar eigen ademhaling versnellen, ondiep en vluchtig worden, ze werd duizelig, ze kon het niet, wilde niet.

'Doe dat maar', zei ze.

Er gebeurde iets met de man, hij trok een touw te voorschijn, drukte haar tegen het voertuig waar ze naast stonden, een blauw autootje, draaide haar handen op haar rug, bond ze aan elkaar. Duwde de koude loop van een pistool in haar nek.

'Je weet hoe het met Aida afgelopen is.'

Ze deed haar ogen dicht, haar verdedigingsmechanisme begon op gang te komen, ze voelde niets, alles keerde zich naar binnen, sloot zich af.

Moet doen wat hij zegt.

'Instappen, schiet op.'

Ratko trok het portier van de blauwe auto open, ze strompelde naar binnen en belandde op de achterbank, versteend, zag de man om de auto heenlopen, zag hem starten, wegrijden. Ze staarde naar zijn nek, rood en schilferig, roos op de donkere revers van zijn jasje. Voelde zich afgesloten van de werkelijkheid, plexiglas tussen haar en de wereld. Keek naar de huizen die voorbijvlogen, geen mensen, niemand die het iets kon schelen.

'Ik heb het wapen op schoot liggen', zei Ratko. 'Als je iets probeert, schiet ik je dood.'

De zon was bezig onder te gaan, de dag was rood en koud. Blåkulla dwarrelde voorbij, de Solnavägen, auto's, mensen, niemand naar wie ze kon roepen, niemand die kon helpen. Ze zat vastgeklemd op de achterbank van een vies autootje, haar handen onder haar achterwerk, ze deden pijn. Probeerde zich te verplaatsen om de druk te verminderen.

De man trok aan het stuur, wierp haar over zijn schouder een snelle blik toe, begon te schreeuwen.

'Zit godverdomme eens stil.'

Ze bevroor midden in de beweging.

'Ik zit zo ongemakkelijk.'

'Hou je kop!'

De Norra Länken in de richting van Norrtull, Sveaplan, Cedersdalsgatan. Het verkeer om haar heen was oorverdovend, duizenden mensen, en toch zo alleen, altijd alleen.

Ze deed haar ogen dicht, zag Aida's kist voor zich, de gebogen rug van de man, hoorde zijn gemompel.

Misschien is het nu mijn beurt.

Vlak voor Roslagstull kwamen ze in een file tot stilstand, ze keek precies bij een andere kleine auto naar binnen, een moeder met een baby. Ze staarde naar de vrouw, probeerde haar blik te vangen. Na een tijdje voelde de vrouw dat ze gadegeslagen werd, ze keek terug. Annika sperde haar ogen wijd open, bewoog haar mond met overdreven bewegingen.

Help, zei ze geluidloos. Help me!

De vrouw keek snel de andere kant op.

Nee! dacht ze. Kijk naar me! Help me!

'Help,' krijste ze, bonkte met haar hoofd tegen het raam, 'help me! Help me!'

De klappen echoden in haar hoofd, ze werd er helemaal draaierig van, het glas was hard en koud.

Ratko verstijfde maar bewoog zich niet, reed langzaam met de stroom mee in de richting van de Roslagsvägen.

Annika zette zich schrap, krijste zo hard ze kon.

'Hij heeft mij gekidnapt,' schreeuwde ze, 'help me! Help!'

De auto's gleden voorbij, de een na de ander, passeerden haar op een meter afstand maar duizend lichtjaren verwijderd, geïsoleerd. Ze brulde, schreeuwde, sloeg tegen het dak, begon te zweten, werd duizelig, hees. Wierp zich tegen de zijruit, krijste, bonkte haar hoofd tegen het raam. Een man in een nieuwe Volvo ving haar blik, keek bezorgd naar haar, Ratko draaide zich naar de man toe, haalde glimlachend zijn schouders op. De man glimlachte terug naar Ratko.

Annika hield op met schreeuwen, hijgde, de hoon grijnsde haar in het gezicht.

Hier schoot ze niets mee op. De mensen om haar heen hadden genoeg aan hun eigen besognes. Waarom zouden ze zich inlaten met een schreeuwende gek in de file?

Haar hoofd deed pijn van al het gebonk, ze begon te huilen. Ratko zei niets. Bij Roslagstull kwam het verkeer weer op gang, ze passeerden het Natuurhistorisch Museum, sloegen af bij Albano. Annika liet haar tranen de vrije loop, nu is het voorbij, dat het nou op deze manier moet eindigen.

Ze reden langs een heleboel smalle wegen, het lukte haar de borden te lezen, Björnnäsvägen, Fiskartorpsvägen, bossen, bomen.

Uiteindelijk stopte de auto, Annika keek recht voor zich uit, door de voorruit zag ze een oude schuur. Ratko liep om de auto heen, pakte iets uit de kofferbak, deed de passagiersdeur open, trok de stoel naar voren.

'Uitstappen', zei hij.

Ze gehoorzaamde, haar nek deed pijn.

'Wat wil je van me?' vroeg ze, hees.

'In de schuur', zei de man.

Hij gaf haar een duw, ze waggelde weg, misselijk, viel bijna flauw.

In de houten schuur was het donker. Het stervende daglicht was niet in staat door de kieren heen te dringen en had de houtblokken en spinnenwebben overgeleverd aan duisternis en schaduwen.

Ratko duwde haar op een hakblok dat in een hoek stond, Annika voelde de angst langs haar ruggengraat druppelen, de wanden zwaaiden en golfden. Hij wikkelde een touw om het hakblok en bond haar voeten vast. Daarna boog hij zich naar voren, siste in haar oor, een harde, lage stem.

'Ik ben degene die hier de vragen stelt,' zei hij, 'en jij geeft antwoord. Het heeft geen zin om stoer te doen, vroeg of laat praat iedereen. Je bespaart jezelf een hoop ellende als je gewoon antwoord geeft.'

Ze ademde snel, voelde de paniek bezit van haar nemen. Ratko trok zijn sporttas naar zich toe, graaide over de bodem, haalde er een machinepistool uit. Ging voor haar staan, verhief zich ergens hoog boven haar, hield het wapen recht voor haar gezicht.

'De lading', zei hij. 'Waar is die?'

Ze slikte, ademde, ademde, slikte.

'De lading!' schreeuwde hij. 'Waar is godverdomme de lading?'

Plotseling begon haar hele lichaam te beven. Ze sloot haar ogen, was niet langer in staat te spreken.

'Waar?!'

Ze voelde hoe de loop van het wapen tegen haar voorhoofd werd gedrukt, begon in paniek te huilen.

'Ik weet het niet!' hakkelde ze. 'Ik heb Aida maar één keer ontmoet.'

Hij nam het wapen weg, sloeg haar in het gezicht, gaf haar een oorvijg.

'Hou op met die flauwekul', zei hij en hij greep haar halsketting. 'Je hebt de gouden ketting van Aida.'

'Die heb ik gekregen', fluisterde ze.

Ze bewoog zich niet, niet tot denken in staat, verlamd van angst. De man liet de ketting los, zweeg even, ze voelde zijn blikken.

'Wie ben je?' zei hij zacht.
Ze hield de adem in.
'Ik ben... journalist. Aida belde naar de krant. Ze had hulp nodig. Ik heb haar in een hotelkamer ontmoet. Toen kwam jij en... ik heb je voor de gek gehouden. Toen je weg was heb ik Aida een telefoonnummer gegeven, van mensen die haar konden helpen om...'
'Waarom heb je me voor de gek gehouden?'
De uitroep reet haar ademloze verklaring aan stukken.
'Ik wilde Aida redden', fluisterde ze.
Ze merkte dat de man bewoog, zag zijn gezicht vlak voor dat van haar verschijnen, zijn ogen schitterden.
'Wie was de man op de begrafenis?' vroeg hij.
Annika staarde hem aan, begreep het niet.
'Wie?'
'De militair,' schreeuwde hij, 'domme rothoer! Wie was godverdomme die militair?'
Ze kneep haar ogen stijf dicht, voelde zijn speeksel in haar gezicht.
'Ik weet het niet', zei ze zonder haar ogen te openen.
'Waar heb je met hem over gepraat?'
Ze hijgde een paar keer.
'Dat... dat was nou precies wat ik hem vroeg, wie hij was... hoe hij Aida kende.'
'Wat zei hij?'
Ze beefde, gaf geen antwoord.
'Wat zei hij?!'
'Weet ik niet,' huilde Annika, 'toen hij bij het graf stond zei hij "Bijeljina, Bijeljina", dat weet ik zeker...'
Het duurde een paar seconden voor ze besefte dat Ratko niets meer zei.
'Bijeljina?' zei hij sceptisch. 'Haar geboortestad?'
Annika slikte, knikte.
'Volgens mij wel.'
'En verder?'
'Ik versta geen Servo-Kroatisch.'
'Wat zeiden de waakhonden?'
Ze sloeg haar blik naar hem op, verward.
'Welke honden?'
Hij zwaaide het wapen voor haar gezicht langs.

'De waakhonden, die RDB-gasten van de ambassade, de grijze overjassen! Wat zeiden ze?'

Ze zocht in haar geheugen.

'Ik weet het niet! Niet iets wat ik kon verstaan.'

'Het kan me geen bal schelen wat jij kon verstaan. Wat zeiden ze?'

Hij zette de loop van het machinepistool weer tegen haar voorhoofd, ze zonk ineen, deed haar ogen dicht, hijgde met halfopen mond.

'Als je niet kunt praten,' zei Ratko, 'dan heeft het denk ik ook geen zin dat je een bek hebt, vind je wel?'

Hij verplaatste de loop naar haar mond, sloeg ermee tegen haar tanden, ze proefde de metaalsmaak, de kilte, kon niet meer denken, het kostte haar moeite rechtop te blijven zitten.

'Wat zeiden de waakhonden? Wil je het me vertellen?'

Duisternis, kilte, had ze haar ogen dicht of was de dag gestorven?

'Voor de laatste keer, wat zeiden de bewakers tegen de militair? Wil je me dat vertellen?'

Ze knikte, langzaam, de loop werd weggehaald, sloeg opnieuw tegen haar tanden, ze kon weer ademhalen, wilde overgeven.

'Er was iets wat ze verscheidene keren zeiden', fluisterde ze. 'Poroet... zoiets. Poroetsj... poroetsjn...'

'Poroetsjniek?' vroeg Ratko met gesmoorde stem.

'Misschien', fluisterde ze.

'Meer? Wat zeiden ze nog meer?'

'Weet ik niet...'

Het wapen werd weer tegen haar lippen geduwd.

'Mie', zei ze. 'Miesj... miesjietsj.'

'Miesjietsj?'

Het wapen verdween, ze knikte.

'Dat was het. Ze zeiden miesjietsj.'

Ratko staarde naar dat achterlijke vrouwmens, voelde de triomf langs zijn benen omhoog kruipen, jezus wat een voltreffer! Loepzuiver! Nu wist hij het, nu begreep hij het, ondanks de duisternis in de schuur zag hij het licht.

Poroetsjniek Miesjietsj.

Hij pakte snel zijn spullen bij elkaar, stopte het wapen in de tas. Het touw liet hij liggen, zulk touw was in elke ijzerwarenzaak in

Zweden te koop en er stonden geen vingerafdrukken op.

'Ik weet je altijd te vinden', ratelde hij, de vaste litanie die hij gebruikte voor praatzieke informanten. 'Als jij ooit ook maar één woord loslaat over wat je hier vandaag overkomen is, dan leg ik je om, heb je dat begrepen?'

Ze leek het niet te horen, zat ineengezakt met haar hoofd tussen haar knieën.

'Snap je dat?' schreeuwde hij in haar oor. 'Ik vermoord je als je je bek opentrekt, gesnopen?'

Haar hele lichaam trilde, hij besefte plotseling dat hij er genoeg van had. Wierp een blik op zijn horloge, het was tijd ervandoor te gaan.

'Eén kik en je bent er geweest. Ik stop het machinepistool in je smoel en even later liggen je hersenen over half Djurgården verspreid, oké?'

Hij opende de deur, wierp een laatste blik op haar, ze zou niet praten. En al deed ze dat, so what? Als ze hem ooit zouden grijpen, waren er aanzienlijk ergere dingen dan dit waarvoor ze hem konden aanklagen.

Hij stapte de winternacht in, liet de deur achter zich dichtvallen, haalde opgelucht adem.

Poroetsjniek Miesjietsj, of Poručnik Mišić zoals je het eigenlijk spelde.

Ongelofelijk dat het zo goed afgelopen was! Hij besefte nog maar nauwelijks hoezeer hij gezwijnd had.

Deed de kofferbak open, haalde de wapens uit de sporttas, smeet ze onder een vuile deken in de auto.

Geluk? dacht hij toen, snuivend. Vakmanschap! Begin het verhoor met iets wat je geen moer kan schelen, zodra ze murw zijn ga je over tot wat je werkelijk wilt weten.

Hij ging achter het stuur zitten, smeet de tas op de passagiersstoel, de auto startte zonder problemen. Keerde en reed weg in de richting van de Vrijhaven.

Kolonel Mišić, een legende binnen de KOS, de contraspionage van het Joegoslavische leger. De man die alle zuiveringen overleefd had, die het vertrouwen had van Milošević.

Ratko draaide aan de blower, het zou snel afgelopen zijn met de kou.

Hij wist niet precies hoe het zat, maar de man was nauw bevriend geweest met Aida. Wanneer en waarom liet hem koud, hij was echt niet geïnteresseerd in hun wederzijdse relatie, het enige belangrijke was dat hij een antwoord op zijn vraag had gekregen. Hij wist wat er misgegaan was, waarom zijn macht hem ontnomen was.

Aida had een beschermheer gehad, en ze moest hem een boodschap hebben toegespeeld voor ze stierf.

Hij haalde zijn schouders op, schudde ze los, ze waren gespannen en hard, Aida Begović uit Bijeljina kon hem nu geen moer meer schelen, ze mocht rotten in dat vervloekte graf van haar naast de benzinepomp in Solna.

Hij verliet de Tegeluddvägen, zigzagde naar de haven, zag de wegwijzer naar Tallinn, Klaipeda, Riga, Sint-Petersburg. Zette de auto op een lege parkeerplaats, gereserveerd, wat kon hem dat nou verdommen? Pakte de sporttas met zijn gymkleren en de contanten, liet de bijtende wind van het Saltsjömeer hem recht in het gezicht treffen, slaakte een diepe zucht.

Het gebied tussen de loodsen baadde in goudgeel schijnwerperlicht. In de verte bij de zee zag hij de parkeerplaats met de opleggers.

Hier is het begonnen, dacht hij.

Of beter gezegd, hier is het geëindigd.

Wierp een blik op zijn horloge.

Het was zover.

Ze hoorde een auto starten en wegrijden, ver weg, had de smaak van metaal nog in haar mond, zat voorovergebogen. Het werd stil, rustig, donker.

Ze had het koud. Haar lichaam voelde doof, haar denkvermogen was verlamd. Ze bleef op het hakblok zitten, dommelde weg, viel bijna om. Ze kreeg het steeds kouder, voelde zich steeds lomer.

Zo licht. Zo mooi om weg te glijden.

Ze wurmde haar voeten los, het touw zat niet strak, ging op de aarden vloer liggen. Ongemakkelijk. Lag stil met haar wang tegen de grond, voelde hoe haar handen koud en gevoelloos werden. De eenzaamheidstoon begon te gillen in haar linkeroor, werd beurtelings harder en zachter.

Nog even, dacht ze. Nog even, dan is het voorbij. Nog even en het wordt stil.

Die gedachte bracht de toon tot zwijgen.
Er zou een eind aan komen.
Het inzicht maakte dat ze weer bij haar positieven kwam. De aarde onder haar gezicht was bevroren en korrelig, stonk. Ze lag op haar arm, haar onderarm sliep vanaf de elleboog.
Ze kreunde.
Als ze hier in de kou bleef liggen, zou het spoedig wel heel erg stil worden.
Ze krabbelde overeind, leunde tegen het hakblok. De kou trok dwars door haar spijkerbroek, ze had al bijna geen gevoel meer in haar benen.
Stel je voor dat hij terugkomt.
Haar ademhaling versnelde bij die gedachte, maar werd algauw weer normaal.
Ze begon weer te huilen, uitgeput.
Ik wil naar huis, dacht ze. Ik wil naar huis, want ik heb grillworst gekocht.
Ze snikte, rilde van het huilen en de kou.
Moet hier weg.
Ze ging staan, het touw schaafde aan haar polsen. Het zat niet erg strak; nadat ze haar handen ongeveer een minuut lang in verschillende cirkels had rondgedraaid, kreeg ze haar linkerhand los, het touw viel eraf. Ze bleef in het donker staan, geen hand voor ogen te zien, zocht met haar blik de lichte kieren bij de deur, zag ze niet.
Stel je voor dat hij de deur op slot gedaan had.
Ze strompelde naar de wand, betastte de planken, kreeg splinters in haar vingers, ineens gaf de wand mee, de deur gleed open. De wind kreeg er vat op, een doordringende koude wind uit de richting van het Värtan-gebied. Buiten vermoedde ze bomen en een weggetje.
Mijn god, waar ben ik?
Ze leunde tegen de deurpost, deed haar ogen dicht, veegde over haar voorhoofd.
Ze hadden de Roslagsvägen een eind gevolgd, hadden vlak voor de universiteit de snelweg verlaten. Ze bevond zich ergens in het noordelijke gedeelte van Djurgården, achter Stora Skuggan. Wreef in haar ogen, droog en rood.
De bus, dacht ze, lijn 56, die gaat van Stora Skuggan naar Kungsholmen.

Ze strompelde naar buiten, er liep daar beneden een soort weg, ze bleef staan en keek naar boven. Rechts in de verte was de hemel licht, de horizon glansde geelroze.

Dat is de zon niet, dacht ze, dat is de stad.

Ze begon te lopen.

Woensdag 5 december

De vergadering van elf uur begon tien minuten te laat, net als al die andere keren. Anders Schyman merkte dat hij geïrriteerd raakte. Een gedachte die de laatste tijd steeds vaker bij hem opgekomen was, schoot ook nu door hem heen.

Als ik hier de baas ben, ga ik procedures invoeren waaraan de mensen zich moeten houden.

Hij was juist gaan zitten en had net de schaapskudde, de chef mens & maatschappij, de fotoredacteur, de chef sport, de chef misdaad, de redacteur van de opiniepagina en de chef amusement stil gekregen toen Torstensson op de deur klopte.

Schyman trok zijn wenkbrauwen op, de hoofdredacteur was zelden aanwezig bij de dagelijkse vergaderingen en briefings.

'Welkom', zei de redactiechef, een tikkeltje te sarcastisch. 'We zijn al begonnen.'

Torstensson keek verward om zich heen, zocht een lege stoel.

'Op de hoek', zei Schyman terwijl hij een stoel aanwees.

De hoofdredacteur schraapte zijn keel, bleef staan.

'Ik heb een belangrijke mededeling voor jullie', zei hij met een stem die een beetje te schel klonk.

Anders Schyman maakte geen aanstalten op te staan en de verantwoordelijke uitgever zijn plaats aan het hoofd van de tafel aan te bieden.

'Ga zitten', zei hij en hij wees opnieuw naar de stoel schuin tegenover hem aan het einde van de tafel.

Torstensson liep er met een beteuterd gezicht naartoe, trok de stoel naar achteren, ging zitten. De stilte was oorverdovend, allemaal staarden ze de kleine man aan. Hij schraapte nogmaals zijn keel.

'Mijn opdracht in Brussel is voor onbepaalde tijd uitgesteld', zei hij. 'Ik ben zojuist door de partijsecretaris op de hoogte gebracht van het feit dat de werkzaamheden met betrekking tot publicitaire kwesties niet langer prioriteit hebben. Mijn vertrek bij de krant is op dit moment daarom niet aan de orde.'

Hij zweeg, de verbittering was bijna tastbaar. De redacteur van de opiniepagina mompelde dat hij het betreurde, de anderen keken met een schuin oog naar de redactiechef.

Anders Schyman bewoog zich niet, zat als vastgenageld op zijn stoel, zijn hoofd was volkomen leeg. Hier had hij zich volstrekt niet tegen gewapend. De mogelijkheid dat de partij de parkeerfunctie van de hoofdredacteur zou intrekken, was geen seconde in hem opgekomen.

'Dus', zei hij neutraal. 'Zullen we dan nu maar de dag doornemen?'

Iedereen begon met papieren te ritselen, in kranten te bladeren, foto's door te nemen, goedkeurend of kritisch te mompelen. Torstensson bleef zitten waar hij zat, met lege handen.

'Pelle,' zei Schyman, 'hou de foto's van die oplichtster eens omhoog.'

De fotoredacteur liet een paar prints zien van opnamen die diezelfde morgen in Järfälla waren genomen. Er was een in de boeien geslagen Rebecka Björkstig te zien, die samen met drie politieagenten op weg was naar een politieauto.

'Torstensson,' zei Anders Schyman, 'wat vind jij van de discussie over het publiceren van de naam in dit stadium?'

De hoofdredacteur knipperde met zijn ogen.

'Sorry?'

'Naam en foto publiceren', zei de redactiechef. 'Ben je van mening dat we in het geval van Rebecka Björkstig het risico van een dagvaarding wegens grove laster moeten nemen?'

'Wie?' zei Torstensson vertwijfeld.

Ik ben een slecht mens, dat was de gedachte die door Anders Schymans hoofd schoot. Ik weet precies hoe weinig de hoofdredacteur kan en weet en ik zet hem voor schut waar iedereen bij is.

'We kunnen het verhaal natuurlijk sowieso niet op de één hebben morgen,' zei Schyman vriendelijk, 'dus wat denk je ervan, Torstensson?'

'Waarom kunnen we het niet op de voorpagina hebben?' vroeg de hoofdredacteur.

Schyman liet de stilte spreken, het besef mocht ongestoord bij de leden van de schaapskudde doordringen. Zij wisten waarom je dezelfde geschiedenis niet drie dagen achtereen op de voorpagina kon hebben, de verkoop ging bijna altijd naar beneden op de derde dag, hoe goed het onderwerp ook was. Basiskennisregel 1A was dat je op dag drie een nieuw toponderwerp moest hebben. Iedereen wist dat, behalve de hoofdredacteur.

'Het is een verdomd goede foto', zei Schyman. 'Ik stel een skybox voor, strak uitgesneden, de zichtbare pixels laten we zo. De anonimiteit blijft van kracht, tenzij jij een andere mening bent toegedaan natuurlijk.'

Hij keek naar de hoofdredacteur, de man schudde zijn hoofd.

'Oké', zei Schyman. 'Wat hebben we als alternatief?'

De schaapskudde begon energiek met papieren te ritselen, enthousiast vanwege de mogelijkheid dat een onderwerp van hun eigen afdeling de krant zou kunnen gaan openen.

'Zo verdien je geld met het nieuwe Telia-aandeel', zei het wollen colbertje van zweten & eten.

De anderen barstten uit in laatdunkende commentaren.

'Ik zie geen koprollen van vreugde', zei Schyman glimlachend. 'Meer?'

'We hebben een politicus gevonden die privé-inkopen heeft gedaan met de partijkaart', stelde Ingvar Johansson voor.

Iedereen kreunde, jezus, dat deed toch iedere politicus, zorg nou eens een keer dat je een politicus vindt die dat níét gedaan heeft, dat zou pas nieuws zijn.

'De gemeente heeft de begeleider van een ontwikkelingsgestoord kind in Motala van zijn taak ontheven', ging de nieuwschef verder. 'De jongen wordt verzorgd door zijn alleenstaande moeder, die in de bijstand zit. De moeder belde huilend op, zei dat ze het niet meer aankon. De vraag is of we nu aandacht aan zo'n onderwerp kunnen besteden, we hebben kortgeleden natuurlijk een soortelijke geschiedenis gehad.'

'Het raakt het verhaal van Het Paradijs', zei Schyman. 'Laten we maar wachten tot we die story in zijn geheel gepubliceerd hebben. Verder nog iets?'

'We moeten de JAS-vluchten in de gaten houden', zei de chef mens & maatschappij. 'Voor we het weten lazert er zo'n kist op ons hoofd.'

Hier werd de gemeente wakker van, hoezo JAS-vluchten, waar dan, wanneer?

'Halverwege de dag zijn ze met demonstratievluchten begonnen', zei het maatschappijcolbertje. 'Er is een heel regiment buitenlandse potentaten uitgenodigd om onze nationale trots te bekijken in verband met eventuele koop, en er is natuurlijk een nog grotere club die niet uitgenodigd is en die spioneert om een beetje bij te blijven.'

'Dit moeten we onderzoeken,' zei Schyman, 'maar of we publiceren, en zo ja wat, hangt af van wat we vinden. Het moet wel interessant zijn voor het grote publiek. Meer?'

'We gaan vandaag een stuk doen met de nieuwe presentatrice van *Vrouwen op de bank*', zei de chef amusement. 'Een meisje dat Michelle Carlsson heet, verrekt lekker ding.'

Geïnteresseerde uitroepen weerklonken.

'Grote tieten?'

'Stelt ze zich beschikbaar voor body paint?'

'Houden we goed in de gaten wat het kerstcadeau wordt dit jaar?' vroeg Schyman met een peinzende blik. 'En of Disney dit jaar van plan is klassiekers te schrappen uit het Donald Duck-programma van 24 december?'

Wenkbrauwen gingen omhoog, iedereen herinnerde zich de krachtige protesten toen Ferdinand de stier het veld moest ruimen. Een ongearticuleerd gekakel barstte los, Schyman liet het begaan. Hij keek naar de hoofdredacteur op de hoek van de tafel, het zweet stond de man op het voorhoofd, hij bevond zich in een staat van totale verwarring.

Daar had je de gedachte weer. Ik ben een slecht mens.

Aan de andere kant, dacht hij, weet ik tenminste waar ik mee bezig ben. Is het echt een kwestie van vriendelijkheid als je de incompetentie laat regeren? Moet ik toestaan dat die sukkel van een Torstensson deze krant aan de rand van de afgrond brengt met als resultaat honderden werklozen en een mediastem minder in dit land?

'Wat zeg jij ervan, Torstensson?' vroeg hij rustig. 'Wat vind jij, waar moeten we ons op richten?'

De hoofdredacteur ging staan.

'Ik moet een vergadering voorbereiden', zei hij en hij schraapte met zijn stoel, verliet de kamer.

Toen de deur met een ietwat nijdige klap dichtviel, haalde Anders Schyman veelbetekenend zijn schouders op.

'Oké', zei hij nog een keer. 'Waar waren we gebleven?'

Annika stapte uit bed, koud, niet tot denken in staat. Liep naar de keuken, had nog steeds de metaalsmaak in haar mond, bitter en branderig, poetste haar tanden extra grondig. Deed yoghurt in een bord, moest kokhalzen. Zat een poosje als versteend aan tafel, staarde naar oma's kandelaar, ademde, ademde, zag de strooien sterren dansen.

Ze had flakkerende en onscherpe herinneringen aan haar thuiskomst de vorige avond. Ze was van de schuur naar de weg gelopen, wist niet hoelang ze onderweg was geweest, in ieder geval niet precies, was uitgekomen aan de achterkant van een jeugdboerderij, had toen een bushalte gezien. Tijdens het wachten viel ze bijna in slaap op het bankje, toen was de bus gekomen, lijn 56, de mensen waren volkomen normaal geweest, niemand had op haar gelet, niemand had gezien dat ze gebrandmerkt was, rondliep met de dood op haar gezicht.

Haar nachtrust werd steeds onderbroken door nachtmerries, ze was wakker geworden van haar eigen geschreeuw. De mannen van *Studio Sex* hadden geprobeerd haar te wurgen, ze begon het benauwd te krijgen, stond op van de tafel, de muren vielen over haar heen, ze strompelde naar de woonkamer, ging door haar knieën, belandde op de vloer, sloeg haar armen om haar onderbenen, foetushouding, haar ademhaling werd steeds oppervlakkiger, krampachtiger, geforceerder. Ging daarna uitgeput op de grond liggen, overal pijn, kon niet opstaan. Viel in slaap, werd wakker van de telefoon, nam niet op.

Ging op de bank zitten, deed haar ogen dicht, de witte kist danste op haar netvlies, het gemompel van de militair echode in haar hoofd, in haar mond de smaak van metaal.

Ze haalde een paar keer diep adem, de muren bewogen zich op en neer, het gaat over, het gaat over. Liep naar de keuken, de kandelaar van oma glom, dronk water, heel veel water, wilde het metaal wegspoelen, huilde. Trok de keukenkastjes open, staarde opnieuw naar het doosje pillen, Sobril, vijfentwintig stuks à vijftien milligram in doordrukstrips, hoorde de stem van de arts.

Daar kun je nauwelijks te veel van nemen, maar je moet ze niet combineren met alcohol, dan zijn ze gevaarlijk.

Ze pakte de strips uit het doosje, drukte licht op het plastic, het klikte en rammelde toen de tabletten ronddansten in hun plastic bubbels, plaatste de eerste pil van de eerste strip boven een koffiemok en drukte door, een rinkelend geluid toen het tabletje in de porseleinen mok viel. Verplaatste de strip, drukte de volgende pil eruit, de volgende, de volgende, allemaal.

Er lag nu een kleine verzameling op de bodem van de mok, ze rook eraan, niets, proefde aan een ervan, bitter. Liet ze ronddraaien, deed haar ogen dicht, voelde de druk op haar borst heviger worden, perste lucht naar beneden, hapte naar adem, hijgde, de tranen begonnen over haar wangen te stromen, liepen langs haar hals.

Je moet ze niet combineren met alcohol.

Ze zette de beker op het aanrecht, ging naar de hal, trok haar schoenen aan, veegde de tranen weg, hield zich op weg naar beneden krampachtig vast aan de leuning, liep langs de gevels van de Agnegatan en de Garvargatan, de kortste weg naar de staatswinkel voor alcoholische dranken bij het Kungsholmstorg. Er was bijna niemand, een paar ouwe taarten en een groepje zwervers, ze ging met haar rug naar de mensen staan, vond op een bank een gebruikt exemplaar van de *Kvällspressen*, staarde halsstarrig niets ziend naar de zwarte koppen. Beefde en stotterde toen ze aan de beurt was, de jongen bij de kassa keek argwanend. Kocht wodka, een grote fles. Ging dezelfde weg terug, liep zwalkend over het smalle trottoir, de zak slingerde en zwaaide, de krant hield ze krampachtig vastgeklemd onder haar arm. Kwam ten slotte thuis, verkleumd, uitgeput. Ging naar de keuken, zette de mok met pillen en de fles wodka naast de kandelaar op de keukentafel en legde de krant ernaast, ging zitten en begon te huilen.

Wilde nu niet meer. Kon het niet. De slachtoffers van Het Paradijs vertellen, pag. 8, 9, 10 en 11.

Ze legde haar hoofd op haar armen, sloot haar ogen, luisterde naar haar eigen ademhaling. Voor Aida was het voorbij, zij hoefde niet meer te vechten.

Annika ging staan, strekte haar hand uit naar de wodka, verbrak de verzegeling om de dop.

Het had geen zin het nog langer uit te stellen. Ze kon het maar beter afhandelen.

In haar ene hand had ze de drank, in de andere de pillen, ze deed haar ogen dicht. Het glas was kouder dan het porselein.

Dat was het dan, dacht ze.

Deed haar ogen open.

We zijn van de regen in de drup gekomen. Mia Eriksson, een van de vrouwen die door Het Paradijs zijn opgelicht en gebruikt, vertelt exclusief aan de Kvällspressen hoe de stichting haar terroriseerde. Vandaag nieuwe onthullingen.

Annika zette de beker en de fles neer, aarzelde, liep toen naar de woonkamer, nam de pillen, de drank en de krant mee, ging op de bank zitten.

Op de 8 stond haar artikel over Mia, op de 9 Berits interviews met de gevallen uit Nacka en Österåker. De 10 en de 11 waren getuigenissen uit nog weer andere gemeenten, blijkbaar mensen die in de loop van gisteren van zich hadden laten horen.

Ze liet de krant zakken, leunde achterover in de bank. Zij was schuldig aan Aida's dood, Rebecka had Aida verraden, haar schuilplaats onthuld, het was haar schuld dat Rebecka de kans had gekregen dat te doen. Ze deed haar handen voor haar ogen, de begrafenis keerde terug, licht onder het kerkdak, in een open landschap voel ik mij goed.

Poroetsjniek miesjietsj, poroetsjniek miesjietsj, poroetsjniek miesjietsj.

De telefoon ging weer, ze nam niet op, wachtte tot hij ophield met rinkelen. De stilte die volgde was dik en zwaar. Ze ging rechtop zitten, haalde de dop van de fles, haar maag keerde zich om, het kind, ze draaide de pillen rond in de mok, het zelfmedelijden pulseerde.

Shit, het is toch wat, dacht ze. Dat iedereen het ook zo ellendig heeft. Arme Aida, arme Mia. Pakte de krant, streek de pagina glad, las haar eigen woorden.

De man die de vader was van Mia's eerste kind mishandelde haar, bedreigde haar, achtervolgde haar, verkrachtte haar. Toen Mia met haar nieuwe vriend trouwde en een tweede kind kreeg, werd het stalken nog erger.

Hij sloeg alle ramen van hun huis kapot. Overviel Mia's ouders in het donker. Probeerde Mia en de kinderen dood te rijden met een auto. Probeerde zijn dochters keel door te snijden waarna het meisje een tijd lang niet kon praten.

De instanties wisten zich geen raad. Ze deden wat ze konden, maar dat was bij lange na niet genoeg. Plaatsten tralies voor de ramen. Lieten mensen van de sociale dienst met Mia meegaan als ze de deur uitging. Uiteindelijk kwam de dienst tot de conclusie dat Mia met haar gezin ondergronds moest gaan.

Gedurende twee jaar hadden ze rondgereisd en in sjofele motelkamers gewoond. Ze mochten aan niemand vertellen waar ze waren. Ze hadden de instructie gekregen nooit uit te gaan. Zelfs Mia's ouders wisten niet of het gezin nog in leven was. Nu had de bestuursrechter vastgesteld dat ze voorlopig geen normaal leven meer zouden kunnen leiden in Zweden. Ze waren gedwongen te emigreren, de vraag was alleen waar naartoe. Rebecka had beweerd dat ze de oplossing had, maar het gezin kwam van de regen in de drup.

Annika legde de krant op schoot, haar ogen liepen vol.

Sommige mensen leefden onder zulke afgrijselijke, weerzinwekkende omstandigheden. Waarom moesten jonge meisjes gewond raken in oorlogen en gedwongen worden door heel Europa te vluchten? Waarom namen we onze verantwoordelijkheid niet? Waarom lieten we de mensen van wie we hielden doodgaan? Waarom mocht Mia het niet goed hebben? Waarom mocht zij geen normaal leven leiden, net als iedereen, met man, kinderen, werk en crèche?

Ze stond op, haalde een glas water. Liet zich weer op de bank zakken en legde de krant op schoot.

De problemen van de mensen, dacht ze, zouden zich moeten beperken tot de vraag welke kerstversiering er voor het raam moet hangen tijdens de advent, of je op vrijdag of zaterdag naar oma zult gaan, of je gaat proberen verder te komen in je werk en of je in een flat wilt wonen of toch liever een huis koopt. Mia zou willen dat dat haar problemen waren, maar het was haar niet gegund.

Ze staarde naar het artikel, haar eigen formuleringen, haar eigen conclusies.

Recht op man, kind, werk en een normaal leven.

Niet alleen Mia en Aida, maar ook zijzelf.

Toen het inzicht in haar maagstreek belandde, hield ze de adem in. Staarde naar de beker met pillen en naar de fles, bewoog geen spier toen het besef zich door haar lichaam verspreidde.

Zij was degene die de strijd opgaf, zij was van plan zich terug te trekken, op te geven, uit te stappen voordat ze klaar was, de wereld te laten doordraaien zonder dat ze te weten zou komen wat er hierna zou gebeuren.

Hoorde de stem van haar moeder in haar hoofd: *Jij maakt nooit iets af. Jij mislukt voortdurend. Je bent laf en lui en lastig!*

Annika legde haar hand tegen haar wang, twintig jaar na dato voelde ze de oorvijg van haar moeder nog steeds branden.

Nee mama, dacht ze, je had het mis, zo was het niet. Ik was zeker van plan bepaalde dingen af te maken, maar ik dacht altijd zo veel stappen vooruit, bedacht nieuwe varianten, en dan werd jij kwaad, jij vond dat ik er met de pet naar gooide. Birgitta gooide er nooit met de pet naar.

Ze zat als versteend op de bank, had jarenlang niet aan haar vroege jeugd gedacht, waarom nu wel?

Als jij tegen ons zei dat we een vogel moesten tekenen, tekende Birgitta eèn vogel, ik tekende een compleet bos vol met vogels en andere dieren en dan werd jij kwaad, want ik deed het fout, ik deed nooit wat je zei.

Meer scènes verschenen voor haar geestesoog, haar moeders woede tijdens skivakanties, strandvakanties, tijdens het schoonmaken op zaterdag. Haar moeder vond altijd een reden om tegen haar te schreeuwen, als ze lekker opschoot bij het schoonmaken deed ze het niet goed genoeg, als ze het nauwkeurig deed, treuzelde ze, als ze naar achteren slipte wanneer ze de helling opgingen, saboteerde ze hun skitochtje, als ze vlug skiede, kneep ze ertussenuit, als ze haar snelheid aan de anderen aanpaste, skiede ze in de weg.

Ik kon het nooit goed doen, dacht Annika, verbluft, ze wist niet waar de gedachte vandaan kwam.

Maar het was niet mijn schuld.

Dat besef was puur fysiek, het deed haar vingertoppen tintelen.

De uitbarstingen hadden niets met haar te maken, ze waren het probleem van haar moeder. Haar moeder kon haar eigen leven niet verdragen en daar had ze Annika voor laten betalen.

Annika staarde met halfopen mond voor zich uit, een gordijn was opzij getrokken, een landschap waarvan ze geen vermoeden had gehad lag voor haar ogen uitgestrekt, ze zag oorzaak en gevolg, consequenties en samenhang.

Haar moeder had het niet kunnen opbrengen van haar te houden. Dat was triest en pijnlijk, maar niet iets waar zij invloed op had.

Haar moeder had zo goed mogelijk haar best gedaan, maar het was haar niet bijzonder goed afgegaan. De vraag was hoelang Annika zichzelf daarvoor zou moeten straffen. De vraag was wanneer ze van plan was de verantwoordelijkheid voor haar eigen leven op zich te nemen, cirkels en oude patronen te doorbreken, volwassen te worden.

Ze kon opnieuw Barbro laten beslissen, zich vinden in de rol die haar was toebedeeld: Annika, de hopeloze, zij die het voor anderen verpestte, zij die altijd in de weg liep, in alles mislukte.

Haar leven was van haarzelf, ze had recht op alles. Wie hield haar tegen, behalve zijzelf?

Ze huilde weer, niet hard, maar warm en verdrietig.

Het was alsof het begrip veiligheid in het niets was opgelost. Niemand kon vermoeden dat dit nog maar tien jaar geleden een goed functionerende samenleving was.

Ratko liep snel, met doelbewuste passen, de handen in de zakken. In de tijd dat de stad Leningrad heette, had je hier geen kleine criminaliteit, hoeren konden midden in de nacht door het centrum lopen zonder ook maar op de gedachte te komen dat het gevaarlijk kon zijn. Vandaag de dag moest iedereen ogen in de rug hebben, zelfs hij. Er zat geen systeem in die syndicaten, iedere boerenhufter kon tegenwoordig carrière maken met moord en berovingen.

Kapitalisme, dacht hij vol minachting. Dit is het bewijs dat het niet werkt.

Hij probeerde te ontspannen, Nevsky Prospekt was toch best veilig. Hoofdwegen waren dat over het algemeen wel. De Mayakovskaya in en dan nog maar twee blokken, dan was hij er.

De zijstraat was donkerder, in de schaduwen zag hij figuren voorbijschieten, hij liep op een drafje om ze te ontwijken, schaamde zich, besefte dat hij bezig was paranoïde te worden.

De deur zat op slot, hij drukte op de intercom. Er werd opengedaan zonder dat hij iets hoefde te zeggen, argwanend gluurde hij naar de verborgen bewakingscamera boven de deurpost.

Het stonk in de trapopgang. Op iedere overloop stonden metalen vaten met vuilnis en rommel. De verf bladderde af, de pleisterkalk lag in hoopjes in de hoeken.

Sommige dingen zijn niet veranderd, dacht hij. Waarom kunnen deze mensen hun rotzooi niet opruimen?

De bovenste verdieping, geen lift. De bel deed het niet, hij klopte zachtjes op de houten deur, sleets, de verf afgebladderd. De deur gleed geruisloos open, de binnenkant was van gepantserd staal.

'Hé, Ratko! Ouwe rakker, ik hoorde dat ze achter je aan zitten!'

Zijn oude vriend in het oosten was weer vetter geworden, ze omhelsden elkaar en wisselden wangzoenen uit.

'Dit moet gevierd worden, haal een paar borrels!'

Een paar jongemannen renden als ratten heen en weer met drank, glazen en sigaren. Hij liep met zijn vriend door de gang met het versleten fluwelen behang, de planken onder de linoleumvloer kraakten, ze gingen de laatste kamer binnen en namen er plaats. Toen de drank gearriveerd was, schreeuwde zijn vriend tegen de ratten dat ze hen met rust moesten laten.

De deur werd dichtgedaan, zijn vriend schonk de glazen vol, ze namen een slok en toen werd het serieus.

'Ik heb geld nodig', zei Ratko zacht. 'Ik moet een grote investering doen.'

Hij vertelde zijn vriend over zijn plannen, hoe zijn nieuwe organisatie opgebouwd zou worden, de klanten, de contacten, de medewerkers.

Zijn vriend luisterde zonder hem te onderbreken, zat wijdbeens en met gebogen hoofd op zijn stoel, het glas in de hand.

'Ik heb zeven miljoen in Zweedse contanten,' zei Ratko, 'maar zoals je begrijpt heb ik meer nodig om de zaak op de rails te krijgen, ik moet de juiste mensen zien te vinden.'

Zijn vriend dronk zijn glas leeg, knikte.

'Wat zit er voor ons in?'

Ratko glimlachte.

'Deze branche staat in de kinderschoenen en zal groeien als kool. Het belangrijkste is er vanaf het begin bij te zijn.'

'De gebruikelijke voorwaarden?'

'Vanzelfsprekend', zei Ratko.

Zijn vriend zuchtte astmatisch.

'Hoe ga je erheen?'

'Rechtstreekse vlucht naar Kaapstad. Mijn pas is fonkelnieuw, Noors, het was duur om hier te komen en het zal nog duurder zijn hier weer weg te komen. Ik moet vannacht al vertrekken.'

Zijn vriend gaf geen antwoord, bewoog zich niet. Ze namen nog een borrel.

'Hoeveel heb je nodig?'

Ratko glimlachte weer.

Donderdag 6 december

Het pand van de Vereniging van Zweedse Gemeenten lag discreet teruggetrokken aan de Hornsgatan, een paar blokken verwijderd van knooppunt Slussen. Thomas staarde even naar de strakke, geelgepleisterde gevel, hier huisde de macht, dit was het bolwerk van de centrale directieven. Zijn carrièredoel, of in ieder geval een van zijn carrièredoelen. Hij haalde diep adem, zijn handpalmen waren vochtig.

Jezus, wat wilde hij deze opdracht graag.

De foyer was ruim en licht, een vrouw met een headset, die het druk leek te hebben, zat achter een glazen ruit. Hij meldde zich en nam plaats in een zitgroep die zich bij de ingang bevond, zette zijn aktetas naast zich neer. Probeerde de *Metro* te lezen, kon zich niet concentreren.

'Thomas Samuelsson, verrekte leuk je te zien.'

Hij ging staan, probeerde te glimlachen, de directeur kwam vanaf de liften naar hem toe lopen, schudde Thomas' rechterhand en sloeg hem tegelijkertijd op de schouder.

'Wat goed dat je op zo korte termijn kon langskomen, ben je hier al eens eerder geweest?'

De directeur wachtte niet op een antwoord. Hij trok Thomas mee de trap op en leidde hem door een gang, een binnenplaats op, een lift in die hun een paar verdiepingen naar boven bracht.

Ik onthoud nooit de weg terug uit dit labyrint, dacht Thomas.

Deuren gleden voorbij, gesloten, geopend, overal pratende, discussiërende en lezende mensen.

Wat doen die toch allemaal? vroeg hij zich verward af.

Ten slotte kwamen ze bij het kantoor van de directeur, een mooie kamer op de zesde verdieping, uitzicht over de daken van de Hornsgatan. Er stond een aantal comfortabele fauteuils, ze namen tegenover elkaar plaats, een vrouw die geruisloos was binnengekomen zette koffie, koffiebroodjes en biscuitjes neer, daarna verdween ze weer.

Thomas slikte, deed zijn uiterste best zich te ontspannen.

'De bijstandsuitkeringen kosten de gemeenten meer dan twaalf miljard per jaar', zei de directeur terwijl hij koffie schonk in mokken met het logo van de vereniging. 'De kosten nemen ieder jaar toe, terwijl de politici er het liefst in willen snijden.'

De directeur leunde achterover, blies in zijn koffie. Thomas ontmoette zijn blik, onderzoekend en intelligent.

'De uitkeringsgerechtigden zijn de groep die de allerlaagste prioriteit heeft bij de gemeentelijke politici', zei de directeur. 'Als je het heel cynisch wilt stellen: deze mensen worden gezien als oninteressante parasieten. Meer dan tweederde van alle politici is van mening dat de eisen die aan de uitkeringsgerechtigden gesteld worden te laag zijn. Dit heeft vernietigende consequenties gekregen voor de burgers. Ga je gang, ze zijn hartstikke vers!'

Thomas beet gehoorzaam in een koffiebroodje, het was ontzettend zoet.

'De provinciebesturen hebben onderzocht hoe de gemeentelijke sociale diensten het afgelopen jaar gefunctioneerd hebben', ging de directeur verder. 'Daaruit komt een deprimerend beeld naar voren. Ik ben van mening dat we ons deze kritiek moeten aantrekken.'

De directeur reikte Thomas een rapport aan, hij sloeg het open en begon het door te bladeren.

'In grote lijnen kun je zeggen dat het publiek de sociale diensten als negatief, onverschillig en weinig begripvol ervaart', zei de directeur. 'Het is sowieso moeilijk een afspraak te maken met een medewerker. Veel mensen die een uitkering willen aanvragen, worden al bij de deur of bij de telefoon tegengehouden, ze worden afgewezen met de mededeling dat ze geen recht hebben op een uitkering. Aangezien er op dat moment geen officieel besluit wordt genomen, kan men er ook geen bezwaar tegen maken. Dat betekent dat er op een onacceptabele manier aan de rechtszekerheid getornd wordt.'

Thomas bleef in het document bladeren.

'Steeds meer mensen ervaren de werkwijze van de sociale diensten als krenkend,' ging de directeur verder, 'maar dat is niet de schuld van het personeel. Verreweg de meeste medewerkers doen ongetwijfeld zo goed mogelijk hun best, maar de werklast is toegenomen, en dat geldt ook voor het risico van burn-out en vergissingen. Zo kan het niet langer doorgaan.'

Thomas sloeg het rapport dicht.

'Eerlijk gezegd', zei de directeur, 'maak ik me ernstig zorgen. We hebben geen controle over de segregatie in onze samenleving. In het veld, binnen de gemeenten, liggen er echt wel mogelijkheden voor ons om negatieve en neerwaartse trends te doorbreken, maar we hebben noch de kennis noch de middelen in huis. Vanmorgen kreeg ik een telefoontje van een wanhopige vrouw uit Motala. Ze had tien jaar lang fulltime haar ontwikkelingsgestoorde zoon verzorgd, leefde van een bijstandsuitkering. In oktober heeft de gemeente de begeleider van die jongen van zijn taak ontheven, sindsdien heeft ze het kind in haar eentje verzorgd, vierentwintig uur per dag. Ze kon niet ophouden met huilen. Van zoiets word ik toch zo machteloos en wanhopig.'

De directeur streek over zijn ogen. Thomas constateerde licht verbaasd dat de verontwaardiging van de man diep zat en echt was.

'Dit moet in strijd zijn met de gemeentewet,' zei Thomas, 'het lijkt mij dat tegen een dergelijk besluit bezwaar mogelijk is.'

'Dat heb ik geprobeerd uit te leggen,' zei de directeur, 'maar de vrouw kon niet eens meer de energie opbrengen om zich fatsoenlijk te kleden. Haar op dat moment de gemeentewet voor te lezen en de bezwaarprocedure uit de doeken te doen, was een lachertje geweest. Ik heb het noodspreekuur in Motala gebeld en ze over het gesprek verteld, ze zouden in haar situatie duiken.'

Thomas staarde naar het rapport dat op zijn schoot lag, ongelofelijk hoe moeilijk sommige mensen het hadden.

'We moeten zowel kennis als middelen mobiliseren,' zei de directeur, 'en dat is waar jouw opdracht in beeld komt. De mensen die een bijstandsuitkering aanvragen worden zeer verschillend behandeld, afhankelijk van waar ze wonen, hoe de dienst georganiseerd is en welke ambtenaar ze treffen. Wat wij nodig hebben zijn duidelijke richtlijnen, een gemeenschappelijke strategie voor alle gemeenten. We moeten regelmatige discussies over dit onderwerp organiseren, de mogelijkheid bestuderen de mensen persoonlijk te ontvangen. Bovendien is er een duidelijke sturing nodig, procedures voor de interne controle van de dienstverlening, een goed gestructureerde samenwerking, zowel intern als extern, en verder moet alles verdomd nauwkeurig gedocumenteerd worden.'

De directeur zuchtte, glimlachte wat.

'Ben jij onze man?'
Thomas glimlachte terug.
'Absoluut', zei hij.

Annika stapte uit de douche, haar spieren deden pijn na het rondje joggen. Ze was vergeten hoeveel ze van hardlopen hield, hoe verfrissend het was om over het asfalt te vliegen. Ze drentelde in ochtendjas en gummilaarzen over de binnenplaats, de trappen op, liet haar polsslag zingen.

Ze nam een reuzenontbijt, zette koffie, ging met de kranten in de woonkamer zitten.

Toen ze de voorpagina van de *Kvällspressen* zag, begon het in haar hoofd te bruisen, jezus, Rebecka is aangehouden, ze is opgepakt.

Het Paradijs was weliswaar van de belangrijke plek op de voorpagina verdreven, maar stond wel in het klein vermeld boven de naam van de krant met een verwijzing naar de pagina's 6 en 7. Met trillende vingers vond Annika de artikelen. Rebecka, nog steeds anoniem, haar hoofd vervangen door vierkantjes, werd tussen drie politieagenten weggevoerd, yes!

Annika staarde naar de foto, concentreerde zich op de details, Rebecka's lichte kleren, leuke laarzen had ze aan, de verwilderde bomen op de achtergrond, het moest bij het huis in Olovslund zijn. Ze haalde meer koffie, ging zitten met de telefoon op haar knieën, aarzelde, maar koos toen het rechtstreekse nummer van het hoofdbureau van politie.

'Mijn hemel, nee zeg,' zei Q, 'long time no see.'

Annika glimlachte in de hoorn.

'Ben je inmiddels in de gelegenheid geweest om mijn vriendin Rebecka Björkstig te ontmoeten?'

'Ze is dol op je', zei de politieman. 'Jij verstaat werkelijk de kunst goede vriendschappen op te bouwen.'

Annika's glimlach stierf weg.

'Hoe bedoel je dat?'

'Als de dingen die jij in de krant schrijft waar zijn, dan moet je misschien uitkijken', zei hij. 'Jij bent feitelijk de enige die Rebecka's activiteiten verraden heeft.'

'Ik dacht dat ze het op dit moment te druk had met andere dingen', zei Annika. 'Gesprekken voeren met jou, bijvoorbeeld.'

'Bijvoorbeeld', zei Q. 'Wat wil je?'

'Is ze schuldig?'

'Waaraan? Schulden, naamsveranderingen, onzorgvuldigheid tegenover de gemeenten? Ja, onweerlegbaar, voorzover het in strijd is met de wet. Maar het beramen van een aanslag op iemands leven? Daar ben ik niet zo zeker van als jij.'

'Weten jullie of haar organisatie überhaupt gefunctioneerd heeft?'

'Ja, één keer: ze is erin geslaagd zichzelf uit te wissen. Ze is niet achterlijk. De vraag is of ze het goed bedoeld heeft of dat ze echt van plan was de wet te overtreden.'

'Met al die verschillende identiteiten? Dat is toch hartstikke verdacht?'

'Vind je? Eerst nam ze haar moeders meisjesnaam aan, daarna veranderde ze haar roepnaam, weer wat later verzon ze een geheel nieuwe achternaam. Gebeurt iedere dag.'

Het werd stil.

'Nog meer?' vroeg hij.

'De moorden in de Vrijhaven', zei Annika. 'Zijn jullie dichter bij een oplossing gekomen?'

Diepe zucht in de hoorn.

'Het antwoord is nee', zei Q. 'We hebben hier geen honderd mensen of zo. Het heeft iets te maken met de Joegoslavische maffia en de verdwenen lading sigaretten, maar we weten niet precies wat het verband is. Het is niet alleen het gebruikelijke smokkelgedoe, er zit ook iets anders achter waar we niet wijs uit worden.'

Annika haalde diep adem.

'Heeft het met Aida Begović te maken?'

Q zweeg.

'Vermoedelijk', zei hij toen, kortaf.

'Heeft het met Rebecka Björkstig te maken?'

'Dat zijn we op dit moment aan het onderzoeken.'

'Ze zei een keer dat ze bedreigd is door de Joegoslavische maffia, kan daar iets inzitten?'

De politieman zuchtte.

'Het zit zo', zei hij. 'De Joegoslavische maffia haalt een ongelofelijke hoop kattenkwaad uit waar niemand achter komt, maar ze worden ook beschuldigd van een hoop dingen die ze niet gedaan hebben. Björkstig heeft ons dat verhaal over de bedreiging ook verteld, een oude schuldeiser, Andersson genaamd, heeft haar blijkbaar de stuipen op het lijf gejaagd met zijn maffiacontacten.'

'Dus er is geen verband tussen Rebecka en de Serviërs?'

'Njet.'

Annika deed haar ogen dicht, aarzelde.

'Ratko?' zei ze. 'De leider van de sigarettenmaffia, weten jullie waar hij op dit moment is?'

'In Servië, vermoedelijk, dat is de enige plaats in Europa waar hij tot op zekere hoogte veilig kan zijn. Ergens anders kan hij zich onmogelijk vrij bewegen.'

'Kan hij in Zweden zijn?'

'In dat geval zou het een verdomd kort en lichtschuw bezoekje geweest moeten zijn, waarom vraag je dat?'

Ze slikte hevig, dacht na, kreeg weer die metaalsmaak in haar mond.

'Trouwens,' zei ze, 'wat betekent poroetsjn… poroetsjniek miesjietsj?'

'Wat?' zei de inspecteur.

'Poroetsjniek miesjietsj? Het is Servo-Kroatisch. Geloof ik.'

'Het spijt me heel erg', zei Q, 'dat ik niet alle minder bekende talen op deze aardbol vloeiend spreek.'

'Het is belangrijk', zei Annika. 'Ken je iemand die het weet?'

Hij kreunde.

'We hebben tolken', zei hij. 'Hoe belangrijk?'

'Mega.'

Het dreunde in Annika's oor toen de politieman de hoorn op zijn bureau liet vallen, ze luisterde naar zijn stappen die de kamer verlieten, hoorde in de verte 'Nikola' en daarna 'wat betekent in vredesnaam poroetsjniek miesjietsj?'.

De stappen kwamen terug.

'Het zijn een graad en een naam', zei hij. 'Poručnik betekent kolonel, Mišić is een tamelijk gebruikelijke achternaam.'

'O shit', zei Annika.

'Wat? Nu maak je me nieuwsgierig.'

'Een man die zo heette was gisteren op de begrafenis van Aida, hij had een hoop onderscheidingen en zo op zijn uniform.'

'O', zei Q. 'Nou, misschien was het een ver familielid van haar. En?'

'Hij arriveerde met auto's van de ambassade, is dat niet een beetje vreemd?'

'Hij zal hier wel zijn voor de JAS-demonstratievluchten, net als al die andere duistere types. Hoe zagen zijn onderscheidingen eruit?'

Annika dacht diep na.

'Bladeren', zei ze.

'Bladeren?'

'Ja, een soort bladeren, en veel medailles.'

'Heb je gezien wat erop stond?'

Ze deed haar ogen dicht, zuchtte.

'Op een ervan stond Santa nog wat, geloof ik.'

Q floot.

'Weet je het zeker?'

'Natuurlijk niet. Jezus, denk je soms dat ik een computergeheugen ben?'

'Hij kan van de KOS zijn', zei Q. 'Hoewel de meesten uitgeroeid zijn.'

Ze ging op de bank liggen, fixeerde haar blik op het plafond.

'Wat is KOS? Waar heb je het over?'

'Voor jou is dat een chartereiland, hè? KOS is de contraspionage van het Joegoslavische leger. Milošević heeft praktisch de hele organisatie ontmanteld. De laatste vijftien jaar heeft er een bijzonder hevige machtsstrijd gewoed tussen de KOS en de RDB, een strijd die KOS feitelijk verloren heeft. Er zit verschrikkelijk veel verbittering bij de oude militairen.'

'RDB?' vroeg Annika verward.

'De jongens van Slobodan, de veiligheidspolitie, de elite van de elite. Ze hebben in Servië zowel de controle over de misdaad als over de politie, harde jongens.'

Annika had een paar seconden nodig om de informatie te verwerken.

'Neem me niet kwalijk,' zei ze toen, 'maar waar werkte jij in vredesnaam voordat je bij de afdeling gewelddelicten terechtkwam?'

'That's classified', zei hij, ze hoorde dat hij grijnsde.

'Waar logeert een KOS-kolonel als hij in Stockholm is voor JAS-demonstratievluchten?'

'Als hij de RDB-jongens op de ambassade mag, logeert hij daar. Zo niet, dan zit hij in een van de grote hotels in de city.'

'Zoals...?'

'Ik zou beginnen met het Royal Viking...'

'I love you forever', zei Annika.

'Bewaar me', zei hij en hij legde neer.

Kolonel Mišić logeerde in het Sergel Plaza. Annika stond minutenlang met geheven hand voor zijn kamer, haar hartslag galoppeerde in haar aderen. Ten langen leste klopte ze met haar knokkels op de houten deur. Ze hoorde een vragend 'da' uit de kamer komen, klopte opnieuw.

De deur werd opengedaan, bleef op een kier staan.

'Da?'

Het oude gezicht werd heel even zichtbaar, ongeschoren, een behaarde schouder, een onderhemd.

'Kolonel Mišić? Mijn naam is Annika Bengtzon. Ik wil graag met u praten.'

Ze probeerde te glimlachen, onzeker.

De man keek haar aan, hij stond in de schaduw, ze kon zijn gezichtsuitdrukking niet duiden.

'Waarom?' vroeg hij, schor.

'Ik heb Aida gekend', zei ze, haar stem te licht, nerveus.

Hij gaf geen antwoord, maar deed de deur ook niet dicht.

'Ik zag u op de begrafenis', zei ze. 'Ik heb u aangesproken.'

De man aarzelde.

'Wat wilt u?' vroeg hij.

'Alleen maar praten', zei ze snel. 'Ik wil over Aida praten met iemand die haar van vroeger kent.'

De oude kolonel deed een stap naar achteren en trok de deur open. Hij was op blote voeten, had blijkbaar net zijn broek aangetrokken, zijn bretels bungelden bij zijn knieholtes.

'Kom binnen en ga zitten', zei hij. 'Ik pak mijn overhemd.'

Annika stapte de kamer binnen, een kleine tweepersoonskamer met twee smalle bedden, een tv, minibar, bureau, stoel met verchroomde poten. De deur viel achter haar dicht, ze hoorde zichzelf slikken. De man was in de badkamer verdwenen en heel even werd ze overvallen door paniek.

Stel je voor dat hij naar buiten komt met een machinepistool?

Of een mes?

Misschien heeft hij Aida wel vermoord!

Haar hart begon nog sneller te kloppen. Ze stond op het punt de gang weer op te vluchten toen de man de badkamer uit kwam in een openhangend wit overhemd en met een paar sokken in de hand.

'Hoe goed kende je Aida?' vroeg hij in gebroken Engels.

Annika sloeg haar blik neer.

'Niet zo heel goed', zei ze en ze keek op, ontmoette de doffe ogen van de man. 'Maar ik had haar graag beter leren kennen.'

'Je draagt haar ketting,' zei de man, 'de Bosnische lelie, het hart voor de liefde. Ik heb die ketting voor Aida gekocht. Ze heeft het bedeltje met de Servische adelaars er afgehaald.'

Annika's hand vloog naar haar halsketting, ze merkte dat ze begon te blozen.

De oude man ging op een bed zitten, legde een voet op zijn knie, trok een sok aan.

'Ga zitten', zei hij.

Met knikkende knieën nam ze plaats op het andere bed, recht tegenover de militair. Haar tas liet ze met een bons bij het voeteneind op de vloer vallen.

'Waar ben je op uit?'

Annika keek naar de oude man, zijn grijs gespikkelde wangen, afgezakte schouders, zware gestalte, het overhemd dat nauwelijks over zijn buik zou passen als hij het zou dichtknopen, zijn dunne haar.

Het verdriet heeft hem gebroken, besefte ze. Zo'n verdriet dat mensen ziek kan maken.

Zou iemand ooit zo om haar rouwen?

Plotseling voelde ze de tranen komen, ze verborg haar gezicht in haar handen.

De man bleef zitten, zwijgend, bewegingloos.

'Sorry', fluisterde ze ten slotte en ze veegde haar tranen af met de achterkant van haar handen. 'Mijn oma is ook net overleden, ik ben mezelf niet helemaal de laatste tijd.'

De militair stond op, liep naar de badkamer en kwam terug met een rol wc-papier.

'Dank u', zei Annika, nam de rol aan, snoot haar neus.

De man bestudeerde haar, indringend, maar zonder kwaadwilligheid.

'Waarom draag je Aida's ketting?'
Annika veegde haar ogen af met wc-papier.
'Een paar dagen voordat ze stierf heb ik haar ontmoet', zei Annika. 'Ze was ziek en enorm bang. Ik ben journalist, Aida belde naar de krant waar ik werk, ze vroeg om hulp, ik probeerde haar te helpen...'
'Hoe?'
Annika haalde diep adem, liet de lucht geruisloos ontsnappen.
'Ze was zo eenzaam. Er was niemand die iets voor haar kon doen. Ze werd opgejaagd door een man, doodsbenauwd was ze. Ik heb met haar afgesproken, want ze had informatie over twee moorden die in Stockholm gepleegd zijn. Daarna kon ik het niet over mijn hart verkrijgen haar aan haar lot over te laten, ze was bovendien ziek, ik heb haar het telefoonnummer gegeven van een organisatie die Het Paradijs heet... ik dacht dat die mensen haar zouden kunnen helpen.'
Ze gluurde naar de man, hij luisterde geïnteresseerd, maar reageerde niet toen ze de naam van de stichting noemde.
'De vrouw die achter Het Paradijs zat, bleek een bedriegster te zijn', zei Annika. 'Ik voelde me enorm schuldig dat ik Aida overgehaald heb contact op te nemen met haar organisatie.'
Ze boog het hoofd, haar ogen liepen weer vol, ze wachtte op zijn woede.
Die kwam niet.
'Dat is een goede zaak,' zei hij, 'dat je je vrienden helpt. Aida heeft het ongetwijfeld gewaardeerd, aangezien ze jou haar ketting gaf.'
'Ik vind het zo erg', fluisterde ze.
De oude militair stond op, liep naar het raam, bleef daar staan en keek uit over het Sergels Torg.
'Hier stierf ze', mompelde hij. 'Hier stierf Aida.'
De stilte werd zwaar, ze voelde de wanhoop van de man, zag zijn schouders schokken. Ze bleef zitten, onzeker, haar handen koud en onhandig. Scheurde ten slotte een stuk papier af, stond op en liep voorzichtig naar hem toe. De tranen stroomden hem over de wangen, bleven hangen in zijn baardstoppels. Hij maakte geen aanstalten het papier aan te pakken.
'Sorry', zei Annika zacht. 'Ik dacht dat ik haar hielp.'
De man keek haar heel even aan, daarna richtte hij zijn blik weer op het plein.

'Wat maakt dat jij je schuldig voelt?' vroeg hij.
'De vrouw achter Het Paradijs, ik ben bang dat zij...'
De man draaide zich abrupt om, liep naar de koelkast, pakte er een fles slivovitsj uit en schonk er wat van in een glas.
'Aida koos er zelf voor om te sterven', zei hij terwijl hij Annika de fles aanreikte. Toen ze haar hoofd schudde, draaide hij de dop er weer op. Hij zette de fles terug en waggelde naar het bed, de matras kraakte toen hij erop neerzeeg.
'Wie was Aida eigenlijk?' vroeg Annika. 'Hoe kende je haar?'
'Ik ben geboren in Bijeljina,' zei de oude man, 'net als Aida.'
Annika ging recht tegenover hem zitten.
'Ken je Bijeljina?'
Ze probeerde te glimlachen.
'Nee, maar ik heb foto's van Bosnië gezien. Het is er heel mooi, met bergen en palmen...'
'Dat heeft Bijeljina allemaal niet', zei de militair. 'De stad ligt op de vlakte, net ten noordoosten van Tuzla, de winters zijn er streng, de lentes verregenen.'
Zijn blik bleef steken bij een onbestemd punt ergens boven haar hoofd.
'Zelfs de rivier is niet bijzonder mooi.'
Hij zuchtte, keek Annika aan.
'Daar heb je vast wel eens een foto van gezien, de rivier de Drina die langs de Servische grens loopt, hoewel de beroemde beelden verder naar het zuiden genomen zijn, bij Goražde.'
Ze schudde het hoofd.
'De stapels lijken,' zei hij, 'de lichamen die in de rivier de Drina werden gegooid en ter hoogte van Goražde bleven steken. Een Deense fotograaf is door onze linies gebroken, hij heeft ze gefotografeerd, de foto's zijn over de hele wereld gepubliceerd.'
Annika slikte, inderdaad, ze herinnerde zich het voorval wel, ze had er een roman over gelezen, en de *Kvällspressen* had voor Zweden de rechten van de foto's gekocht.
Hij zweeg, zijn blik dwaalde opnieuw af, Annika wachtte.
'Dus jij bent... een Serviër?' vroeg ze.
De oude militair keek haar vermoeid aan.
'In die tijd groeide je op zonder na te denken over je afkomst', zei hij. 'Ik was enig kind, mijn beste jeugdvriend was als een broer voor

mij. Het was de vader van Aida. Jovan was een bijzonder intelligente man, maar aangezien hij moslim was, waren de wegen van de staat afgesloten voor hem. Daarom werd hij bakker, en wel een zeer goede.'

De man hield op met praten, streek over zijn ogen, behaarde hand, behaarde vingers.

'Maar jij bent geen bakker geworden', zei Annika zacht.

'Ik heb carrière gemaakt in het leger,' zei de oude man, 'net als mijn vader en mijn grootvader voor mij. Ik ben nooit getrouwd. Jovan daarentegen had een fantastisch gezin, een mooie vrouw en drie getalenteerde kinderen. Aida, de dochter, was mijn favoriet. Ze was snoezig als een engeltje, zong als een nachtegaal...'

De oude man sloeg de drank in één keer achterover, veegde zijn mond af met de achterkant van zijn hand.

'Waarom heb jij belangstelling voor Aida?' vroeg hij.

'Ik ben journalist,' zei ze, 'het is mijn werk te schrijven over de dingen die belangrijk zijn, over de waarheid, over de omstandigheden van de mensen...'

'Ha!' zei de man plotseling. 'Journalisten zijn slippendragers, net als soldaten. Jullie vechten met leugens in plaats van met wapens.'

Annika knipperde met haar ogen, niet voorbereid op zijn woede.

'Dat is niet waar!' zei ze voorzichtig. 'Mijn enige opdrachtgever is de waarheid.'

De militair keek in zijn lege glas.

'Hm, tja, dus jij schrijft in dienst van de goedheid? Je krijgt geen loon voor je werk?'

Ze spreidde haar armen.

'Natuurlijk krijg ik dat wel, ik ben in dienst van een vrije krant, ben publicistisch ongebonden...'

'Een commerciële krant die voor geld over de toonbank gaat? Hoe kan zo'n krant vrij zijn? Haar stem is gekocht, corrupt, leugenachtig.'

De man ging staan, schonk zijn glas vol. Nam deze keer niet de moeite Annika iets aan te bieden. Toen hij weer recht tegenover haar ging zitten, zag ze een schittering in zijn ogen, dit was een man die ooit van discussiëren had gehouden, die zowel het woord als de macht had bezeten.

'Het kapitaal is zijn eigen waarheid', zei hij. 'Zijn enige doel is zich te vermeerderen, tegen iedere prijs.'

'Dat is niet waar', zei ze, verbaasd over haar eigen koppigheid. 'Alleen met een vrije en ongebonden pers kan de democratie gegarandeerd worden...'

'Democratie, ha! Die schept alleen maar concurrentie en instabiliteit, politici die zich aan de kiezers te koop aanbieden als hoeren, kapitalisten die hun medemensen uitbuiten en exploiteren. Ik geef niet veel voor die democratie van jullie.'

'En wat is het alternatief?' vroeg Annika. 'Een totalitaire staat met een gecensureerde pers?'

De man boog naar voren met een zweem van een glimlach op zijn gezicht.

'Alleen de staat kan de verantwoordelijkheid voor de mensen nemen', zei hij. 'De staat moet geleid worden met geen ander doel dan het welzijn van de mensen. De pers moet informeren en toelichten zonder financieel gewin. Het zijn niet de vrije stemmen die spreken in jullie kranten en op jullie tv-stations, het is het kapitalisme dat spreekt.'

Annika schudde het hoofd.

'Je hebt het mis', zei ze. 'Hoe leuk hebben jullie het eigenlijk in Servië, met Slobodan Milošević?'

Nu betrok het gezicht van de man, Annika kon haar tong wel afbijten, wat had ze nu in vredesnaam gezegd?

'Sorry,' zei ze, 'ik wilde u niet kwetsen...'

'Milošević is een boer', zei de oude man met gesmoorde stem. 'Moet je zien wat hij met mijn land gedaan heeft! Hij heeft de KOS vernietigd, de enige organisatie die de mogelijkheid had recht en orde te bewaren, hij sneed in ons budget tot er niets meer van over was en gaf het geld aan de RDB.'

Hij sloeg zo hard met zijn vuist op het nachtkastje dat Annika even omhoog veerde.

'Vervloekte RDB, kijk eens wat zij mijn land hebben aangedaan! Ze hebben toegestaan dat criminele boeren heel Servië verkwanselen. Als de KOS de macht had gehad, zou Joegoslavië nog steeds een grootmacht zijn, een ongedeeld Groot-Servië. We hadden het uiteenvallen van het land nooit moeten tolereren.'

Hij bleef roerloos zitten, met hangend hoofd, de ellebogen op de knieën. Annika durfde zich niet te bewegen.

'Tot eind jaren tachtig hadden we een moraal op de Balkan,' zei hij zacht, 'normale normen en waarden. Maar daarna brak de barbarij uit. Mannen als Ratko kregen de macht, schoonmakers waren het, criminele idioten.'

Annika likte haar lippen, weigerde de metaalsmaak te proeven.

'Wie was Ratko eigenlijk?'

De oude man zuchtte, rechtte zijn rug.

'Hij kwam uit een welgestelde familie die al haar bezittingen kwijtraakte tijdens de onteigeningen door de communisten, dat wil zeggen de herverdeling van het bezit van de rijken onder het volk. Zijn vader werd gieter, eervol fabriekswerk, maar dat ging de familie te ver. Ratko besloot Iemand te worden. Hij kwam hiernaartoe, naar Zweden, om zijn geluk te zoeken, maar hij belandde op de werkvloer van een vrachtwagenfabriek. Hij zag zijn landgenoten ten onder gaan aan bedrijfsletsel en koos een andere weg: die van de beroepsmisdadiger.'

Hij nam een slok.

'Ratko en zijn vader waren de mening toegedaan dat de nieuwe wet niet voor hen gold. Ze vonden dat de wet van het communisme ze had beroofd van alles wat ze hadden, hun geschiedenis, hun menselijke meerwaarde. De wet was Ratko's vijand, die gehoorzamen was hetzelfde als alles verliezen. Het enige wat de mens drijft is gierigheid, winstbejag, materiële zaken.'

'Dat is niet waar', zei Annika.

'De enige die verantwoording kan nemen voor de mensen is de staat', zei de man.

'Maar de staat, dat zijn wij', zei Annika. 'De staat kan nooit beter zijn dan de mensen die hij vertegenwoordigt.'

Hij keek haar aan.

'De maatschappij is altijd groter dan het volk, ons te zien als geïsoleerde individuen houdt in dat het egoïsme zegeviert.'

'Dat is niet zeker', zei Annika. 'De staat, dat zijn de burgers, we kunnen de verantwoordelijkheid niet op de schouders van iemand anders schuiven, alleen maar op die van onszelf. Wijzelf zijn het die onze toekomst vormgeven, de staat, dat zijn wij. Wij hebben een verantwoordelijkheid voor elkaar en die verantwoordelijkheid moeten we nemen. Een individu kan een grote bijdrage leveren!'

'Als dat gebeurt, gaat alles naar de bliksem!' riep de man en hij sloeg weer op het nachtkastje. 'Kijk naar Servië! Toen Milošević zichzelf boven de staat plaatste, ging de zaak naar de verdoemenis! De RDB heeft niet de benodigde kennis, ondanks het feit dat ze alle middelen hebben gekregen. Ze gebruiken ze alleen compleet verkeerd, voor eigen gewin, ze misbruiken hun macht, ondersteunen de criminaliteit...'

Hij zweeg, was enigszins buiten adem.

Annika staarde hem aan, het zweet glinsterde op zijn kale hoofd.

'Hoeveel weet je?' vroeg ze zacht.

'Ik weet alles.'

'Alles?'

'Alles.'

'Ook over de maffia?'

De man keek haar aan, indringend, bestudeerde haar gezicht, haar haren, haar handen.

'De ridders van het vrije woord', zei hij. 'Kun jij over alle waarheden schrijven?'

Annika knipperde met haar ogen.

'Als ik ze kan controleren, en als ze interessant zijn voor het publiek.'

'Aha!' zei de man. 'Wie maakt die beoordeling?'

'In de eerste plaats ikzelf, daarna de redactieleiding.'

'De censoren', constateerde de oude man.

'Nee!' zei Annika. 'We zijn niemands loopjongen, wij staan slechts in dienst van de waarheid.'

'Jij durft niet over mijn waarheid te schrijven', zei de man. 'Niemand kan alles publiceren wat ik weet.'

'Daar kan ik geen antwoord op geven, ik weet niet wat jij allemaal weet.'

De man keek haar lange tijd aan, haar huid begon ervan te kriebelen, ze voelde zich naakt.

'Heb je een pen bij je? Iets om op te schrijven? Nou, schrijf mijn verhaal dan maar op. Eens zien of je het durft af te drukken.'

Annika boog naar voren, trok haar tas naar zich toe, haalde blocnote en pen eruit.

'En?' zei ze.

'De maffia is de staat,' zei de oude man, 'de staat is de maffia. Alles wordt gecontroleerd door de machthebbers in Belgrado. De RDB, de veiligheidspolitie, houdt alle touwtjes in handen. De wapensmokkel is de grootste en belangrijkste bron van inkomsten. Driekwart van het geld komt van de wapenverkoop. Ze hebben alle wapens in voormalig Joegoslavië in beslag genomen, hebben ze opgeslagen in enorme loodsen, ze hebben er genoeg om tot aan de dag des oordeels mee te vechten, of er zelf een dag des oordeels mee te ontketenen. Ze doen veel zaken met het Midden-Oosten, Irak. Noord-Korea is enorm geïnteresseerd in chemische oorlogvoering en daar kunnen de jongens in Belgrado ze bij helpen. Ze houden een groot aantal conflicten in Afrika in stand, voorzien veel Afrikaanse staten van wapens. Ze maken gebruik van Poolse schepen die uitvaren uit de haven van Gdansk, ze laden ze in Servië en varen ermee door het Suezkanaal, waar ze de douane omkopen.'

Annika staarde de man aan, ze had nog geen regel opgeschreven.

'Wat bedoel je?' zei ze. 'Is dit waar?'

'Het smokkelen van sigaretten is een andere activiteit die enorm belangrijk is,' ging de oude man verder, 'en verder heb je natuurlijk de drank, de drugs en de prostitutie. De sigaretten worden in grote illegale fabrieken vervaardigd, ze worden voorzien van valse Marlboro-etiketten en op vrachtwagens geladen die verzegeld worden en de sigaretten dwars door Europa naar eindbestemming Finland brengen. In Zweden wordt de verzegeling verbroken en de lading gelost en daarna rijdt men naar de ambassade voor een nieuwe verzegeling. Dit is mogelijk doordat de staat als organisator optreedt. Daarna rijdt men door naar Finland waar ten slotte wat kartonnen dozen gelost worden.'

Annika boog het hoofd.

'Wacht even,' zei ze, 'kun je het eerste nog een keer zeggen? Wapens? Afrika? Noord-Korea?'

De oude man herhaalde geduldig verscheidene details.

'Wat de prostitutie betreft,' zei hij, 'de vrouwen komen met name uit Oekraïne en Wit-Rusland en worden geëxporteerd naar bordelen in Midden-Europa, vooral naar Duitsland, Hongarije, Tsjechië, Polen. De narcotica komt vooral uit Afghanistan. Niet de Taliban, maar de oppositie is de producent van verdovende middelen. De route loopt door Turkije, tegenwoordig zijn het steeds vaker de Kosovo-Albanezen die dat gedeelte van het transport voor hun rekening nemen. Wanneer de Kosovo-Albanezen de grondstoffen vervolgens hebben binnengekregen, verkopen ze ze door aan de Serviërs. De Serviërs veredelen de grondstoffen tot verdovende middelen, er zijn complete ziekenhuizen bij de productie betrokken, evenals grote delen van de landbouwindustrie.'

Annika slikte, het duizelde haar, ze kreeg pijn in haar arm van het schrijven, kon dit waar zijn?

'De drank wordt in grote fabrieken gestookt en voorzien van valse etiketten, twaalf jaar oude Schotse whisky bijvoorbeeld, Finse wodka. Als deze nering ophoudt te bestaan, zakt het land binnen een paar dagen als een plumpudding in elkaar. De arbeiders zouden hun loon niet meer uitbetaald krijgen, het systeem zou als een kaartenhuis instorten.'

De man zuchtte.

'De RDB geeft allerlei soorten paspoorten uit, Scandinavische, Franse, Amerikaanse. Verspreid over heel Europa beschikken ze over een fijnmazig netwerk in de vorm van bars, discotheken, Servische verenigingen en schaakclubs.'

Hij schoot in de lach, een vreugdeloze lach.

'De Servische inlichtingendienst heeft een kleine eigenaardigheid,' zei hij, 'alleen op woensdag slaan ze hun slag en grijpen ze mensen. Als je de woensdag zonder kleerscheuren doorgekomen bent, ben je weer een week veilig. De opruimpatrouilles bestaan uit drie of vijf personen. Als ze in het buitenland opereren, vluchten ze via de ambassade of het consulaat. Hier in Zweden is het consulaat in Trelleborg enorm actief.'

Zijn stem stierf weg, Annika maakte haar zin af, bleef zitten met de pen tegen het papier.

'Hoe kan ik dit controleren?' vroeg ze.

De man ging staan, liep naar het halletje, trok de kastdeur open en opende een kleine kluis met behulp van een cijfercombinatie. Toen hij terugkwam, had hij wat documenten in de hand, enkele ervan waren blauw.

'Ik heb ze op de ambassade gestolen', zei hij. 'Twee TIR-verzegelingen. Ze zullen ze eerdaags wel missen.'

Hij legde ze naast Annika op het bed, ze staarde ernaar, keek op naar de man, ze wist niet meer wat ze ervan denken moest.

'Hoe is dit mogelijk?' zei ze.

De man ging moeizaam zitten.

'Overal in Zweden bevinden zich geheime opslagplaatsen voor wapens', zei hij. 'Loodsen met drugs, drank, sigaretten, complete panden met Serviërs zonder verblijfsvergunning, trailers, auto's, boten.'

Annika slikte.

'Weet je waar?'

Hij keek haar aan, knikte.

Begon te vertellen.

Toen hij ophield met praten, voelde Annika de adrenaline koken, dit was werkelijk ongelofelijk.

'Maar', zei ze, 'wat gebeurt er als ik mijn eigen naam hieronder zet? Krijg ik de maffia dan niet achter mij aan?'

De oude man keek haar vermoeid aan.

'Bang voor je eigen huid? Ben jij belangrijker dan de waarheid? Kan jouw staat van vrije burgers niet voor je zorgen en je bescherming bieden?'

Ze sloeg haar blik neer, bloosde.

'Je moet begrijpen', zei de man, 'dat dit niets persoonlijks is, dit is alleen maar business. Ratko heeft geen vrienden meer, niemand zal jou uit de weg ruimen in het kader van een persoonlijke vendetta. Als jij de criminele structuur vernietigt, is er niemand meer die jou kwaad kan doen, er staan dan geen belangen meer op het spel.'

Annika keek op.

'Maar de ambassade dan, als het tenminste waar is wat je zegt, dat zij overal achter zitten?'

'De Servische ambassade zal jouw beste levensverzekering zijn. Het zal in hun persoonlijk belang zijn dat jou niets overkomt. Daarentegen zou ik je aanraden een tijdje niet naar de Balkan te reizen. Daar zou je de verkeerde personen kunnen tegenkomen.'

Ze keek in haar aantekeningen, schraapte haar keel.

'Wat gebeurt er met Ratko?'

De man aarzelde.

'Ratko is vertrokken, niemand weet waar naartoe. De dag dat hij zich in Europa vertoont, is hij dood. Mijn inschatting is dat hij naar Afrika gegaan is, naar een van zijn wapenafnemers.'

'Wat gebeurt er met jou?'

De man keek haar langdurig aan.

'Ik heb het mijne gedaan', zei hij. 'Iedereen die iets voor mij betekent is weg. Aida was de laatste.'
'Wat is er gebeurd?' fluisterde Annika.
De oude man ging weer staan, liep naar het raam, keek uit over het plein dat grijs leek in het licht van de schemering.
'Ratko heeft de hele familie vermoord, behalve Aida. Dat was de opmaat tot het geweld in Bosnië. Dat gebeurde in maart 1992.'
Annika hapte naar lucht.
'Mijn god, de hele familie?'
'Jovan, zijn vrouw, de vrouw van zijn zoon, die zwanger was, hun jongste zoontje, dat nog maar tien was. De zoon zat in het leger en stierf een halfjaar later aan het front.'
'Hij heeft ze vermoord?'
Terwijl de man zijn verhaal vertelde, staarde hij naar de driehoeken van het Sergels Torg.
'Ratko en zijn Panters. Er waren al geruime tijd politieke spanningen, er had al strijd gewoed in Kroatië, maar het bloedbad in Bijeljina was het eerste dat in Bosnië plaatshad.'
'En Aida's familie werd erdoor getroffen?'
'Ik weet niet waarom zij het overleefde, dat heeft ze me nooit verteld.'
Annika voelde de tranen weer stromen, o wat verschrikkelijk, wat walgelijk.
'Wat gebeurde er met haar? Hoe is ze hier terechtgekomen?'
De man staarde nog steeds naar het plein, sneeuwvlokken begonnen neer te dwarrelen.
'Ze was toen zeventien, en voorzover ik weet is ze meteen na de moorden lopend naar Tuzla gegaan. Ze kreeg een lift naar Sarajevo en nam dienst bij Armija BiH. Haar oom, de jongere broer van Jovan, nam haar op in zijn *special diverzantski group.*'
Annika wachtte tot hij zou verdergaan, ademloos, de tranen bungelden aan haar lippen.
'En?' zei ze.
'*Special diverzanstki group*', zei de man met nadruk op ieder woord. 'Ze werd een sniper. Toen ik dat hoorde, heb ik mijn handen van haar afgetrokken, ik heb ieder contact verbroken.'
Annika knipperde met haar ogen, begreep het niet.
'Sluipschutter', zei de oude man, oneindig vermoeid. 'Ze werd

opgeleid tot sluipschutter, scherpschutter, ze lag op daken van huizen en schoot mensen beneden op straat dood, mannen, vrouwen, kinderen, zonder onderscheid des persoons.'

Annika kon niet ademen.

'Nee...'

Hij draaide zich om, keek haar aan.

'Ik kan je verzekeren', zei hij, 'dat Aida er behoorlijk goed in was. Alleen God weet hoeveel mensen ze gedood heeft.'

Hij ging weer recht tegenover haar zitten.

'Dit wist je niet?' zei hij.

Annika schudde haar hoofd en slikte.

'Hoe', zei ze, 'is ze hier terechtgekomen? In Stockholm?'

De man wreef in zijn ogen.

'Ze raakte gewond, werd via de tunnel Sarajevo uitgedragen en naar de berg Igman gebracht. Daar regelde ze het zo dat ze toestemming kreeg mee te gaan met een groep vrouwen en kinderen die door het Rode Kruis bijeengebracht was. Toen ze Bosnië wilden verlaten, kregen ze problemen. Op een gegeven moment werd het transport tegengehouden, een paar jonge vrouwen werden de bus uit gesleept door dronken militairen, barbaren waren het. We weten niet wat er gebeurd is, maar toen de bus verder reed, lagen twee soldaten dood in hun wachthuisjes, in de mond geschoten met hun eigen wapen. Het kan niet anders of het is Aida geweest.'

De man liet zijn hoofd hangen, Annika voelde zich steeds misselijker worden.

'Waarom wilde ze naar Zweden?' fluisterde ze.

'Ze had gehoord dat Ratko hier was. Ze had wraak gezworen. Dat was het enige wat betekenis had voor haar. Hij had haar haar familie, haar leven afgenomen. Ik heb jarenlang niets van haar gehoord. Dat heeft me vaak pijn gedaan. Ik heb een fout gemaakt. Ik had het contact moeten onderhouden. Een mens redt het niet alleen. Aida had mij nodig.'

Annika voelde plotseling de ketting om haar hals branden, zwaar en heet, de dankbaarheid van een moordenares.

'Toen schreef ze me,' zei de man met gesmoorde stem, 'op zaterdag 3 november jongstleden. Ze schreef dat haar taak bijna volbracht was. Ze had contact opgenomen met Ratko, ze zouden elkaar ontmoeten, een van beiden zou sterven.'

'Zij nam contact met hem op?' zei Annika. 'Weet je zeker dat ze zelf contact opnam met Ratko? Ze ontmoetten elkaar op haar initiatief? Er was niemand die haar verraden heeft?'

De man boog het hoofd.

'Ze zou Ratko eens en voor al met zijn neus op de feiten drukken', zei hij zacht. 'Ze vroeg mij het af te maken, als het haar niet mocht lukken. Ik heb alle zuiveringen overleefd, ik heb nog steeds het vertrouwen van Milošević, ik had de mogelijkheid Ratko's leven te verwoesten.'

Zijn schouders schokten weer, hij had zijn hand voor zijn ogen geslagen.

'Ga', smeekte hij.

Annika slikte.

'Maar...'

'Ga.'

Ze boog zich, stopte blocnote en pen in haar tas, aarzelde een ogenblik, pakte toen ook de blauwe documenten, de TIR-verzegelingen van de Joegoslavische ambassade.

'Bedankt voor alles', fluisterde ze.

De man antwoordde niet.

Ze liet hem alleen, liep geruisloos naar het halletje, deed de deur open en stapte de gang op.

Terwijl buiten de duisternis viel, zat de oude militair nog steeds op het bed. Zijn schouders deden pijn, zijn rug en handen ook. Zijn voeten waren gevoelloos, koud. De jonge journaliste had de verzegelingen meegenomen, mooi. Ze zouden nooit kunnen bewijzen dat hij ze gestolen had, hoewel ze natuurlijk wel tot die conclusie zouden komen.

Hij besloot een bad te nemen. Liep naar de badkamer, deed het licht aan, deed de stop erin, draaide de kranen open, heet water. Ging op het toilet zitten wachten tot de badkuip vol was, liet de kou van de klinkervloer in zijn benen dringen, verwelkomde de pijn. Toen het water over de rand liep en zijn tenen bereikte, draaide hij de kranen dicht. Ging naar de kamer, naar de duisternis, trok zijn kleren uit, legde ze zorgvuldig opgevouwen op een stoel.

Liet zich in het hete water glijden, tot aan zijn kin, deed zijn ogen dicht, liet zijn lichaam oplossen.

Pas toen het water afgekoeld was, opende hij zijn ogen weer. Hij stapte uit bad, droogde zich aandachtig af, schoor zich, kamde zijn haar, pakte het parade-uniform, alle onderscheidingen, alle medailles voor bijzondere prestaties. Kleedde zich langzaam en nauwgezet aan, streek met zijn handen over de revers van het uniform, zette de pet zorgvuldig op zijn hoofd. Ging daarna naar de kluis, haalde zijn dienstwapen eruit.

Hij zag zichzelf in het vensterglas, de complete hotelkamer zweefde gespiegeld boven de betonnen driehoeken van het Sergels Torg. Ontmoette zijn eigen blik onder de klep, rustig, vastbesloten. Richtte zijn troebele blik op het plein, stelde zo goed mogelijk scherp, concentreerde zich op de plek waar ze gestorven was.

Samen, dacht hij en hij stak de loop in zijn mond en haalde de trekker over.

Eleonor veegde met de achterkant van haar hand over haar voorhoofd.

'De filet is klaar', zei ze. 'Hoe is het met de gratin?'

Thomas deed de klep van de oven open, stak een priem in het midden van de schotel.

'Nog even.'

'Zullen we er folie overheen leggen tegen het verbranden?'

'Ik geloof dat het wel goed gaat', zei Thomas.

Eleonor spoelde haar handen af onder de keukenkraan, droogde ze af aan haar schort, slaakte een diepe zucht.

'Heb ik blosjes gekregen?' vroeg ze glimlachend.

Hij slikte, glimlachte terug.

'Het ziet er bijzonder charmant uit', zei hij.

Ze maakte de knoop op haar rug los, hing het schort op zijn haakje en ging naar de slaapkamer om andere schoenen aan te doen. Thomas liep met de sla naar de eetkamer, zette de kom tussen de kristallen glazen, het Engelse beenderporselein en het zilveren bestek. Keurde de tafel, een koude antipasto als voorgerecht, servetten, mineraalwater, salade, alles stond waar het moest staan, behalve de wijn.

Hij zuchtte, was moe, had zin om op de bank te gaan liggen, hij wilde tv kijken en nadenken over zijn project. De hele middag had hij in het rapport zitten lezen, hij had de verhalen gelezen van mensen die vertelden hoe het voelde wanneer je van een bijstandsuitkering moest leven, hoe een bestaan net boven het bestaansminimum het uiterste van hen vergde. Hoe ongemakkelijk ze zich voelden wanneer ze moesten uitleggen waarom de kinderen nieuwe gymschoenen nodig hadden, hoe gestrest de ambtenaren van de sociale dienst waren, hoe vernederend het was om steeds maar weer om aalmoezen te moeten vragen. Dat ze gedwongen werden te kiezen tussen het herstellen van hun gebit en het ophalen van hun medicijnen. Dat ze nooit geld hadden voor vlees. Dat hun kinderen smeekten om schaatsen of om een fiets.

De wanhoop van de mensen had zich in hem geboord, liet hem niet los, bleef zeuren als een wond.

Stel je voor dat ik de macht had om dingen te veranderen, dacht hij terwijl hij zijn ogen dichtdeed en een diepe zucht slaakte.

Op dat moment hoorde hij buiten op de oprit autodeuren dichtslaan, hij wachtte op het welbekende geluid, het geknars van gruis tegen ijs.

'Ze zijn er!' riep hij richting slaapkamer.

De deurbel klingelde, de gebruikelijke broze melodie, Thomas droogde zijn handen af en liep naar de hal om open te doen.

'Welkom, kom binnen, doe je jas uit, zal ik je helpen met je bontjas...?'

Nisse van de bank, de vestigingsdirecteuren van Täby en Djursholm en verder de regiomanager uit Stockholm, drie mannen, een vrouw.

Op het moment dat hij de drankjes aan het serveren was, kwam Eleonor aangelopen, koel, glimlachend, mooi.

'Wat leuk dat jullie er zijn', zei ze. 'Welkom!'

'We hebben natuurlijk ook een hoop te vieren', zei de regiomanager. 'Wat wonen jullie hier trouwens prachtig!'

Hij gaf Eleonor een paar stevige zoenen op beide wangen, Thomas zag tot zijn ergernis dat ze bloosde.

'Dank je, we wonen hier met heel veel plezier.'

Gluurde naar Thomas, hij glimlachte wat geforceerd.

Ze toastten.

'Willen jullie het huis zien?' vroeg Eleonor.

Enthousiaste uitroepen, het gezelschap droop af, Thomas bleef alleen achter in de salon. Hij hoorde hoe de heldere stem van zijn vrouw opklonk tussen de wanden.

'We denken erover de keuken te verbouwen,' zei ze opgewekt, 'eigenlijk willen we een gasoven plaatsen, we zijn namelijk dol op koken, een open vlam geeft zo veel sfeer... En we willen een marmeren vloer met vloerverwarming, het liefst groen, dat straalt zo veel rust uit... En hier hebben we het souterraingedeelte, daar hadden we de wijnkelder gedacht, we zijn tot de conclusie gekomen dat we wat meer aandacht aan onze collectie moeten besteden...'

Hij zette zijn drankje weg, merkte dat zijn hand trilde. Hoezo wijnverzameling? De ouders van Eleonor hadden een goede wijnkelder op het platteland, stuk voor stuk kwaliteitswijnen, maar aan een eigen verzameling waren ze verdomme nog helemaal niet toegekomen, daar hadden ze volstrekt geen tijd voor gehad.

Plotseling voelde hij de paniek komen opzetten, hij kreeg het koud tot op het bot.

Nee, smeekte hij, niet nu, laat me in ieder geval deze avond doorkomen, dit is zo belangrijk voor Eleonor.

Hij ging naar de keuken, maakte de fles rode wijn open zodat die kon luchten, liet de kurk van de mousserende wijn knallend wegschieten, vulde de champagneglazen.

'Wat een heerlijk huis!' zei de regiomanager toen ze weer bovenaan de trap van het souterrain verschenen. 'En wat grappig met al die verschillende niveaus.'

Thomas probeerde te glimlachen, maar slaagde daar niet bijzonder goed in.

'Zullen we gaan zitten?' vroeg hij.

Eleonor glimlachte nerveus.

'In alle eenvoud, hoor', zei ze. 'Thomas en ik werken natuurlijk enorm intensief allebei, Thomas is financieel directeur bij de gemeente Vaxholm.'

'Administrateur van de sociale dienst', zei Thomas.

Eleonor liep naar de eetkamer, gaf een toelichting bij de tafelschikking.

'Nisse, als jij hier wilt gaan zitten, Leopold, hier naast mij, Gunvor...'

De gasten prezen het eten en de wijn, de stemming werd algauw uitgelaten. Thomas hoorde flarden van gesprekken, over winsten, resultaten, de markt. Probeerde te eten, maar kreeg geen hap door zijn keel, hij voelde zich slap en duizelig. Ten langen leste tikte de regiomanager tegen zijn glas.

'Ik zou een toast willen uitbrengen op Eleonor,' zei hij plechtig, 'onze gastvrouw deze gezellige avond, voor haar fantastische resultaten op de bank het afgelopen jaar. Je moet weten, Eleonor, dat jouw successen, jouw vastberadenheid en jouw enthousiasme niet ongemerkt aan het management voorbij zijn gegaan. Proost!'

Thomas keek naar zijn vrouw, Eleonors wangen waren helemaal roze geworden van alle complimenten.

'En als klap op de vuurpijl zal ik vanavond al onthullen hoe het management van de bank deze tevredenheid tot uitdrukking wil brengen.'

De vier bankdirecteuren rechtten hun rug, Thomas wist dat dit de clou van het etentje was, nu kwam het lokkertje.

'Jullie vertegenwoordigen de kantoren met de beste resultaten van Svealand', zei de regiomanager. 'Het rendement op eigen vermogen is dit jaar weer toegenomen, bovendien spreekt uit de enquêtes die we gehouden hebben onder onze particuliere en zakelijke klanten een enorme waardering.'

Hij liet een kunstmatige pauze vallen.

'Ik kan tevens onthullen dat het onderzoek onder het personeel naar hun oordeel over de vestigingsdirecteuren afgerond is, en ook daaruit blijkt dat jullie bij de top horen. Dat is de reden', zei hij met een tevreden glimlach, 'dat de hoofddirectie heeft besloten om zowel jullie bonus als jullie winstaandeel te verhogen.'

Eleonor hapte naar lucht, haar ogen glansden van verrukking.

'En!' zei de regiomanager terwijl hij over de tafel naar voren leunde, 'jullie zullen tevens het voorrecht krijgen volgend jaar deel te nemen aan het aandelenoptieprogramma van de hoofddirectie!'

Nu konden de vier bankdirecteuren zich niet langer inhouden, ze lieten kleine jubelende kreetjes ontsnappen.

'Bovendien', zei de regiomanager, 'zal jullie een zeer voordelig pakket aan ziektekostenverzekeringen toebedeeld worden dat door de bank wordt betaald. Dat betekent dat niet alleen jullie alle wachtlijsten zullen kunnen omzeilen, maar ook jullie wederhelften!'

Eleonor keek Thomas aan, uitzinnig van blijdschap.

'Heb je dat gehoord lieverd, is het niet fantastisch!'

Daarna richtte ze zich tot de regiomanager.

'O Leopold, hoe moeten we dit ongelofelijke gebaar van de directie ooit waarmaken, wat een verantwoordelijkheid!'

De regiomanager ging staan.

'Op onze gemeenschappelijke successen!'

De anderen volgden hem.

'Op onze gemeenschappelijke successen!'

Thomas merkte plotseling dat hij moest overgeven. Hij stormde de eetkamer uit, rende de gang door naar de badkamer, deed de deur op slot, liet zich over de toiletpot vallen, ademde stootsgewijs. Het zweet gutste van zijn voorhoofd, hij had het gevoel of hij ieder moment kon gaan flauwvallen.

Eleonor klopte voorzichtig op de deur.

'Lieverd, hoe gaat het? Wat is er gebeurd?'

Hij gaf geen antwoord, wilde alleen maar huilen.

'Thomas!'

'Ik voel me niet goed', zei hij. 'Ga jij maar naar de gasten, ik ga naar bed.'

'Maar ik had gedacht dat jij de koffie zou doen!'

Hij deed zijn ogen dicht, in zijn keel brandde het bittere zuur van een onderdrukte oprisping.

'Ik kan het niet', fluisterde hij. 'Het gaat niet langer.'

Vrijdag 7 december

Annika werd om drie minuten voor zes wakker. Ze had dorst en honger als een paard. De winternacht aan de andere kant van het raam was nog ondoordringbaar, zwart en koud. Ze lag op haar zij, keek naar de lichtgevende wijzer van de wekker, hij zou over achttien minuten afgaan.

Ze moest om zeven uur in het Söder Ziekenhuis zijn. In verband met de narcose mocht ze niets eten of drinken. Ze zou een buisje in haar baarmoederhals krijgen dat de baarmoedermond zou openen zodat de inhoud afgezogen kon worden.

Een jongetje, dacht ze. Blond, net als zijn vader.

Ze rolde zich op haar rug, keek naar het plafond, vond geen patronen, het was te donker.

Ik hoef me niet te haasten. Ik heb tijd genoeg.

Deed haar ogen dicht, luisterde naar de pasgeboren dag die langzaam maar zeker begon te ademen. Om zes uur sloeg de ventilator op de binnenplaats aan, de remmen van de bus, lijn 48, piepten, de tune van het vroege radionieuws plantte zich voort door de dwarsbalken van de buren schuin beneden haar. Welbekende geluiden, warm, vriendelijk. Ze rekte zich uit, de armen omhoog, ze legde ze onder haar nek, staarde de duisternis in.

De oude militair verscheen voor haar geestesoog, somber, verbitterd, eenzaam. Hij geloofde niet in de mens, alleen maar in de staat, koos daarvoor, mensen hebben altijd een keuzemogelijkheid.

Aida was sluipschutter geweest, een moordenaar, daar had zij voor gekozen. We worden allemaal gevormd door onze omstandigheden, maar toch is de keuze aan ons.

Annika voelde plotseling het gewicht van de zware ketting in haar handen, ging rechtop zitten, vond het slotje, kreeg het met enige moeite open, legde het sieraad voor haar wekker op het nachtkastje. De lichtgevende wijzers reflecteerden lichtgroen in het metaal.

Wilde de dankbaarheid van de moordenares niet hebben.

Ze zette het alarm van de wekker af, gooide het dekbed opzij, deed haar ochtendjas en laarzen aan, greep haar badkamertas en rende naar de doucheruimte aan de andere kant van de binnenplaats. Waste haar haar en poetste haar tanden, spoelde haar mond zorgvuldig vanwege de narcose.

Liep de trap op naar haar appartement, misschien moest ze toch maar een ochtendkrant nemen, het kon leuk zijn om tijdens het ontbijt te lezen. Deed de koelkast open, ze had jus d'orange, yoghurt, eieren, bacon, verse roomkaas met knoflook, luchtgedroogde Italiaanse ham, gisteravond had ze boodschappen gedaan bij de shit-Ica. Staarde in de koelkast, haar ene hand lag op de handgreep, de andere liet ze naar haar buik glijden.

De keuze is altijd aan onszelf.

Haalde diep adem, wat simpel eigenlijk, begon plotseling te lachen, het was toch ook eigenlijk volstrekt niet moeilijk.

Pakte de jus d'orange, schonk zich een groot glas in, deed de kookplaat aan, zette de koekenpan erop.

Dronk of haar leven ervan afhing.

Brak eieren in de pan, deed er stukjes bacon bij. Roosterde een paar boterhammen, besmeerde ze met roomkaas en at ze op terwijl ze in de omelet roerde.

At of haar leven ervan afhing.

Voelde het eten in haar maag landen, dronk van de hete koffie, voelde hoe de warmte zich verspreidde, hoe de cafeïne haar oppepte. Stak de kandelaar op tafel aan, het huwelijksgeschenk van oma, de messing kandelaar uit Lyckebo, zag de vlam fladderen en dansen. Glimlachte naar het spiegelbeeld in het raam, de vrouw in de ochtendjas met het natte haar, de vrouw met de kaars, die een kind zou krijgen.

Ging naar de slaapkamer, deed de lamp aan het plafond aan, zag het goud glinsteren op het nachtkastje. Kleedde zich aan, pakte de ketting, woog die op haar hand.

Zwaar. Verdomde zwaar.

Voor het eerst in meer dan een maand liep ze naar de kamer achter de keuken, de naakte dienstbodekamer waar niets stond behalve een tafel in de hoek en een stoel met een kapotte rugleuning. Ze gebruikte het vertrek niet, zag het nog steeds als Patricia's kamer.

Hier, dacht ze, hier kun je zitten schrijven.

Keek op haar horloge, bijna zeven uur. Dan ging de goudsmid

aan de overkant van de straat open. Ze was daar een keer bij vergissing binnengelopen toen ze een paar oorbellen wilde kopen voor Anne Snapphanes verjaardag. Een grote kale man met een dik leren schort en een tang in de hand was plotseling voor haar verrezen, overrompeld had ze de adem ingehouden en vervolgens gevraagd of ze hier goed was. Dat was ze, de goudsmid verkocht inderdaad gouden oorbellen, van pure schrik had ze een paar achterlijke ouwewijvendruppels gekocht.

Ze blies de kaars uit, droogde haar haar met een handdoek, zette een muts op, trok haar jas en schoenen aan en ging naar beneden.

Het had 's nachts gesneeuwd, op de trottoirs lag nog steeds een zacht dek. Haar voeten lieten een spoor achter dat begon bij haar deur, de straat overstak en eindigde bij de deur van de winkel.

De zaak was open, hetzelfde dikke schort, hetzelfde vrolijke gezicht.

'Vroeg op pad', zei hij opgewekt. 'Kerstcadeautjes?'

Ze glimlachte, schudde het hoofd en liet de halsketting van Aida zien.

'Dat is een flinke zeg', zei de goudsmid toen hij de ketting in zijn handen woog.

Annika zag het metaal fonkelen in zijn enorme knuisten, hij kon vast en zeker wel iets moois maken van de dankbaarheid van de moordenares.

'Is het goud?' vroeg ze.

De man kraste even in het metaal, vlak bij het slotje, draaide zich om en prutste met iets.

'Minstens achttien karaat', zei hij. 'Wil je ervanaf?'

Annika knikte, de goudsmid legde de ketting op een weegschaal.

'Die ketting is verrekte zwaar', zei hij. 'Honderdnegentig gram, achtenveertig kronen het gram.'

Hij zette een zakrekenmachine aan.

'9120 kronen, is dat goed?'

Weer een knik. De man liep naar een achterkamer, kwam terug met het geld en een kwitantie.

'Kijk eens', zei hij. 'Jaag het er nu niet allemaal in één keer doorheen.'

Ze glimlachte wat.

'Jawel,' zei ze, 'dat was ik nou net van plan.'

De computerjongens om de hoek gingen eigenlijk niet voor negen uur open, maar ze zag een van hen in een kamer achter de winkel op een toetsenbord zitten beuken. Ze klopte op de ruit, de jongen keek op, ze glimlachte en gebaarde, hij liep naar de winkel en deed de deur van het slot.

'Ik weet dat ik vroeg ben,' zei Annika, 'maar ik wil een computer kopen.'

Hij trok de deur open, lachte wat.

'En je houdt het niet tot we open zijn?'

Ze glimlachte.

'Hebben jullie er een voor 9120 kronen?'

'Mac of pc?' vroeg hij.

'Kan me niet schelen,' zei ze, 'als hij maar niet voortdurend crasht.'

De jongen keek om zich heen, het was een chaos in de winkel. Ze verkochten nieuwe en gebruikte computers, repareerden ze, programmeerden, pleegden onderhoud, boden support en bouwden websites, dit alles volgens het bord achter het raam. Annika kwam ongeveer acht keer per dag langs hun winkel en haar indruk was dat ze vooral computerspelletjes deden.

'Deze', zei de jongen en hij tilde een grijze bak op van een tafel. 'Deze is enigszins gebruikt, maar heeft een nieuwe processor en een ontzettend groot geheugen. Waar heb je hem voor nodig?'

'Als typemachine', zei Annika. 'En om een beetje te surfen.'

De computerjongen klopte op de bak.

'Daar is-ie hartstikke goed voor. Alles zit er al in, programma's als Word, Excel, Explorer...'

'Ik neem hem,' onderbrak ze hem, 'en een beeldscherm en zo.'

De jongen aarzelde.

'Moet je alles hebben voor die negenduizend?'

'9120 De harde schijf is natuurlijk gebruikt.'

Hij zuchtte.

'Oké dan, maar alleen omdat het zo verrekte vroeg is.'

De jongen liet haar alleen in de winkel, liep naar de achterkamer en kwam terug met een kleine monitor.

'Deze is niet zo groot, maar hij heeft een TCO-keurmerk', zei hij. 'Geeft dus niet zo'n hoop straling af, daar moet een mens voorzichtig mee zijn. Zelf word ik duizelig van oude beeldschermen, het kruipt in je hersenen. Verder nog iets? Diskettes?'

'Ik heb niet meer dan 9120 kronen.'

Hij zuchtte weer, pakte een papieren zak en stopte er een paar luidsprekers in, een muis, een muismat, een paar doosjes diskettes, kabels en een toetsenbord.

'En een printer', zei Annika.

'Nou moet je ophouden', zei de jongen. 'Voor 9120 kronen?'

'Ik wil best een gebruikte', zei Annika.

Hij ging weer naar het magazijn en kwam terug met een grote doos waar 'Hewlett' op stond.

'Nu heb je de harde schijf gratis', zei hij. 'Nog iets anders waarmee we van dienst kunnen zijn?'

Ze lachte.

'Nee dank je, maar hoe krijg ik dit thuis?'

'Daar', zei de jongen, 'loopt de grens. Je zult er zelf mee moeten sjouwen. Ik weet dat je in de buurt woont, ik heb je eerder gezien.'

Annika's wangen werden warm.

'O ja?'

Hij glimlachte wat gegeneerd, best lief, donkere krullen.

'Je loopt hier altijd langs,' zei hij, 'en je hebt altijd haast. Je moet een interessant leven hebben.'

Ze haalde diep adem.

'Ja,' zei ze, 'dat heb ik ook. Maar ik ben niet zo sterk, ik denk dat ik wel wat hulp kan gebruiken met al die spullen.'

Hij kreunde en rolde met zijn ogen, pakte de printer wat beter vast en liep naar de deur.

'Ik hoop dat het niet ver is', zei hij.

'Bovenste verdieping', zei Annika met een glimlach. 'Geen lift.'

Toen ze met haar blocnote aan de tafel in de dienstbodekamer ging zitten, begon de hemel lichter te worden. Ze keek naar het gebouw aan de straatkant, zag de strooien sterren heen en weer bewegen.

Dit is een prima kamer, dacht ze, waarom heb ik er niet eerder gebruikt van gemaakt?

Ze nam het materiaal steeds weer opnieuw door, schreef, wiste, wijzigde. Ging er zo in op dat ze tijd en plaats vergat, ze liet de woorden vloeien en de letters dansen.

Kreeg plotseling weer honger, rende naar beneden en haalde een pizza bij de afhaal om de hoek, at die op achter de computer.

Toen ze alles geprint had, inkjetprinter, vreselijk langzaam, begon het donker te worden. Ze stopte de papieren in een plastic hoesje, zette de tekstbestanden op een diskette en liep naar het hoofdbureau van politie.

'Je kunt hier niet zomaar binnen komen stiefelen, hoor', zei Q geërgerd toen hij haar in de receptie tegenkwam. 'Wat wil je?'

'Ik heb een artikel geschreven waar ik jouw commentaar op wil hebben', zei ze.

Hij kreunde luid.

'Het is natuurlijk net zo belangrijk als al die andere keren?'

'Yep.'

'We gaan naar het café.'

Ze namen plaats in het eetcafé om de hoek, bestelden koffie en broodjes, Annika haalde haar plastic map te voorschijn.

'Ik weet niet of dit gepubliceerd gaat worden', zei ze. 'Meteen na ons gesprek ga ik naar de krant om ze het materiaal te geven.'

De rechercheur keek haar onderzoekend aan, pakte de papieren. Las zwijgend, bladerde, las nog eens.

'Dit', zei hij, 'is een compleet overzicht van de activiteiten van de Joegoslavische maffia, zowel internationaal als in Zweden. Alle opslagplaatsen, hoofdkwartieren, voertuigen, contacten, procedures...'

Ze knikte, hij staarde haar aan.

'Dit is toch godverdomme niet te geloven', zei hij. 'Waar heb je deze gegevens in vredesnaam vandaan?'

'Ik heb twee TIR-verzegelingen in mijn tas', zei ze.

Hij leunde plotseling achterover in zijn stoel, liet zijn armen over de rugleuning hangen.

'Nu begrijp ik het', zei hij. 'Jij verstaat de kunst mensen van het leven te beroven.'

Annika verstijfde, een messteek in haar borst.

'Hoe bedoel je?'

Hij staarde haar seconden lang aan, herinnerde zich het rapport op zijn bureau, de zelfmoord in het Sergel Plaza gisteravond, de Joegoslavische kolonel met de diplomatenpas.

'Niets', zei hij.

Leunde weer naar voren, dronk zijn koffie op.

'Niets. Dat was stom. Sorry.'
'Wat denk je?' zei ze. 'Kloppen de gegevens?'
Hij dacht langdurig na.
'Voordat ik er uitspraken over doe, moet ik het controleren. Die pizzeria in Göteborg bijvoorbeeld, heeft misschien geen donder met de maffia te maken.'
Ze zuchtte geruisloos.
'Wanneer kun je het checken?' vroeg ze zacht.
'Hopelijk', zei hij, 'voordat jij alle feiten publiceert, want naderhand schijnt het niet meer zo actueel te zijn.'
'Ik moet eerst de bevestiging', zei ze. 'Ik heb maar één bron.'
Hij keek haar indringend aan.
'En als ik niet wil?'
Ze boog naar voren, ging nog zachter praten.
'Het enige wat ik van je vraag, is of je een beetje wilt rondbellen en mij wilt vertellen of de gegevens steek houden of niet.'
'Ik moet in die panden kijken om het te kunnen bevestigen,' zei hij, 'en op het moment dat we op de eerste deur kloppen, gaat het alarm af. Dan is het te laat.'
Ze knikte.
'Oké', zei ze. 'Daar heb ik aan gedacht. Als we het nou zo doen: ik heb gedetailleerde informatie gekregen over de favoriete verblijfplaatsen, hoofdkwartieren en opslagplaatsen van de maffia, maar aangezien ik die informatie niet bevestigd kan krijgen, kan ik er niet mee naar buiten komen. Dat houdt in dat ik de situatie in algemene bewoordingen kan beschrijven, maar niet in detail. De adressen zijn natuurlijk niet het belangrijkste. Wanneer jij je controle uitgevoerd hebt, hebben we het antwoord, is het niet zo?'
Hij aarzelde, knikte.
Ze glimlachte nerveus.
'Kan ik aannemen dat de politie binnenkort op een vroege ochtend een tamelijk gecoördineerde controle uitvoert? Misschien op de dag dat het eerste deel van het verhaal gedrukt wordt?'
'En wanneer is dat?'
'Welke dag het gaat worden kan ik niet zeggen, maar de landelijke editie rolt altijd vlak na zessen van de persen.'
'Hoeveel mensen hebben de artikelen voor die tijd gezien?'
Ze dacht na.

'Minder dan twintig personen. De nachtploeg en de jongens in de drukkerij die de offsetplaten maken.'

'Dus er is geen risico dat het uitlekt? Oké, dan kan ik wel melden dat de controle een van de komende dagen om zes punt nul nul uur zal plaatsvinden.'

Annika pakte haar spullen bij elkaar.

'Ik kan denk ik alvast wel verraden dat we die ochtend tamelijk veel fotografen ter beschikking zullen hebben, zeg maar zo rond het starten van de persen.'

Q schoof zijn koffiekopje weg en stond op.

'We doen ons werk voor de burgers,' zei hij, 'voor niemand anders.'

Annika trok haar jas aan, ging ook staan.

'Wij ook', zei ze.

Anders Schyman bladerde door de vrijdagskrant, bestudeerde de foto op de voorpagina. Anneli uit Motala en haar ontwikkelingsgestoorde zoon Alexander, in de kou gezet door de gemeente, wanhopig, aan hun lot overgelaten. Het onderzoek van Calle Wennergren naar alle overtredingen van de gemeentewet waaraan de sociale dienst zich schuldig maakte, de nietszeggende uitvluchten van de wethouder.

Jezus, wat een ellende, dacht Schyman. Verlangde naar een whisky. Verlangde naar zijn vrouw, naar de hond, zijn luie stoel in hun huis in Saltsjöbaden. Het was een zware week geweest. Het plotselinge besluit van Torstensson toch aan te blijven als hoofdredacteur had hem meer geprovoceerd dan hij wilde toegeven. Maar Torstensson moest weg. Wilde de krant overleven, dan was er geen alternatief.

Schyman krabde op zijn hoofd, slaakte een zucht. Zijn inschatting was dat ze maximaal drie jaar de tijd hadden om het tij te keren. Het hing van hem af of de krant de omschakeling naar de nieuwe technieken en de nieuwe tijd zonder kleerscheuren zou doorstaan. Hij was van plan de strijd op te nemen, en hij wilde een whisky. Een grote. Nu.

Er werd op de deur geklopt, jezus nee, niet nu, hij kon niet meer, wat was er nu weer?

Annika Bengtzon stak haar hoofd naar binnen.

'Heb je even tijd?'

Hij deed zijn ogen dicht.

'Ik sta op het punt naar huis te gaan. Wat is er?'

Ze trok de deur achter zich dicht, ging voor zijn bureau staan, liet haar tas op de grond vallen, haar jas volgde.

'Ik heb een artikel geschreven', zei ze.

Halleluja, dacht hij.

'En?' zei hij.

'Ik denk dat jij het moet lezen. Je zou kunnen zeggen dat het controversieel is.'

'Is het heus?' mompelde hij. Hij pakte de diskette aan die ze hem toestak.

Draaide rond met zijn stoel, stopte het schijfje in de diskdrive, wachtte tot er een symbooltje op zijn bureaublad verscheen. Dubbelklikte, dit zou snel gaan.

De moed zonk hem in de schoenen.

'Maar dit zijn drie artikelen', zei hij.

'Begin maar met het eerste', zei ze terwijl ze op een van de ongemakkelijke bezoekersstoelen ging zitten.

Het was een lange tekst, een complete beschrijving van de organisatiestructuur van de Joegoslavische maffia in Belgrado, de werkterreinen, de verantwoordelijkheden van de verschillende groeperingen.

Tekst nummer twee was een verslag van de verbreiding van de Joegoslavische maffia in Zweden en bevatte de exacte adressen van de locaties die als uitvalsbasis werden gebruikt voor hun activiteiten op het gebied van drugs, sigaretten, illegale drank, mensensmokkel, bordelen...

Het derde bestand was een vergelijkbaar artikel, maar dan zonder adressen.

'Was jij niet ziek?' vroeg hij.

'Ik struikelde over een goed onderwerp', zei ze.

Hij las de artikelen nog een keer, zuchtte.

'Dit kunnen we niet publiceren', zei hij.

'Welk onderdeel bedoel je?' vroeg Annika.

Hij zuchtte nog een keer.

'Dat met die TIR-verzegelingen,' zei hij, 'te beweren dat de ambassade daarover beschikt, dat is toch absurd, hoe moeten we zoiets staven?'

Ze boog zich, griste een stapeltje documenten uit haar tas en legde ze op zijn bureau.
'Twee TIR-verzegelingen,' zei ze, 'gestolen op de Joegoslavische ambassade.'
Hij voelde zijn kaak naar beneden vallen, ze wroette opnieuw in haar tas.
'Wat het Zweedse gedeelte van de activiteiten betreft,' zei ze, 'weet ik dat de politie op dit moment bezig is een omvangrijke razzia voor te bereiden op alle adressen. Tegelijkertijd. Dat zal een van de komende dagen gebeuren, om zes uur 's morgens.'
'Hoe weet jij dat?' vroeg hij.
Ze keek hem recht in de ogen.
'Omdat ik de lijst aan de politie gegeven heb', zei ze. 'We moeten de publicatie afstemmen op hun razzia's.'
Hij schudde het hoofd.
'Waar ben je in vredesnaam mee bezig? Waar ben je in verzeild geraakt?'
'Ik heb de informatie uit betrouwbare bron, maar het is er slechts één. Ik weet dat de teksten in hun huidige vorm niet publiceerbaar zijn, aangezien ik eerst een bevestiging van de hele kwestie nodig heb. Alleen de politie kan me die bevestiging geven, en om dat mogelijk te maken, moet ik het ze toch vragen, of niet dan?'
Hij greep naar zijn hoofd.
'De eerste dag doen we het eerste en het derde artikel,' zei ze, 'de algemene beschrijving van de internationale structuur van de maffia en de situatie in Zweden, zonder details. Op het moment dat de krant van de persen rolt, zijn wij aanwezig bij de invallen van de politie. En zie daar, de artikelen voor dag twee. Na de onthulling van de *Kvällspressen*, bla, bla, je weet wel. Dag drie doen we reacties en commentaren, zowel van Zweedse als van Servische zijde. Officieel zal de ambassade de zuivering verwelkomen. De bewering dat de ambassade betrokken zou zijn bij een illegale activiteit ziet men als kwaadwillige propaganda, de verzegelingen zijn vervalsingen.'
Hij staarde haar aan.
'Hoe heb je dit in godsnaam allemaal bekokstoofd?'
De jonge vrouw haalde haar schouders op.
'Doe ermee wat je wilt. Ik heb de artikelen in mijn eigen tijd geschreven en verlang er geen betaling voor. De politie zal sowieso

haar invallen doen, of onze fotografen er nou bij zijn of niet. Het is aan jou om te beslissen of de *Kvällspressen* al dan niet op de trein springt. Ik ben namelijk ziek.'

Ze ging staan.

'Je weet waar je me kunt vinden', zei ze.

'Wacht', zei hij.

'Nee', zei ze. 'Ik ben die halfslachtige houding van jou zat. Ik wil niet langer ploeteren in de nachtdienst. Ik heb een computer gekocht en kan thuis schrijven, freelance, voor het geval ik niet goed genoeg mocht zijn om als verslaggever voor deze krant te werken. Jij bent toch redactiechef, je kunt toch wel een paar beslissingen nemen waar je achter staat.'

Ze liep zijn kamer uit en trok de deur achter zich dicht.

Hij staarde haar na, zag haar weglopen over de redactie, ze praatte met niemand, groette niet. Ze was lastig, een einzelgänger, en het was haar ernst. Ze was uitstekend geschikt als verslaggever en hij had een vacaturestop. Het was idioot om haar te laten gaan. In verhouding tot de andere verslaggevers werd ze bovendien bijzonder slecht betaald.

Hij pakte de telefoon en koos het interne nummer van de portier bij de entree. Zoals gebruikelijk op vrijdag had hij het geluk Tore Brand aan de lijn te krijgen.

'Annika Bengtzon is op weg naar beneden', zei hij. 'Kun jij haar voor me vangen?'

'Zie ik er soms uit als een beroepsvisser?' brieste de portier.

'Het is belangrijk', zei Schyman.

'Jullie daarboven zijn allemaal zo verschrikkelijk belangrijk...'

Hij wachtte met de hoorn in de hand, onder zijn schedeldak tuimelden de gedachten over elkaar heen. Het verhaal over de Joegoslaven was twijfelachtig, maar ontzettend goed. De samenwerking met de politie was controversieel, maar de snelste en zekerste manier om het waarheidsgehalte van het verhaal te controleren. Deze werkwijze zou vermoedelijk tot de een of andere discussie leiden, maar dat was in feite alleen maar een bonus. Hij hield er wel van om in de Persclub de krant en de persvrijheid te verdedigen. De tijd om een plaats in de openbaarheid in te nemen was aangebroken.

Buigen of barsten, dacht Anders Schyman.

'Bengtzon! Ik heb telefoon voor je!'

Het kraste en rammelde toen Tore Brand de hoorn door de opening van zijn glazen hok stak.

'Wat?' vroeg Annika Bengtzon.

'Vanaf 1 januari ben je verslaggeefster', zei Anders Schyman. 'Je mag kiezen tussen de middagdienst, de nacht, de misdaad of ditjes en datjes.'

Afgezien van het gefoeter van Tore Brand werd het doodstil aan de andere kant van de lijn.

'Hallo?' zei Schyman.

'Misdaad', zei Annika. 'Ik wil op de misdaadredactie werken.'

Ze hebben mij ter verantwoording geroepen.

Ze hebben me ingehaald. Gezamenlijk formuleren ze mijn aanklacht, mijn vonnis, mijn straf.

Het geweld, de schuld en de schaamte. Mijn drie wapendragers, mijn brandstof, mijn inspiratiebron.

Welkom!

Geweld, jij die als eerste je opwachting maakte, jij die mijn noodlot vormgaf, ik drukte jou aan mijn hart, maakte jou tot de mijne.

Die voorjaarsdag regende het de hele morgen, het was grijs, nat, 's middags werd het droog, een schuine zon boven de stad.

Ik rende naar het marktplein om boodschappen te doen, de wortelgewassen en de groenten waren van slechte kwaliteit, ik heb lang staan dubben welke ik zou nemen.

Ik zag de mannen tussen de huizen, zwarte kleren, zwarte alpinopetten.

Ik wist niet dat jij zou komen. Kende het gezicht van het geweld niet.

Ik stond voor het café van Stojiljković toen de man die Ratko bleek te heten, mijn vader uit de bakkerij sleepte. Ik zag hoe hij zijn pistool tegen mijn vaders slaap drukte en de trekker overhaalde. Ik zag Papi op straat in elkaar zakken, ik hoorde de schreeuw van mijn moeder. Nog een man in het zwart, hij schoot mama in de borst. Toen mijn schoonzus Mariam, de vrouw van mijn broer, ze was maar een jaar ouder dan ik, ze schoten haar keer op keer in de buik, ze was zwanger.

Daarna brachten ze Petar naar buiten, mijn broertje, mijn oogappel, nog maar negen jaar oud. Hij schreeuwde, o, wat schreeuwde hij, en toen viel zijn blik op mij, ik stond nog steeds voor het café van Stojiljković, hij rukte zich los, hij rende weg en schreeuwde, Aida, Aida, help mij Aida, zijn uitgestrekte handen, zijn bodemloze angst.

En ik verstopte mij.

Ik dook achter de schutting bij het café van Stojiljković, zag door de kieren hoe Ratko zijn wapen hief, zag hem richten en schieten.

Mijn Petar, mijn broertje, hoe kan ik ooit absolutie krijgen?

Jij lag op straat in de modder en je riep mijn naam, Aida, Aida, help mij, mijn Aida, en ik durfde niet naar je toe te lopen, ik durfde niet, ik huilde achter de schutting bij het café van Stojiljković en zag Ratko op je afkomen, zag hoe jij je gezicht naar hem toe wendde, ik zag hoe de man richtte en schoot.

Vergeef me, Petar, vergeef me.

Jij had niet eenzaam mogen sterven.

Vergeef me mijn verraad, welkom schaamte, welkom schuld.

Het was jullie beurt om het roer over te nemen.

En ik gebruikte het geweld om jullie op een afstand te houden.

De schuld heb ik genezen met de dood, het juiste type dood, de Servische dood. Dat hielp niet. Met iedere dood werd meer schuld geboren, meer haat, schaamte bij anderen die bedrogen.

Bij mij was de schaamte bestendig, ze was aanwezig in iedere ademteug, in ieder ogenblik van mijn leven, want de schaamte was het feit dat ik leefde.

Toen kreeg ik te horen dat Ratko, de leider van de Zwarte Panters, in Zweden was. Toen ik gewond raakte was het zover.

Ik moest sterk zijn om het geweld te gebruiken jegens de maker ervan, hij die het in mijn borst plantte. Ik drong door tot zijn kring, sliep met zijn mannen, sliep met hemzelf, maar alleen de dood was niet genoeg, hij moest ook de schuld en de schaamte ondervinden en ik saboteerde zijn werk, ik verwoestte zijn leven.

Ik heb medelijden met de jongemannen uit Kosovo, die arme stakkers die ik onder valse voorwendselen heb overgehaald mee te gaan. Ze hoefden alleen maar weg te rijden met de vrachtwagen, al het andere regelde ik, en toen stalen ze nota bene de verkeerde oplegger. De oplegger met de sigaretten staat nog steeds in de Vrijhaven van Stockholm, hoe ironisch toch.

Maar het geweld liet mij in de steek, weigerde te gehoorzamen.

Het begon met de storm, die gruwelijke storm die rukte en trok aan gebouwen en mensen.

Ik moest oneindig voorzichtig te werk gaan, klom op het dak, hees mijn tas er ook op.

De kolf en het mechanisme lagen in het ene vak. De loop, het vizier, de vlammendemper en het sluitstuk in het andere. Ik pakte de kolf en schroefde de loop vast. Monteerde de kast en bevestigde het vizier met een bajonetsluiting. Schroefde ten slotte de vlammendemper vast op de loop. Voor die korte afstand was een statief niet nodig.

Legde mijn linkerhand als steun tegen de nok van het dak, liet het geweer op mijn hand rusten, een Remington-sniper met plastic kolf.

Het was een groepje, drie personen, zwart in het gele licht, Ratko iets achter de anderen, ze vochten tegen de wind van zee.

Ik nam de eerste in het hoofd, het gat waar de kogel naar binnen ging zat tamelijk hoog, aan de zijkant. Een seconde voor de ontgrendeling, de andere viel. Nog een seconde, en Ratko was weg, opgeslokt door de storm.

Liet me van het dak glijden, heb het wapen snel in mijn tas gestopt, klauterde gauw naar beneden om niet in een val te lopen.

Maar het geweld liet mij in de steek. Ik moest vluchten. Mijn kracht verdween met de komst van mijn ziekte.

Toen ik mijn tijd had afgewacht, weer op de been was, heb ik contact opgenomen. Een afspraak gemaakt.

Wist dat hij zou komen.

Maar het geweld was niet met mij.

Het plein was gevuld met mensen, mijn plek waar ik vrij zicht zou hebben, boven op het dak van het Kulturhuset, was onbruikbaar.

Daarom moest ik hem op de grond nemen.

Toen hij de loop in mijn nek drukte, wist ik dat ik gewonnen had, wat er ook zou gebeuren.

'Nu is het genoeg', fluisterde hij. 'Je hebt verloren.'

Hij had het mis. Hij siste nog iets, zielig.

'Bijeljina,' fluisterde hij daarna, 'Bijeljina, weet je nog?'

Ik rukte me los, wist mijn pistool te pakken, een kinderwagen stond in de weg, toen hij me sloeg verloor ik mijn wapen, het gleed weg over de bestrating, ik zag mijn kans in rook opgaan, de harde kilte drukte in mijn nek.

Sprak mijn vonnis uit, het erfdeel van het geweld, de schuld, de schaamte.

'Jij kunt nooit winnen', fluisterde ik. 'Want ik heb jouw leven verwoest.'

Zag hem aan de rand van mijn gezichtsveld.

Glimlachte.

Aanklacht, vonnis, straf.

Absolutie.

Epiloog

Het was weer gaan sneeuwen, grote zachte vlokken daalden langzaam neer op het asfalt. Annika liep naar de Rålambshovsvägen, loom, zwaar, ze had de hele dag lopen eten. Onder in haar rug trok en stak het, ze was een beetje misselijk, het was het kind, het jongetje met de blonde lokken. Liep naar de taxistandplaats voor de cafetaria, ging op de achterbank zitten en vroeg de chauffeur naar Vaxholm te rijden.

'Er staan verschrikkelijk veel files', zei hij.

'Maakt niet uit', zei Annika. 'Ik heb alle tijd van de wereld.'

Het duurde veertig minuten voordat ze de stad uit waren. Annika zat op de warme achterbank, de autoradio speelde zachtjes oude Madonna-hits, etalages met kerstversiering gleden voorbij, opgewonden kinderen wezen enthousiast naar mechanische kabouters en plastic speelgoed. Ze probeerde een glimp van de hemel op te vangen, maar die was niet te zien achter de sneeuw en de grote aantallen lampions.

Ik vraag me af of ze op andere planeten ook een soort kerst vieren.

Op de snelweg was het minder druk en rijksweg 274 naar de kust was bijna uitgestorven. De akkers waren wit, lichtten de donkere middag op, de bomen hadden dunne jurken aan, bogen hun takken naar de grond.

'Waar moet je eruit?'

'De Östra Ekuddsgatan', zei ze. 'Rij er eerst maar langs, ik wil kijken of ze thuis zijn.'

Ze wees aan waar hij moest afslaan. Toen de taxi rechts afsloeg, de steile helling op, sloegen de zenuwen toe. Haar mond werd droog en het zweet stond haar in de handpalmen, haar hart begon te bonzen. Ze rekte zich uit om beter te kunnen kijken, welk huis was het?

Daar. Ze zag het. Mexi-steen, zijn groene Toyota voor de deur. Binnen brandde licht, er was iemand thuis.

'Zal ik hier stoppen?' vroeg de chauffeur.

'Nee!' zei ze. 'Doorrijden!'

Wierp zich achterover tegen de rugleuning, keek de andere kant op toen ze langs het huis gleden, onzichtbaar.

Ze waren aan het eind van de straat gekomen, kwamen weer uit op de grote weg.

'En nu?' vroeg de chauffeur. 'Moeten we terug naar Stockholm?'

Annika deed haar ogen dicht, hield haar vuisten gebald onder haar neus, haar hart ging als een razende tekeer, ze was compleet buiten adem.

'Nee', zei ze. 'Rij nog maar een rondje.'

De taxichauffeur zuchtte, wierp een blik op de taxameter. Het was zijn geld niet.

Ze reden nog een keer rond, Annika bestudeerde de villa toen ze erlangs gleden, wat een lelijk huis. Aan zee, zeker, maar plat, jaren zestig.

'Stop na de volgende bocht', zei ze.

Het was duur, ze betaalde met een creditcard. Toen ze uitgestapt was, bleef ze staan. Ze zag hoe de auto weggleed in de duisternis en de sneeuwvlokken, zag de remlichten opgloeien, de richtingaanwijzer die de weg naar de stad aanwees. Ze slaakte een diepe zucht om haar ademhaling en hartslag weer tot bedaren te brengen, tevergeefs. Stak haar handen, kletsnat van de zenuwen, diep in de zakken. Liep langzaam terug naar het huis, de villa van Thomas en zijn vrouw, de Östra Ekuddsgatan, de goudkust.

De buitendeur was bruin en zat goed in de verf, aan beide zijden bevond zich een in lood gevat, gekleurd zijlicht. Een bel met naambordje, Samuelsson.

Ze deed haar ogen dicht, kon haast niet ademen, begon bijna te huilen.

Een onnozel melodietje pingelde aan de andere kant van de deur.

Er gebeurde niets.

Ze belde nog een keer aan, plingelingeling.

Toen deed hij open, zijn haar recht overeind, zijn overhemd open, op kousenvoeten, een pen in de mond.

Ze perste lucht in haar longen, de tranen prikten in haar ogen.

'Hoi', fluisterde ze.

Thomas staarde haar aan, lijkbleek, nam de pen uit zijn mond.

'Ik ben geen spook', zei ze, de tranen begonnen te stromen.

Hij deed een stap achteruit, hield de deur open.

'Kom binnen', zei hij.
Ze stapte de hal binnen, merkte plotseling dat ze het koud had.
Hij deed de deur weer dicht, schraapte zijn keel.
'Wat is er?' vroeg hij voorzichtig. 'Wat is er gebeurd?'
'Sorry', zei ze met een dikke stem. 'Sorry, het was niet mijn bedoeling te gaan grienen.'
Gluurde naar hem, shit, ze werd altijd zo lelijk als ze jankte.
'Heb je hulp nodig?' vroeg hij.
Annika slikte.
'Is ze... thuis?'
'Eleonor? Nee, ze is nog op de bank.'
Annika ontdeed zich van haar jas, schopte haar schoenen uit. Thomas verdween in een ruimte rechts van haar, ze bleef in de hal staan, keek om zich heen. Meubels van het merk R.O.O.M., wat erfstukken, lelijke schilderijen. Een trap naar het souterrain.
'Mag ik verder komen?'
Ze wachtte zijn antwoord niet af, volgde hem naar de keuken. Thomas stond bij het aanrecht, schonk koffie in.
'Wil je ook?' vroeg hij.
Ze knikte, ging zitten.
'Werk je niet?'
Hij zette twee mokken op de keukentafel.
'Jawel,' zei hij, 'maar ik heb vandaag thuis gewerkt. Ik heb een onderzoeksopdracht gekregen van de Vereniging van Zweedse Gemeenten, ik zal voorlopig gedeeltelijk thuiswerken en gedeeltelijk in de stad.'
Annika verborg haar handen onder het tafelblad, probeerde ze te laten ophouden met beven.
'Is er iets gebeurd?' vroeg hij en hij ging zitten, keek haar aan.
Ze keek hem recht in de ogen, zuchtte, kon niet voorspellen hoe hij zou reageren, had geen idee.
'Ik ben in verwachting', zei ze.
Hij knipperde met zijn ogen, zag er net zo uit als ervoor.
'Wat?' zei hij.
Ze schraapte haar keel, maakte vuisten onder het tafelblad, liet zijn blik niet los.
'Jij bent de vader. Daar bestaat geen enkele twijfel over. Ik ben met niemand anders geweest sinds... Sven stierf.'

Ze staarde naar de tafel, voelde zijn blik.
'In verwachting?' vroeg hij. 'Van mij?'
Ze knikte, de tranen begonnen weer te branden.
'Ik wil dit kind hebben', zei ze.
Op dat moment ging de voordeur open, ze voelde hoe Thomas verstijfde, haar polsslag sloeg op hol.
'Hallo? Lieverd?'
Eleonor veegde haar voeten, borstelde haar jas af, deed de deur achter zich dicht.
'Thomas?'
Annika keek naar Thomas, hij staarde terug, zijn wangen bleek, sprakeloos.
'In de keuken', zei hij en hij stond op, liep naar de hal.
'Wat een weer', zei Eleonor, Annika hoorde hoe ze haar man een kus op de wang gaf. 'Ben je al met het eten begonnen?'
Hij mompelde iets, Annika staarde door het raam naar buiten, verlamd. In het raam zag ze hoe Eleonor de keuken binnenkwam en plotseling bleef stilstaan.
'Dit is Annika Bengtzon,' zei Thomas met bevende stem, 'de journaliste die de artikelen over stichting Het Paradijs geschreven heeft.'
Annika haalde diep adem, keek op naar Eleonor.
De vrouw van Thomas, mosgroen pakje zonder revers, smalle gouden ketting om de hals.
'Wat leuk', zei zijn vrouw. Ze stak glimlachend haar hand uit. 'Je weet zeker wel dat jouw artikel een echte carrièresprong voor Thomas heeft bewerkstelligd?'
Annika begroette haar, haar hand ijskoud en vochtig, haar mond kurkdroog.
'Thomas en ik krijgen een kind', zei ze.
De vrouw bleef glimlachen, verscheidene seconden. Thomas trok wit weg achter de rug van zijn vrouw, deed zijn handen voor zijn gezicht en liet zich op een stoel zakken.
'Wat?' zei Eleonor, nog steeds glimlachend.
Annika liet de hand van de vrouw los, richtte haar blik op de tafel.
'Ik ben zwanger. We krijgen een kind.'
Eleonor hield op met glimlachen, draaide zich om, staarde Thomas aan.

'Wat is dit voor grap?' zei ze.

Thomas gaf geen antwoord, streek zijn haar naar achteren, deed zijn ogen dicht.

'Een van de laatste dagen van juli volgend jaar', zei Annika. 'Ik denk dat het een jongetje is.'

Eleonor draaide zich vliegensvlug om, staarde Annika aan, alle kleur verdween uit het gezicht van de vrouw, het wit van haar ogen werd smaller, kleurde rood.

'Wat heb je gedaan?' siste Eleonor. Annika ging staan en liep achteruit, Eleonor draaide zich weer om naar Thomas.

'Wat heb je gedaan? Heb je met díé geslapen?'

Thomas zag zijn echtgenote op zich afkomen, hij verplaatste zich niet, staarde naar de vloer.

'Godverdomme!' zei de vrouw met verstikte stem. 'Zo maar een beetje ziekten en andere shit mee naar huis nemen, naar míj.'

Thomas keek zijn vrouw recht in de ogen.

'Eleonor, ik... het is gebeurd.'

'Het is gebéúrd? Hoe kon het gebeuren, Thomas? Met welk lichaamsdeel denk jij?'

Hij veegde over zijn voorhoofd, Annika had het gevoel of haar hersenen samengeperst werden, nu ga ik dood, om te voorkomen dat ze zou omvallen, hield ze zich aan de keukentafel vast.

Eleonor probeerde zichzelf onder controle te krijgen.

'Snap je wel wat dit betekent?' zei ze. 'Achttien jaar lang moet je betalen, gedurende de hele jeugd van dit kind ben jij financieel verantwoordelijk. Was dat het waard? Hè?'

Thomas staarde zijn vrouw aan alsof hij haar niet kende.

'Jij bent compleet ongelofelijk', zei hij.

Eleonor probeerde te lachen.

'Ik?' zei ze. 'Ben ik degene die hier een fout gemaakt heeft? Jij bent ontrouw geweest en komt doodleuk aanzetten met een onecht kind. Denk je dat ik dat maar gewoon zal accepteren?'

Annika kon plotseling geen adem meer krijgen, er was geen zuurstof in dit huis, ze moest naar buiten, weg, naar huis, ze dwong zichzelf in beweging te komen, liep om de tafel heen, naar de hal en de voordeur, haar knieën beefden. Eleonor zag uit haar ooghoek wat ze deed, draaide zich naar haar toe, de verbittering stond in haar gezicht gekerfd.

'Mijn huis uit!' schreeuwde ze.

Annika bleef staan, liet de haat over zich heen komen, ving Thomas' blik, hield die vast.

'Ga je mee?' zei ze. Thomas staarde haar aan.

'Verdwijn, lóéder dat je bent!'

De vrouw nam een dreigende stap in haar richting, Annika bleef staan.

'Thomas,' zei Annika, 'kom met me mee.'

Thomas kwam in beweging, liep naar de hal, pakte zijn jas, Annika's jack.

'Wat doe je?' vroeg Eleonor verward. 'Waar ben je mee bezig?'

Hij liep naar zijn vrouw, wurmde zich in zijn jas, trok zijn schoenen aan.

'We moeten dit op een rijtje zetten', zei Thomas. 'Ik bel je.'

Zijn vrouw stond te hijgen, greep de revers van zijn jas beet.

'Als jij weggaat,' zei ze, 'als jij nu die deur uit loopt, dan ben jij hier nooit meer welkom.'

Thomas zuchtte.

'Eleonor,' zei hij, 'wees niet zo...'

'Bedríéger!' schreeuwde ze. 'Als jij nu weggaat, hoef je nooit meer terug te komen. Nóóit!'

Annika stond bij de voordeur, de hand op de knop, keek naar de rug van de man, zag het haar dat over zijn kraag hing, het glanzende sterke haar. Zag hoe hij zijn handen hief, die van zijn vrouw beetpakte.

O nee, hij blijft, ze zijn te sterk met elkaar verbonden, hij kan de band niet verbreken.

'Ik laat van me horen', zei hij.

Thomas draaide zich om, blik op de vloer, de lippen samengeperst.

Daarna keek hij Annika aan, zijn ogen helder en open.

'Kom, we gaan', zei hij.

Bericht van TT, het persbureau van de kranten
datum: 13 maart
afdeling: binnenland

Vervolgde oplichtster spreekt zich uit voor de rechtbank

STOCKHOLM (TT) De 31-jarige vrouw die de motor was achter stichting Het Paradijs heeft er nu eindelijk voor gekozen het stilzwijgen te doorbreken.
Maandag wordt het vonnis uitgesproken in de opzienbarende rechtszaak waarin zij onder meer is aangeklaagd voor het aanzetten tot moord.
'Deze zaak is een heksenproces geweest', zegt ze. 'De *Kvällspressen* heeft mijn hele leven verwoest.'

In december publiceerde de *Kvällspressen* een serie artikelen rond stichting Het Paradijs en haar activiteiten. De directeur van Het Paradijs, de 31-jarige vrouw, werd in de krant onder meer beschuldigd van poging tot fraude, onwettige bedreiging, mishandeling en het aanzetten tot moord.
'Ik heb nooit de kans gekregen mij te verdedigen', zegt de vrouw tegen TT. 'De krant was al gedrukt voordat ik goed en wel besefte wat er gaande was. Alles berust op misverstanden. Ik had het allemaal kunnen uitleggen.'
De krant had met verscheidene vrouwen gepraat die beweerden dat ze opgelicht zijn door jou.
'Men moet niet vergeten dat die mensen kapot zijn. Ze weten niet altijd wat voor hen het beste is. We waren een flink eind op weg om een van deze gezinnen te helpen, maar ze kozen ervoor ervandoor te gaan.'
Ook diverse gemeenten waren van mening dat ze het slachtoffer waren van pogingen tot fraude.

'Onze organisatie was helemaal nieuw. Nog niet alles liep soepel, dat is waar. Maar ons doel was om mensen te beschermen. Het was geen openbare zorginstelling. De clou van onze werkzaamheden was dat de bestaande instanties niet te veel toezicht mochten hebben. Dat konden sommige sociale diensten moeilijk verkroppen.'
Er is tegen jou een aanklacht ingediend wegens schending van het vertrouwen, het voeren van een dubieuze boekhouding, belastingontduiking, belastingfraude en het belemmeren van belastingcontrole.
'Ik heb geprobeerd een aantal ondernemingen te runnen in dit land, arbeidsplaatsen te scheppen. Sommige van de mensen met wie ik samenwerkte hebben mij laten vallen, hebben mij bedrogen. Maar ik heb werkelijk nog nooit geprobeerd iemand geld af te troggelen, noch het rijk, noch de gemeente of welke individuele schuldeiser dan ook. Ik heb problemen gehad met mijn financiën, dat is waar, maar de meeste van mijn schulden zijn inmiddels afgeschreven.'
De officier stelt dat jij verantwoordelijk bent voor de moord op Aida Begović op het Sergels Torg, vorig jaar november.
'Dat is het allerergste', zegt de vrouw, die moeite heeft haar stem onder controle te houden. 'Ik begrijp niet dat iemand zo wreed kan zijn dat hij mij van zoiets beschuldigt. Ik heb werkelijk alles voor Aida gedaan, maar ze was te zeer beschadigd door de oorlog om nog geholpen te kunnen worden.'
Je wordt ook aangeklaagd voor medeplichtigheid aan mishandeling en wederrechtelijke vrijheidsberoving. De aanklacht is ingediend door Thomas Samuelsson, de administrateur van de sociale dienst in Vaxholm?
'Hij was degene die zich crimineel gedroeg. Hij is het pand van de stichting binnengedrongen en hij heeft ons bedreigd. Mijn broer en ik hebben ons alleen maar verdedigd, maar we zijn te hardhandig geweest, en dat spijt mij.'
Ben je nerveus in verband met het aanstaande vonnis?
'Eigenlijk niet, ik vertrouw erop dat het recht zal zege-

vieren. Maar ik voel me gekrenkt. Verkeerd begrepen. Verpletterd. Drie jaar lang heb ik gewerkt aan het vormgeven en het op poten zetten van Het Paradijs, dat was de reden van mijn slechte financiële situatie. Maar ik heb alles op het spel gezet, en mijn enige doel was het helpen van andere mensen. De samenleving die mij in een dergelijke situatie heeft gebracht, is het predikaat geciviliseerd nauwelijks waardig.'

(nnnn)

Kort bericht van Associated Press
datum: 18 april
afd.: nieuws

Oorlogsmisdadiger start privé-leger

ZUID-AFRIKA (AP) De Servische oorlogsmisdadiger Ratko, verdacht van de bloedbaden in Vukovar en Bijeljina aan het begin van de oorlog in Bosnië, heeft in Zuid-Afrika een eigen beroepsleger opgezet. Dat melden bronnen in Kaapstad vandaag.
Het leger opereert in heel Midden- en zuidelijk Afrika in opdracht van zowel regeringen als multinationals.
Volgens zeggen heeft Ratko zijn leger opgebouwd met opbrengsten van de Servische sigarettensmokkel naar Scandinavië alsmede met geld dat hij van de Russische maffia heeft geleend.

(nnnn)

copyright: Associated Press

Londen, 4 juli

Hallo Annika,

Ik hoop dat je een vrolijk midzomerfeest hebt gehad!

Mijn gezin en ik hebben de feestdag op de traditionele manier gevierd in het zomerhuis dat we konden huren nadat we Het Paradijs hadden verlaten. Alles is goed met ons.

Ik stuur je dit briefje vanaf vliegveld Gatwick bij Londen. We moeten de tijd doden, over een paar uur kunnen we pas verder vliegen.

De verblijfsvergunning in ons nieuwe land is nu helemaal geregeld. Dit is onze laatste tussenlanding. Ik heb er moeite mee Zweden te verlaten, maar het zal daar veel beter zijn, vooral voor de kinderen.

Vriendelijke groeten,
Mia Eriksson

afd: binnenland
auteur: Sjölander
datum: 10 augustus
blz.: 1 van 2

De Russen nemen het over

De rust was van korte duur.
De misdaadcijfers liggen weer op hetzelfde niveau als voor de razzia die door de politie tegen de Joegoslavische maffia is uitgevoerd.
'De Russen hebben het overgenomen', zegt een politiebron tegen de Kvällspressen.

Vorig jaar bracht de *Kvällspressen* op Luciadag het complete netwerk van de Joegoslavische maffia in Zweden aan het licht. De artikelen leidden tot de grootste gecoördineerde politierazzia tegen de georganiseerde misdaad die ooit heeft plaatsgevonden. Meer dan 35 huizen, auto's, boten en vrachtwagens werden doorzocht of in beslag genomen tijdens een actie die een volledig etmaal heeft geduurd. Ook werden grote hoeveelheden wapens, drugs, gesmokkelde drank en sigaretten in beslag genomen. Een vijftigtal illegale immigranten is inmiddels uitgewezen.
Het ondervragen van de verdachten duurt al de hele zomer, maar de onderzoekers moeten nog veel werk verzetten voordat een officiële aanklacht kan worden geformuleerd.
'Het onderzoek verloopt buitengewoon traag, alle verdachten ontkennen alles categorisch', zegt een politiebron. 'We kunnen niet beginnen met de aanklacht voordat we een totaalbeeld van de activiteiten hebben.'
De Russen nemen het over.
Van een daling in de misdaadcijfers die kort na de razzia

kon worden waargenomen, is geen sprake meer, constateert de politieman.
'Onze conclusie is dat het vacuüm dat na de Joegoslaven is ontstaan, sneller is opgevuld dan wij verwacht hadden', zegt de politieman. 'Het is gewoon zo dat de Russische maffia hier naartoe gekomen is, zij hebben de activiteiten voortgezet.'
'Dus eigenlijk zijn al die aanhoudingen voor niets geweest?'
'Zo moet je dat nooit zien. Iedere veroordeelde misdadiger is een overwinning voor de rechtsstaat.'

(vervolg op blz. 2)

Gemeenschapszinnen, nr. 9, 21 september
intern orgaan
Vereniging van Zweedse Gemeenten

p. 13

In dienst getreden:

Thomas Samuelsson, projectleider van het onlangs afgesloten onderzoek naar de kwaliteitsborging van de bijstandsuitkeringen, is aangesteld als onderzoeker bij onze onderhandelingsdelegatie.
Thomas Samuelsson is eerder zeven jaar werkzaam geweest als administrateur in Vaxholm. Hij woont in Kungsholmen in Stockholm met zijn verloofde en zijn pasgeboren zoon.

Dankwoord van de auteur

Dit boek is fictie. Alle romanfiguren zijn in alle opzichten ontsproten aan de fantasie van de schrijfster, met één uitzondering: Maria Eriksson. Mia bestaat, haar levensverhaal wordt verteld in de documentaire-roman *Gömda*. Mia heeft haar rol in deze fictieve vertelling gelezen en goedgekeurd.

In alle andere gevallen berusten eventuele overeenkomsten met werkelijke personen op louter toeval. Ook de krant de *Kvällspressen* en de stichting Het Paradijs bestaan niet. Beide zijn geïnspireerd op een aantal bestaande organisaties, maar in deze roman zijn ze enkel en alleen een product van de fantasie van de schrijfster.

De beschrijving van de Servische criminaliteit, zowel in het uiteenvallende Joegoslavië als in Zweden, bestaat eveneens uit verzinsels en conclusies van de schrijfster.

De gegevens betreffende andere criminele organisaties en hun werkgebieden zijn gebaseerd op eerder gepubliceerde feiten, met name in de krant *Aftonbladet*.

In sommige gevallen heb ik de vrijheid genomen wijzigingen aan te brengen in bestaande plaatsen, wegen en gebouwen.

Ik wil iedereen bedanken die voor mij klaargestaan heeft en antwoord heeft gegeven op mijn soms nogal vreemde vragen. Dat zijn:

Johanne Hildebrandt, oorlogscorrespondente, tv-producente en mijn goede vriendin, voor haar grote praktische en theoretische expertise rond de oorlog en de omstandigheden op de Balkan.

Shqiptar Oseku, woordvoerder van het Kosovo-informatiekantoor in Scandinavië, voor invalshoeken en kennis met betrekking tot de activiteiten van verschillende Baltische groeperingen.

Peter Rönnerfalk, arts en medisch adviseur, voor vakkennis met betrekking tot medische kwesties.

Ann-Sofie Mårtensson, chef voorlichting van de Stockholmse havens, voor informatie over de Stockholmse Vrijhaven en al haar functies, gebouwen, historie, kantoren en activiteiten en voor een rondleiding in het havengebied.

Rolf Holmgren, douane-inspecteur bij de grensbewakingseenheid in Stockholm, voor informatie over de procedures van de douane met betrekking tot goederentransporten alsmede voor zijn vakkundige uitleg over en demonstraties van de creatieve invallen van sigarettensmokkelaars en hoe deze smokkelaars worden ontmaskerd.

Hasse Ek, bankdirecteur, en Petra Nordin, bankvrouw, voor al hun kennis en tijd.

Jonas Gummeson, chef binnenland van de nieuwsredactie van TV4, voor zijn hulp met feiten die betrekking hebben op de binnenlandse politiek van de sociaal-democraten.

Lotta Snickare, hoofd ontwikkeling bij de Förenings-spaarbank, voor informatie over zowel het bankwezen als over bestuurskwesties en de werkzaamheden van gemeenten.

Thomas Snickare, projectleider bij Telia, voor zijn kennis over de gang van zaken binnen een Raad voor Sociale Aangelegenheden.

Pär Westin, regiochef van het Stockholmse begraafplaatsenbeheer, alsmede zijn personeel, voor details aangaande begrafenisplechtigheden en teraardebestellingen.

Birgitta Elvås, voor haar advies betreffende de administratieve en bestuurlijke gang van zaken bij gemeenten.

Catarina Nitz, verslaggeefster bij de *Katrineholms-Kuriren*, voor details over Södermanland.

Linus Feldt van Bajoum Interaktiv AB, geniale en bekroonde computerprogrammeur die mij voortdurend behoedt voor digitale rampen.

Jan Guillou, schrijver en journalist, die mij geholpen heeft met details over wapens en ammunitie en hun uitwerking op het menselijk lichaam.

Kaj en Maria Hallström voor verscheidene details over Södermanland.

Ann-Marie Skarp, Jessica Örner en Elisabeth Bredberg, mijn vriendinnen en collega's bij Piratförlaget.

Karin Kihlberg, die zorgt dat alles blijft draaien.

Sigge Sigfridsson, mijn fenomenale uitgever die alles mogelijk heeft gemaakt.

En, last but not least, mijn geniale redacteur: dramaturge Tove Alsterdal.

Bedankt allemaal.

Eventuele fouten komen uiteindelijk alleen voor mijn rekening.

L.M.

Liza Marklund bij De Geus

Prime time

Verslaggeefster Annika Bengtzon verdiept zich in de moord op tv-ster Michelle Carlsson, die na afloop van opnamen voor een tv-programma levenloos wordt aangetroffen in een mobiele regiekamer.

Springstof

Annika Bengtzon wordt in de week voor Kerstmis 's nachts uit bed gebeld met de mededeling dat er een bom is ontploft in het olympisch stadion, waar de voorbereidingen voor de Olympische Spelen in volle gang zijn. Annika heeft al snel het vermoeden dat het niet om een terroristische aanslag gaat.

Studio Zes

Op het kerkhof is het lichaam van een jonge vrouw gevonden. Ze is verkracht en gewurgd. Het spoor leidt naar een vriend van het slachtoffer, eigenaar van seksclub Studio Sex, waar zij werkte als stripteasedanseres. Het lijkt een eenvoudige moordzaak, maar Annika Bengtzon vergaloppeert zich.

De Rode Wolf

Annika Bengtzon wil een artikelenserie schrijven over terrorisme en verdiept zich onder meer in een oude, nooit opgehelderde aanslag. Dan komt een belangrijke informant, vlak voordat ze hem zou ontmoeten, bij een auto-ongeluk om het leven.

Ondergedoken

I.s.m. Mia Eriksson

Liza Marklund vertelt het verbijsterende verhaal van Mia Eriksson, een jonge vrouw die verliefd wordt op een Libanese vluchteling. De relatie begint als een idylle, maar steeds meer begint hij haar te behandelen als zijn bezit. Als ze hem ten slotte verlaat en met een andere man trouwt, gaat hij haar en haar kinderen naar het leven staan.